LE QUÉBEC : TERRITO

Henri Dorion
Jean-Paul Lacasse

LE QUÉBEC:

territoire incertain

collection **territoires**

SEPTENTRION

Pour effectuer une recherche libre par mot-clé à l'intérieur de cet ouvrage, rendez-vous sur notre site Internet au www.septentrion.qc.ca.

Les éditions du Septentrion remercient le Conseil des Arts du Canada et la Société de développement des entreprises culturelles du Québec (SODEC) pour le soutien accordé à leur programme d'édition, ainsi que le gouvernement du Québec pour son Programme de crédit d'impôt pour l'édition de livres. Nous reconnaissons également l'aide financière du gouvernement du Canada par l'entremise du Fonds du livre du Canada (FLC) pour nos activités d'édition.

Directeur de collection : Henri Dorion

Révision : Solange Deschênes

Correction d'épreuves : Marie-Michèle Rheault

Mise en pages : Pierre-Louis Cauchon

Maquette de couverture : Anik Dorion-Coupal

Cartographie (cartes 1 à 6, 9, 11, 15 et 17 à 21) : Laboratoire de cartographie, Département de géographie, Université Laval.

Si vous désirez être tenu au courant des publications
des ÉDITIONS DU SEPTENTRION
vous pouvez nous écrire par courrier,
par courriel à sept@septentrion.qc.ca,
par télécopieur au 418 527-4978
ou consulter notre catalogue sur Internet :
www.septentrion.qc.ca.

© Les éditions du Septentrion
1300, av. Maguire
Québec (Québec)
G1T 1Z3

Dépôt légal :
Bibliothèque et Archives
nationales du Québec, 2011
ISBN papier : 978-2-89448-661-0
ISBN PDF : 978-2-89664-621-0

Diffusion au Canada :
Diffusion Dimedia
539, boul. Lebeau
Saint-Laurent (Québec)
H4N 1S2

Ventes en Europe :
Distribution du Nouveau Monde
30, rue Gay-Lussac
75005 Paris

Ce livre est dédié à celles et ceux qui ont le pouvoir et la volonté de faire du Québec un territoire efficacement protégé, autant dans son contenu que dans son contenant.

REMERCIEMENTS

Merci à Daniel Roberge, du ministère des Ressources naturelles et de la Faune, pour les précieux renseignements qu'il nous a fournis concernant les programmes et les activités du ministère.

Nos vifs remerciements au Département de géographie de l'Université Laval qui a mis à notre service les talents de Karine Tessier, dessinatrice des cartes originales de ce livre.

AVANT-PROPOS

Dans ses *Contes du pays incertain*[1], Jacques Ferron a interrogé la mémoire collective des Québécois et exprimé de façon fantaisiste leur ambivalence, révélée par une incertitude viscérale face à ce qu'ils sont et même face à ce qu'ils veulent être. Ce flottement national a fait récemment l'objet d'une analyse plus systématique dans un ouvrage que Jocelyn Létourneau a intitulé *Que veulent vraiment les Québécois*[2]? La réponse y est clairement apportée: ils ne savent pas ce qu'ils veulent! Le jugement est sans appel et ceux qui rêvent au fameux Grand Soir peuvent tout aussi bien se retrouver en compagnie des personnages des contes du pays incertain.

Incertain, ce pays? On ne peut le nier quand on voit le peuple québécois, et surtout ceux qui l'auscultent, osciller entre québécitude et canadianité, entre américanité et francité, quand on voit l'écart entre les valeurs culturelles, économiques, sociales et morales qui sont celles des différentes composantes de la société québécoise, quand on considère, au sein de celle-ci, l'inévitable répartition des fidélités à l'un ou à l'autre des pays gigognes que sont le Canada, le Québec et ses différentes composantes territoriales, de même que l'instabilité de cette répartition. Dans ce contexte, il n'est pas facile de définir, par quelque biais que ce soit, le territoire (la poupée gigogne du milieu) qu'est le Québec. Est-ce un pays, une partie de pays, un sous-pays, une division administrative, une province, une région? Est-ce l'assiette territoriale d'une nation, d'un peuple, d'une société dont les dirigeants politiques ne s'entendent pas à savoir si elle est distincte ou pas?

Les notions de base auxquelles est reliée celle de « territoire » comportent des flous qui contribuent à l'incertitude territoriale québécoise. Les termes *pays, nation, État* sont souvent employés indifféremment l'un pour l'autre. Rien de surprenant puisque chacun de ces termes a plusieurs sens. Le Canada est un État, au sens politique du terme; il est composé de dix provinces et de trois territoires. Mais, depuis quelques décennies, l'expression « Province de Québec » a été largement remplacée par « l'État québécois», popularisée par le premier ministre Jean Lesage dans les années 1960.

Il existe évidemment une nation canadienne, qui comprend plusieurs nations autochtones de même qu'une nation québécoise, reconnue récemment comme telle par le gouvernement du Canada. Le Québec possède d'ailleurs, depuis 1968, son «Assemblée nationale», qui siège à Québec, «capitale nationale du Québec». Le mot «pays», pour sa part, souvent utilisé dans le sens d'État, désigne aussi des régions considérées comme unités de vie, d'action et de relations. La région de Kamouraska n'est-elle pas surnommée «le doux pays» et Charlevoix «le pays de la gourgane»? Quant à savoir si le Québec est une «société distincte», à peu près tout le monde le reconnaît, mais de là à constitutionnaliser cette expression, c'est une autre histoire qui relève davantage de la psychopolitique que de la géographie.

Loin de nous la prétention de pouvoir lever l'ambiguïté qui entoure le Québec et la société québécoise. Le défi est de taille et, de toute façon, il faudrait d'abord tenter de définir chacun des éléments qui font qu'un espace est un *pays*, dans le sens originel de ce terme, donc dans son sens géographique qui n'est pas de façon univoque celui d'*État*. Un de ces éléments, essentiel, incontournable, c'est le *territoire*, quels que soient le sens, la portée et l'ampleur que l'on reconnaisse à ce terme. Pourtant, il est des penseurs qui parlent de «la fin des territoires», à l'image de ceux qui brodent d'infinies variations sur l'idée de «la fin de l'histoire[3]». Certains grands esprits évoluent dans de si hautes sphères de la pensée spéculative qu'ils perdent de vue les réalités concrètes qui composent le territoire. Libre à eux de se croire en période post-historique.

Revenons sur terre. Avant d'aller se réfugier dans la bonne conscience de l'incertitude assumée, il est permis d'aborder une question pratique : comment se définit le territoire du Québec? Car, s'il arrivait que l'espace géographique lui-même sur lequel et dans lequel la société québécoise agit en tentant de définir sa spécificité se révélait incertain, indéfini, problématique, peut-être qu'une saine inquiétude pourrait relayer la complaisance de ceux qui abandonnent au hasard la définition (ou l'indéfinition) d'une nation qui se cherche.

Ces propos préliminaires ne visent qu'à donner le contexte de la réflexion qui a généré le présent ouvrage, réflexion amorcée en 1966, lorsque le gouvernement du Québec a confié à la Commission d'étude sur l'intégrité du territoire du Québec (CEITQ) le mandat de faire un peu de lumière sur une série de questions touchant les incertitudes relatives au territoire québécois, surtout dans sa dimension horizontale (ses frontières) et, dans une certaine mesure, verticale (la répartition des compétences sur l'ensemble ou sur des portions de ce territoire). Il n'est pas déplacé de se demander, plus de quarante ans plus tard, lesquelles des incertitudes que cet organisme a décelées ont été levées et résolues et quelles sont celles qui persistent. Disons-le d'entrée de jeu : même si certaines solutions ont été apportées à des problèmes territoriaux longtemps restés en suspens (et nous les évoquerons au passage), la plupart des incertitudes territoriales qui, à l'époque, hypothéquaient l'espace québécois posent encore problème.

Parmi les nombreuses questions qui font du Québec un *pays incertain*, certaines sont d'une importance évidente, quel que soit l'éventuel statut du Québec (pour peu que celui-ci ne s'enracine pas dans un statu quo permanent), alors que d'autres sont plutôt de moindre importance. Nous avons également voulu évoquer celles-ci malgré l'importance secondaire que représente ce que l'on peut considérer comme des détails parce que, en matière territoriale, précision et netteté absolue constituent une règle d'or trop longtemps oubliée. En cette matière, nous estimons que même des situations hypothétiques méritent d'être envisagées. Il nous est arrivé de le faire, sans pourtant plaider pour une solution plutôt que pour une autre.

L'ensemble du constat qui résulte de notre analyse devrait logiquement nous amener à poser une question corollaire : qu'ont fait les gouvernements successifs du Québec pour lever ces ambiguïtés ? On pourrait aussi formuler cette question fondamentale dans les termes suivants : l'intégrité territoriale du Québec a-t-elle reçu, de la part de l'administration gouvernementale québécoise, l'attention qu'elle mérite ? Nous avons pris le parti de ne pas y répondre directement, préférant présenter aux décideurs politiques l'état d'une situation où bien des questions préliminaires se posent. D'autres que nous pourraient, selon leurs réponses aux incertitudes que nous évoquons ici, faire une évaluation objective des attitudes, des positions, des interventions gouvernementales qui, tout au long des dernières décennies, avaient quelque rapport avec l'intégrité territoriale du Québec. L'idéal serait que le gouvernement du Québec apporte lui-même ces réponses.

Il se peut d'ailleurs que divers organismes du gouvernement aient, dans leurs dossiers internes et peut-être même dans leurs cartons, des renseignements auxquels notre statut non gouvernemental ne nous a pas donné accès et qui pourraient contenir des solutions aux questions que cet ouvrage soulève. Les informations factuelles contenues dans cet ouvrage ont fait l'objet de recherches approfondies mais celles-ci, comme toute recherche visant des documents officiels, n'étaient pas à l'abri d'erreurs, de mésinterprétations ou de non-réponses, compte tenu du caractère non public d'un pan important de la documentation gouvernementale. Nous espérons que ce contexte ne nous a pas amenés vers trop d'inexactitudes.

I.

LE QUÉBEC : UN TERRITOIRE À DÉFINIR

LES STATISTIQUES, LA CARTOGRAPHIE, les documents officiels, la toponymie, l'interprétation de la constitution canadienne et plus spécifiquement celle des textes relatifs à la délimitation* des frontières, les jugements de cour, les déclarations ministérielles, tout concourt à devoir considérer le Québec comme un territoire qui n'est défini, à divers égards, que de façon incomplète et imprécise.

Ainsi, selon les sources consultées, la superficie du Québec varie considérablement ; les écarts atteignent près de 10 %. La représentation cartographique du territoire québécois est à l'avenant. Le golfe du Saint-Laurent y figure parfois comme un territoire partagé entre les provinces qui le bordent alors que, souvent, aucune frontière interprovinciale ou fédérale-provinciale n'y apparaît. Presque un siècle s'est écoulé depuis l'extension du territoire québécois vers le nord et les cartes, tant fédérales que provinciales, représentant les territoires nordiques sont encore incapables d'illustrer avec un minimum de précision la localisation précise de la frontière du Nunavik. On n'a toujours pas déterminé de façon exhaustive, tant s'en faut, quelles îles, le long des côtes septentrionales, font partie du Québec et lesquelles relèvent du Nunavut.

La frontière entre le Québec et la province de Terre-Neuve au Labrador est parfois absente, parfois indiquée de façon plus ou moins conforme à la décision du Conseil privé de Londres en 1927. Soit dit en passant : nous venons d'utiliser, à dessein, le nom de la dixième province du Canada dans la forme qui était la sienne jusqu'à ce qu'un amendement à la constitution canadienne vienne en modifier le nom en 2001. Nous aurons l'occasion, au chapitre 2.6, de démontrer que ce changement est, lui aussi, une manifestation de l'incertitude territoriale qui hypothèque les territoires en présence.

En fait, ces flottements dans la représentation territoriale du Québec reflètent une situation géopolitique où l'unanimité est loin d'être faite.

FIGURE I

Niveaux des frontières du Québec

Réalisation : Département de géographie, Université Laval

▬▬●●●▬▬ Frontière internationale	▬ ▬ ▬ ▬ Frontière provinciale-territoriale
▬●▬●▬● Frontière interprovinciale	▬x▬x▬ Frontière provinciale-fédérale selon le gouvernement fédéral
●●●●●●●●●● Frontière interprovinciale selon Québec	

Les déclarations et les documents émanant des gouvernements de Québec et d'Ottawa se contredisent souvent relativement à la définition géographique de plusieurs portions du territoire québécois de même que sur l'omniprésente question du partage des compétences exercées par les deux ordres de gouvernement sur des parcelles de territoire définies à des fins particulières. Aussi, les textes, les théories, les mécanismes constitutionnels et les interprétations divergentes qui en sont faites ajoutent à l'incertitude quant à la mise en œuvre de ces compétences.

Or, importantes sont les conséquences géographiques de la traduction dans les faits de programmes et de budgets qui s'écartent des limites de compétence établies par la constitution canadienne en vertu des mécanismes évoqués.

Qui plus est, les positions défendues ou simplement énoncées par les gouvernements successifs du Québec sont elles-mêmes variables et parfois contradictoires, pour peu qu'elles aient été clairement exprimées. Ainsi, on peut même aller jusqu'à dire qu'aujourd'hui encore il est difficile, pour ne pas dire impossible, d'établir avec certitude quelles sont les frontières que le gouvernement du Québec considère comme litigieuses, contestées, validement délimitées ou encore délimitées de façon incomplète, rendant de ce fait très problématique la réalisation de l'étape définitive de leur démarcation* (voir le glossaire pour les mots marqués d'un astérisque).

L'éventail des positions affichées par les gouvernements, les partis politiques et les spécialistes des diverses disciplines concernées par le domaine territorial est fort large, allant d'une défense intransigeante de l'intégrité territoriale du Québec jusqu'au *partitionnisme** qui préconise sa divisibilité en cas de changement de statut politique. Force nous est donc de considérer l'espace québécois comme un territoire à définir, tout autant d'ailleurs sous l'angle de son *contenant* que sous l'angle de son *contenu*.

À plus d'une reprise, des décideurs politiques ont jugé qu'un État moderne et responsable se doit de bien connaître son territoire, d'en préciser clairement les tenants et aboutissants et de clarifier la manière dont les compétences gouvernementales établies par la loi y sont respectivement exercées. Des états de la question successifs ont attiré l'attention des autorités gouvernementales sur la nécessité de clarifier la définition territoriale du Québec. Certains points de détail ont fait l'objet de prises de position, de décisions ou de négociations, mais, dans l'ensemble, le constat reste encore le même aujourd'hui : à plus d'un égard, **l'espace québécois est un territoire incertain.**

Ce constat concernant les frontières géographiques qui délimitent physiquement le territoire s'applique aussi à des frontières d'un autre ordre, celles qui départagent les champs d'action des deux ordres de gouvernement sur ce territoire. Ces incertitudes touchent différents domaines même si la constitution canadienne en a nommément attribué la compétence à l'un ou l'autre des ordres de gouvernement, comme les terres publiques, les ressources naturelles et même l'éducation, en principe de compétence provinciale mais où les interventions fédérales se sont multipliées ces dernières années. À plus forte raison, ces incertitudes touchent-elles aussi les domaines qui sont susceptibles d'interpeller plusieurs champs de compétence, appelés champs transversaux, comme la culture, l'économie ou les transports.

Pour avoir une juste idée de ce que peut ou pourrait être le fonctionnement optimal d'un État et de son gouvernement, il est essentiel d'en définir précisément le territoire, qui est un des éléments constitutifs fondamentaux de l'État. Un des objectifs du présent ouvrage, inspiré par cette évidence incontournable, est de contribuer à une *définition du territoire québécois* en signalant les zones sombres qui l'affectent et en tentant de comprendre les raisons qui ont fait que de nombreux aspects de la définition territoriale demeurent, encore aujourd'hui, imprécis et problématiques. Cette analyse devrait logiquement déboucher sur une question fondamentale : existe-t-il une politique territoriale cohérente au sein du gouvernement du Québec ? Cette question en interpelle une autre : celui-ci est-il adéquatement équipé pour en surveiller l'application, si tant est qu'elle existe et qu'elle est clairement définie, et en évaluer la pertinence compte tenu de l'évolution de son contexte ? Advenant des réponses négatives à ces questions, il y aurait alors lieu d'envisager les démarches qui devraient être entreprises pour qu'une telle politique soit formulée, structurée et opérationnalisée. Mais ces questions, et surtout les réponses à y apporter, relèvent des décideurs à qui nous osons croire que la présente étude pourrait être utile.

I.I.

Territoire, territoires, intégrité territoriale

IL EXISTE PLUSIEURS MANIÈRES de définir le territoire québécois. On peut examiner par le menu détail où se situent, dans l'espace, les lignes qui marquent de façon précise la limite extérieure de l'espace horizontal qui constitue son territoire. Cette manière de définir le territoire constitue en fait une analyse de l'assiette géographique dans laquelle s'inscrivent les frontières du territoire québécois. Cette analyse a été réalisée de façon systématique il y a 40 ans, lorsque la Commission d'étude sur l'intégrité du territoire québécois (CEITQ) a, conformément au mandat que lui avait confié le gouvernement du Québec, remis à celui-ci des études portant sur neuf aspects de l'intégrité territoriale[1] :

1. Les problèmes de la région de la capitale canadienne.
2. La frontière Québec-Ontario.
3. La frontière du Labrador.
4. Le domaine indien.
5. Les frontières septentrionales.
6. Les frontières méridionales.
7. La frontière dans le golfe du Saint-Laurent.
8. Les droits territoriaux fédéraux.
9. Considérations sur les politiques d'intégrité territoriale au Québec.

Chacune des sept premières tranches portant sur les questions d'intégrité territoriale a fait l'objet d'un rapport des commissaires. Les deux autres questions n'ont fait l'objet que d'études partielles, le gouvernement de l'époque n'ayant pas demandé de rapport aux commissaires sur ces aspects de l'intégrité territoriale.

Le recul des quarante années qui nous séparent de cet exercice et l'observation du contexte dans lequel a évolué le contrôle qu'a le gouvernement du Québec de son territoire nous ont induits à réexaminer la question de l'intégrité territoriale en reconnaissant à cette notion une compréhension plus large qui nous amène à y voir deux dimensions : la dimension horizontale, relative aux frontières, et la dimension verticale, relative aux compétences qui s'y exercent.

Il faut dire qu'au regard des innombrables questions qui se sont posées dans les dernières décennies relativement à l'intégrité territoriale des États un peu partout sur la planète, on se rend compte que la notion de territoire est devenue fort élastique et que, selon les disciplines qui l'étudient, sa définition est très variable. Aux fins de notre analyse, définir un territoire, c'est le délimiter, en définir les tenants et aboutissants, établir la connaissance et le contrôle qu'en ont ceux qui ont mission de le gérer et, dans un contexte de compétences partagées comme c'est le cas en milieu fédéral, connaître les problèmes réels ou potentiels reliés à l'exercice des compétences respectives des différents ordres de gouvernement sur l'ensemble du territoire, mais aussi sur des espaces précis affectés à des fins particulières.

On peut aussi s'interroger sur la justification du choix de l'assiette géographique de tel ou tel secteur des lignes frontières, justification qui peut être d'ordre juridique, historique, géographique, voire socioéconomique. Force nous est, en effet, de reconnaître que la localisation d'une frontière, comme d'ailleurs de l'un ou l'autre des segments qui la composent, peut être tout à fait justifiée selon l'un de ces points de vue et ne pas l'être eu égard à d'autres aspects. De ce fait, il n'est pas déraisonnable de s'interroger sur le bien-fondé du tracé d'une frontière, selon l'un ou l'autre des aspects considérés, même si elle a fait l'objet d'une définition consensuelle ou d'une décision judiciaire ou arbitrale valide.

Cette analyse ne signifie pas qu'il soit question d'ouvrir des hostilités judiciaires visant des changements de frontières. Mais une telle démarche demeure utile pour entrevoir ou imaginer des accommodements pour contourner les effets négatifs de frontières établies en contradiction avec les données de la géographie humaine. On verra par exemple que les frontières septentrionales du Québec constituent à ce titre un exemple éloquent de ce qu'on pourrait, sur un ton léger, mettre au compte de l'application du principe « pourquoi simplifier les choses alors qu'il est si facile de les compliquer ? » Nous reviendrons sur cette question particulière au chapitre 2.1.

L'histoire politique des nations est ponctuée de changements de frontières résultant de l'évolution des rapports de force entre les groupements humains. Le géopoliticien allemand Friedrich Ratzel[2] a comparé le territoire étatique à un être biologique qui naît, croît et, au gré de « maladies territoriales » qui peuvent l'affecter, est susceptible de décroître et même de mourir. Il importe de rappeler cette vue des choses car, en effet, les problèmes territoriaux naissent, se développent et parfois éclatent en conflit ouvert lorsqu'une frontière cesse d'être en harmonie avec la conjoncture géopolitique de la région concernée qui, elle, ne peut être qu'évolutive.

Les frontières ne sont donc pas éternelles puisqu'elles sont souvent le résultat d'une égalité de pressions s'exerçant de part et d'autre, ce que le géopoliticien français Jacques Ancel[3] a appelé une *isobare politique.* Naturellement, l'importance relative de ces pressions peut varier dans le temps sans qu'un rajustement spatial s'ensuive, c'est-à-dire sans que la frontière soit modifiée pour mieux correspondre aux nouvelles conditions de la région concernée. Ce n'est que lorsque l'écart entre les pressions exercées de part et d'autre de la frontière devient trop important que la frontière devient réellement problématique et, à la limite, litigieuse si l'une des autorités territoriales cherche à en modifier le tracé.

Le fait est que des frontières ont été établies sans référence aux réalités régionales ou locales et ont pourtant acquis, par une espèce de force d'inertie, une légitimité qui se borne alors à correspondre exclusivement à une réalité juridique tout en étant en contradiction avec les intérêts des populations affectées par ces frontières. Or, au-delà ou en marge des réalités juridiques et politiques, il n'est pas impertinent de se poser une question de fond : les frontières sont-elles établies pour satisfaire l'interprétation que font des textes les *traceurs de frontières* chargés d'apporter des solutions immédiates à des conflits interétatiques ou des réponses à des questionnements territoriaux ou, ce qui est bien différent, ont-elles plutôt pour objectif de délimiter les territoires en fonction des besoins des populations concernées? On constate qu'à cette question les juristes apportent parfois (on est tenté de dire : souvent) une réponse différente de celle que formulent, dans des termes variables, les observateurs issus des autres sciences humaines. Ces considérations nous amèneront, au chapitre 4.1, à poser la question : «le territoire, l'affaire de qui?»

À l'appui de ce qui précède, on ne peut résister à la tentation d'apporter ici deux exemples de frontières établies *en bureau,* c'est-à-dire au mépris des conditions géographiques devant servir d'assiette à une frontière et de leur effet sur les populations concernées. Il s'agit d'abord de la frontière avec Terre-Neuve au Labrador qui, trois quarts de siècle après qu'une décision arbitrale l'eut définie, fait périodiquement l'objet de questions et de prises de position dont pratiquement aucune ne sert de quelque façon à apporter une solution définitive à son indéfinition.

Rien de surprenant à cela quand on constate que la ligne établie par le Comité judiciaire du Conseil privé coupe arbitrairement, le long du

52ᵉ parallèle, les bassins s'écoulant vers le Saint-Laurent (ce qui contredit le concept de « bassin hydrographique » qui constituait la base même du jugement du Conseil privé pour définir « la côte du Labrador »), que la ligne de partage des eaux se perd par endroits dans des zones amphibies où les eaux ne se partagent pas, que cette ligne traverse des gisements ferrifères dont le partage a constitué un problème technique dont la solution a fait figure de pure improvisation et que surtout les aires d'occupation et de fréquentation des populations autochtones chevauchent les deux Labradors, le terre-neuvien (la *côte du Labrador*) et le québécois (le *Labrador intérieur*).

De l'autre côté de la péninsule du Labrador, la délimitation du territoire québécois à l'occasion de son extension vers le nord en 1912, en établissant la nouvelle frontière septentrionale du Québec à la ligne de rivage et en excluant ainsi les îles littorales du Nouveau-Québec, s'est trouvée à créer, à l'intérieur de l'espace naturel des Inuits de la région, une discontinuité administrative venant en contradiction avec les relations qu'ils entretiennent depuis toujours avec leurs territoires continental et insulaire.

Ces deux définitions de frontières ont eu des impacts fort différents sur les populations et les acteurs concernés. Dans le premier cas, l'impact le plus remarquable a été de nature économique et administrative car il s'est agi, lorsque l'exploitation du minerai de fer de la fosse du Labrador a débuté en 1946, de savoir à quel gouvernement les compagnies devaient payer les redevances. En effet, la ligne de partage des eaux, établie par la décision du Comité judiciaire du Conseil privé de Londres en 1927 comme la ligne séparant les territoires canadien et terre-neuvien, court précisément à travers plusieurs des gisements ferrifères de la région. Nous avons déjà illustré, dans un ouvrage[4] publié en 1963, comment l'entreprise minière Iron Ore établissait la répartition des quantités extraites « du côté québécois » et « du côté terre-neuvien ». Soit dit en passant, l'acceptation par le gouvernement du Québec de ce mode de calcul ne peut pas ne pas être considérée comme une reconnaissance de la localisation, à cet endroit précis, de la frontière interprovinciale.

Il faut ajouter que, pour les Innus, la frontière entre les deux provinces n'est qu'une ligne dessinée par d'autres et qui est venue, de façon artificielle, couper en deux parties leur propre territoire, qu'ils occupent en vertu de leurs pratiques ancestrales. Encore aujourd'hui, ils considèrent qu'ils n'ont que faire de cette frontière. Il en est résulté, comme conséquence de la présence de cette ligne, un chevauchement des droits territoriaux des autochtones sur le territoire de deux provinces dont les gouvernements peuvent avoir des positions différentes quant à la reconnaissance de ces droits et à leur exercice.

Dans le second cas, les populations inuites ont subi en 1912 les effets de la définition d'une frontière qui venait, du jour au lendemain, séparer les territoires continentaux et maritimes qu'une longue tradition avait unis en une étroite symbiose, toute naturelle pour ce peuple faisant un large usage des littoraux. Presque un siècle plus tard, les Inuits ont remis en question cette coupure artificielle qui avait fait l'objet d'une analyse étoffée par le géographe Benoît Robitaille, dans des études de la Commission d'étude sur l'intégrité du territoire du Québec[5].

À partir de la fin des années 1990 en effet, les Inuits du Québec, estimant que les relations étroites qu'ils entretenaient traditionnellement avec les îles littorales n'avaient pas été tenues en compte dans l'Accord sur les revendications territoriales du Nunavut intervenu en 1993 (relations que, précisément, l'étude de Benoît Robitaille avait clairement démontrées et justifiées), entreprirent de revendiquer la reconnaissance de ces droits auprès du gouvernement fédéral canadien. Ainsi se déclencha une longue négociation qui a abouti à l'Accord sur les revendications territoriales des Inuit du Nunavik[6] en 2006. Cette négociation s'est effectuée sans pourtant que le gouvernement du Québec ne saisisse l'occasion de remettre en question l'illogique définition de la frontière littorale qui fait du Québec un État enclavé, une réalité géopolitique qui méritera réflexion. Nous en reparlerons au chapitre 1.5.

Le droit est rarement en avance sur la géographie. C'est plutôt l'inverse qui est la règle. Lorsque le tracé et les fonctions d'une frontière ont un impact négatif sur la vie des populations concernées, on se plaît à penser que, dans le meilleur des mondes, des politiques ouvertes, souples, généreuses pourraient être imaginées pour résoudre ces problèmes au bénéfice de tous les groupes humains concernés dont les intérêts devraient toujours être placés plus haut que ceux des pouvoirs politiques. Ces solutions peuvent comporter des accommodements allant dans le sens d'une défonctionnalisation des frontières et même, à la limite, déboucher sur des modifications des tracés frontaliers. Sur le plan international, on a fréquemment recours à cette pratique; on ne voit pas pourquoi elle ne pourrait pas être également appliquée à des problèmes frontaliers intra-étatiques. Cette éventualité avait été évoquée plus d'une fois dans le rapport de la CEITQ.

Mais il arrive aussi que la politique devance la géographie. Elle le fait parfois au détriment des populations concernées qui finissent par s'y faire. Ou alors la géographie s'adapte, recrée des solidarités de part et d'autre de la frontière, redéfinit ainsi des différenciations spatiales qui engendrent une nouvelle géographie des lieux. Tout est question de conjoncture. Il faut donc envisager le moment présent sans craindre les solutions de continuité dans le temps. Comme on le disait plus haut : aucune frontière n'est éternelle. Lorsque son intangibilité est menacée ou remise en question, la question territoriale s'installe dans l'incertitude.

Or, le Québec est ici interpellé d'une double façon. Il l'est activement au sujet de la frontière avec la province voisine au Labrador, la réponse ayant consisté jusqu'à maintenant à représenter, fréquemment mais pas toujours, un tracé de la frontière qui s'écarte de celui qu'a établi le Comité judiciaire du Conseil privé en 1927. Il l'est aussi par la position maintes fois exprimée par la communauté inuite au sujet de l'éventualité d'une sécession du Québec de la Confédération canadienne. Il l'est de façon moins active, c'est le moins qu'on puisse dire, relativement aux négociations intervenues entre le gouvernement fédéral et les Inuits du Nunavik relativement aux îles littorales du Nord.

Toute frontière constitue une solution de continuité, une fragmentation spatiale quant à l'application des lois, règlements et programmes de même que quant aux autres modes de gestion des territoires qu'elle sépare. Inévitablement, les frontières exercent un effet souvent contraignant sur la vie des communautés situées de part et d'autre des lignes frontalières. Réciproquement et nécessairement, les divers éléments des complexes régionaux en présence ne peuvent pas ne pas avoir d'impact sur la gestion des frontières et de leurs fonctions. La frontière doit donc être l'objet d'une constante préoccupation de l'État, mais pas seulement, comme on a souvent tendance à le penser, pour en garantir l'immuabilité mais aussi, au besoin, pour en interroger le bien-fondé, quant à sa localisation précise mais également quant à ses fonctions, étant donné qu'elle conditionne, sur bien des aspects, la vie des régions qu'elle traverse et sépare.

Définir un territoire, c'est donc en premier lieu établir la problématique de sa délimitation spatiale, en termes de définition géographique de son tracé mais aussi en termes de relations avec la vie des communautés affectées par la présence d'une frontière. C'est aussi appréhender la pertinence et l'efficience des outils de connaissance et des leviers administratifs dont l'État s'est doté pour assumer la gestion de ses frontières et des problèmes qui s'y rattachent.

Les considérations qui précèdent sont exprimées en termes de délimitation spatiale, c'est-à-dire horizontalement : l'analyse territoriale concerne, sous cet angle, la localisation des frontières, sa justification originale ou actuelle, les problèmes que pose ou est susceptible de poser cette localisation, de même que le mode de gestion gouvernementale des régions frontalières en autant qu'elles sont affectées par les frontières qui les jouxtent.

Cet angle d'approche des questions territoriales n'implique cependant qu'un aspect d'une réalité géopolitique qui est plus complexe du fait de la superposition de compétences d'ordres différents sur un même territoire, situation qui constitue une règle presque universelle, trouvant d'ailleurs un champ d'application particulièrement intéressant en milieu fédéral. Dès lors qu'on analyse la traduction des attributions de pouvoirs en termes territoriaux, cette situation se manifeste d'une double manière : par la délimitation des différents territoires de quelque niveau de compétence qu'ils soient (on parle ici de *dimension horizontale*) et par le partage, sur les portions de territoires concernées, des compétences entre les différents ordres de gouvernement (on parle alors de *dimension verticale*).

Sans anticiper sur l'analyse qu'il nous faudra faire de la notion d'*intégrité territoriale* (chapitre 1.8), on peut d'ores et déjà déduire de ce qui précède que cette notion, au même titre que la répartition des compétences sur des portions de territoire, se compose de deux dimensions, essentiellement différentes mais fonctionnellement reliées : la dimension horizontale (l'étendue territoriale des compétences de l'État) et la dimension verticale (l'étendue des compétences sur les territoires gérés par les divers niveaux étatiques). Définir un territoire, c'est donc interroger la gestion territoriale autant par l'analyse de la délimitation de ses compétences que par celle de sa délimitation spatiale.

La notion de territoire peut donc varier selon le type de structure interne de l'État qui implique toujours une répartition des pouvoirs et des compétences. À cet égard, le système fédéral constitue un cas particulier puisqu'on est alors en face de territoires qui, à l'instar des gouvernements qui les gèrent, se trouvent à la fois juxtaposés (les États membres de la fédération) et superposés ou emboîtés (les deux niveaux de gouvernement : l'État fédéral et les États fédérés). Certains auteurs estiment même que le mot *territoire*, dans le cas d'un membre de la fédération, n'a pas le même sens que celui de *territoire étatique*. Pour les professeurs Brun, Tremblay et Brouillet[7], la notion juridique de territoire étatique ne s'applique pas dans un contexte fédéral puisque la compétence territoriale du Québec « se limite à une fraction du territoire étatique » et que, « si l'on parle de territoire québécois, c'est dans le sens restreint d'aire de compétence des organes québécois ». Ils reconnaissent par ailleurs que la notion de territoire n'est pas propre au droit. Quant à nous, tout en constatant qu'il existe un État québécois qui gère, dans les limites de ses compétences, un territoire géographique, nous ne faisons pas cette subtile distinction juridique et préférons parler des deux dimensions du territoire (le contenant et le contenu) et, partant, de l'intégrité territoriale.

Sans nier la pertinence de cette opinion, le présent ouvrage s'inscrit en dehors de ce raisonnement tout en ne s'y opposant pas, ce qui reflète notre approche qui est basée sur la distinction entre les dimensions horizontales (limites du territoire) et les dimensions verticales (les compétences des deux niveaux de gouvernement) de l'intégrité territoriale, deux dimensions auxquelles fait référence notre réflexion sur les incertitudes inhérentes au territoire québécois.

Sur un autre plan, on constate que les limites politico-administratives qui quadrillent la planète correspondent rarement à des solutions de continuité ethniques, ethnolinguistiques ou ethnoculturelles et, lorsqu'elles le font, c'est le plus souvent de façon approximative. À cet égard, les situations sont rarement simples et, de ce fait, souvent problématiques, sous l'angle de la représentativité des États fédéral et fédérés par rapport aux peuples représentés. Est-il besoin de rappeler que les États sont, en quelque sorte, les porte-parole des peuples? La concordance entre ces deux réalités d'ordres différents n'est cependant jamais parfaite, tant s'en faut. Dans son livre *Peuples et États, l'impossible équation,* Roland Breton[8] écrit:

> Alors que le peuple constitue l'unité sociétale de base (ethnique), l'État est la structure institutionnelle supérieure (politique) ayant vocation à représenter l'ensemble de la société sur un territoire donné. L'histoire est largement occupée par la non-concordance de ces deux types d'entités: tel peuple est partagé entre plusieurs États et tel État englobe plusieurs peuples ou fractions de peuples. Si tout État prétend être l'émanation de sa population entière, par-dessus ses divisions sociales et sociétales (ethniques), il peut néanmoins être accaparé par une classe ou un peuple. Il sera cependant représenté comme l'incarnation d'un seul peuple, dont il tirera sa justification symbolique, et ce peuple sera appelé à se reconnaître en lui précisément par-dessus ses propres divisions en classes.

Les propos de Breton portent à réflexion dans une interrogation sur l'avenir du Québec dans ou hors la Confédération canadienne. Tel n'est cependant pas notre propos dans le présent livre. Notre interrogation se concentre sur la définition territoriale du Québec dans l'état actuel des choses au point de vue constitutionnel. Dans l'énoncé du cadrage conceptuel de cet ouvrage, nous examinerons d'abord la notion de territoire dont on verra, par la suite, comment elle s'adapte à un contexte fédéral.

Il sera cependant toujours important de distinguer les deux dimensions politico-juridiques de la réalité territoriale. La problématique de la première, la dimension horizontale, se manifeste par le tracé des frontières et par leurs relations avec les composantes physiques et humaines des régions concernées. Nous examinerons à ce titre ce que nous appelons l'*épiderme territorial* (chapitre 1.3). Nous nous réfèrerons aussi à la dimension verticale de la réalité territoriale, ce qui constitue en quelque sorte la structure de gestion territoriale selon le partage des compétences entre les ordres de gouvernement, ce que nous avons appelé l'*ossature territoriale* (traitée au chapitre 1.4). Cette double perspective constitue pour nous le cadre indispensable d'une définition fonctionnelle de la notion d'intégrité territoriale appliquée au Québec (chapitres 1.8 et 1.9).

I.2.

Le territoire, un concept en évolution

I L N'EST PAS FACILE de cerner avec précision la notion de *territoire*. À vrai dire, il s'agit d'un terme nettement polysémique. Le mot peut être utilisé de manière objective ou subjective selon l'idée qu'on s'en fait et selon le contexte de son utilisation. Ainsi, le client assidu d'une zone d'exploitation contrôlée établie à des fins de chasse et de pêche aura tendance à donner au mot « territoire » le sens d'un espace qui a été délimité par le gouvernement à ces fins. Un autochtone pourra parler du territoire dans le sens de l'espace où il exerce et gère ses activités traditionnelles, un espace essentiellement changeant puisque ses dimensions dépendent de facteurs variables. D'autres se référeront, selon les circonstances et le contexte, à l'espace géographique que couvre une municipalité, un État fédéré, un État fédéral, qui auront été délimités au mètre près.

Des disciplines différentes ont donné au terme *territoire* des sens différents. Le droit, la science politique, la géographie, la sociologie, aujourd'hui la géomatique et même la psychologie ont développé à l'égard du territoire des approches particulières. Leur dénominateur commun réside en cela que le territoire se dit d'un espace terrestre (mais aussi maritime) avec lequel une communauté humaine ou un État entretient un faisceau de relations. Le territoire étant un *espace vécu*, il est en quelque sorte le résultat du mariage de l'histoire et de la géographie, tout en étant délimité par le droit et géré par la politique.

Mais, autant sur la ligne du temps que d'une région à une autre, les relations entre l'homme et l'espace sont soumises à une large gamme de facteurs qui amènent celui-là à découper celui-ci selon des approches et des références différentes et variables. Ainsi, à l'intérieur d'un *territoire-cadre*, préétabli et en quelque sorte imposé, se développent des *territoires vécus*, aussi différents en nature, en forme et en dimensions qu'il y a des manières de *vivre l'espace*. Pour peu que, individuellement ou collectivement, on introduise dans cette relation des éléments velléitaires, apparaissent des *territoires imaginés,* par référence à des valeurs retenues du passé ou espérées pour l'avenir. Ces territoires se situent, en un sens, à mi-chemin entre, d'une part, les *territoires virtuels* que créent les nouvelles technologies de la communication dans pratiquement tous les domaines de l'activité humaine et, d'autre part, les *territoires politiques* dans le sens d'espaces précisément circonscrits pour servir de cadre à l'exercice d'un faisceau de compétences bien circonscrites et propres à cet espace. Contrairement aux autres précédemment évoqués, ces derniers territoires sont en principe les mêmes pour toutes les personnes qui y vivent.

On ne peut nier que les différents phénomènes liés à la mondialisation aient engendré une certaine déterritorialisation des rapports humains, doublée d'un déplacement des lieux de pouvoir et de décision. Des territoires discontinus naissent et se multiplient, à la manière du cyberespace et c'est de plus en plus dans les proximités fonctionnelles que se réalise leur cohésion. Cette nouvelle conjoncture a favorisé l'éclosion de l'expression « la fin des territoires », prenant modèle sur la formule popularisée par le philosophe américain Francis Fukuyama[1] « la fin de l'Histoire », expression aussi galvaudée qu'ambiguë.

Parler de « la fin des territoires » est une manière sophistiquée de dire que la conception traditionnelle du territoire défini par ses limites politiques et constituant le cadre spatial des relations entre les habitants d'un espace donné et les gouvernements qu'ils se sont donnés ou qui leur ont été imposés, a été remplacée par une conception qui porte davantage sur les relations multiformes que les groupes et les sociétés développent avec des espaces et des lieux qu'ils s'approprient de multiples façons.

En fait, on veut dépasser une définition qui fait du territoire une donnée concrète, une référence nette inscrite dans le paysage réel, pour la remplacer par une notion relationnelle, multiforme, polysémique et mouvante. Ces nouvelles approches à l'étude des territoires et de la territorialité recèlent des intérêts variés que diverses disciplines leur reconnaissent selon leurs optiques respectives. Nous n'en contestons nullement la pertinence, mais elles s'inscrivent en marge de notre réflexion sur les incertitudes territoriales qui affectent le Québec. Notre propos est différent et plus modeste. Il vise à signaler les zones grises de la délimitation spatiale du territoire québécois en termes juridico-politiques et celles du partage des compétences entre les niveaux de gouvernement. Il vise aussi à comprendre les raisons qui font que les gouvernements successifs du Québec n'ont pas réussi à lever les nombreuses incertitudes qui affectent le territoire québécois et sa gestion.

La conjonction des facteurs qui interagissent sur l'espace pour en faire des *territoires* se manifeste à diverses échelles, ce qui ajoute à la complexité de la notion de territoire. En termes politico-administratifs, qui sont ceux qui régissent le présent ouvrage, on distinguera les niveaux international, national, régional et local (municipal). À chacun de ces niveaux corres- pond un ordre territorial qui se concrétise en un espace circonscrit par des limites précises, les frontières, et sur lequel s'exerce des compétences, ce qui revient à se référer une fois de plus à la double dimension, horizon- tale et verticale, du contenu territorial et, conséquemment, de l'intégrité territoriale.

Dans l'ordre international, diverses théories ont été évoquées à l'égard du territoire : le territoire comme élément constitutif de l'État, le territoire comme limite de l'action des gouvernants, le territoire comme objet de propriété de l'État, le territoire comme objet de la compétence législative d'une autorité gouvernementale. Chacune de ces théories traduit une part de la réalité territoriale dans le contexte politico-juridique et chacune a ses défenseurs et ses détracteurs qui s'y réfèrent pour appuyer telle ou telle théorie ou justifier telle ou telle terminologie. Participer à ce débat, ou simplement le résumer, ne servirait pas notre propos car, tout compte fait, les juristes reconnaissent de plus en plus que le territoire est la portion de l'espace géographique sur laquelle s'exerce la puissance publique. Cette conception du territoire constitue une référence essentielle et non équivoque à l'importance que revêtent les frontières dans toute analyse de la réalité territoriale. Tant à l'égard de ces théories du territoire que pour plusieurs aspects particuliers de ses éléments constitutifs (comme les questions relatives aux frontières), les considérations relatives au système international des relations interétatiques sont, *mutatis mutandis*, applicables aux relations entre États fédérés à l'intérieur d'une fédération.

La relation entre le territoire et la frontière n'est cependant ni univoque ni absolue. Ainsi, la mer territoriale prolonge la mer nationale et confère au pays riverain une certaine prolongation de sa puissance publique. Par ailleurs, on aura l'occasion d'en discuter plus loin, la notion d'intégrité territoriale, dans le sens de l'intangibilité des frontières, peut, selon les contextes, connaître certaines limitations, surtout si l'on applique les règles et les principes du droit international. Aussi, dans le cas d'un État fédéral comme le Canada, la notion de territoire prend un sens particu- lier puisque le même territoire sert alors de support à deux niveaux de compétence législative qui s'y superposent. Ce partage des compétences, qui affecte de façon différentielle des portions précises du territoire, se traduit par des limites intérieures qui, plus encore que les autres, sont susceptibles de changements.

Il faut ajouter qu'à cet égard la notion même de territoire est devenue aujourd'hui problématique et même aléatoire notamment parce que des régions économiques, politiques ou géographiques comprennent des portions de territoire faisant partie d'États différents. Cela est d'autant plus vrai qu'à l'heure de la mondialisation des espaces sont souvent conçus et administrativement délimités en fonction de rapports transfrontaliers qui transcendent les délimitations territoriales de base et qui, d'une certaine manière, court-circuitent le territoire comme objet de compétence de l'État. La multiplication des « associations transfrontalières » en Europe illustre éloquemment cette évolution. Il faut cependant rappeler que les territoires transfrontaliers sont eux-mêmes délimités par des frontières, d'un autre ordre évidemment.

Est-ce à dire que la notion de territoire telle que le droit l'a connue jusque maintenant est dépassée ? Pas nécessairement, pour peu qu'on puisse actualiser celle-ci dans le nouveau contexte d'une mondialisation dont un des effets est une certaine déterritorialisation de l'activité humaine, surtout des communications qui en émanent tout en la nourrissant. Mais il reste qu'il existe un *territoire concret*, défini dans l'espace, stable dans le cadre d'un système permettant des modifications dimensionnelles strictement contrôlées, le *territoire politico-administratif*; c'est surtout celui-ci qui sert de référence pour l'analyse qu'entreprend le présent ouvrage. Cela dit, sans doute la notion traditionnelle de territoire a-t-elle besoin d'ajustements pour répondre aux interrogations qui sont les nôtres relativement aux incertitudes qui hypothèquent le territoire québécois. Il faut ajouter que l'intégrité territoriale doit être examinée autant quant au *contenu territorial* que quant à l'*enveloppe territoriale*.

1.3.

L'épiderme territorial

L A NOTION DE TERRITOIRE est intimement associée à celle de frontière, cette dernière constituant la limite géographique externe, horizontale, du territoire. Il importe ici de donner d'abord quelques indications d'ordre terminologique concernant les frontières en général.

Tous les textes qui ont été proposés comme définition de la frontière politique évoquent son caractère essentiellement linéaire. Ce rappel est important car ce caractère constitue une exigence fondamentale dans le processus de fixation définitive des frontières. En effet, certains textes qui prétendent établir la position d'une frontière se sont référés, sans que leurs auteurs s'en soient vraiment rendu compte, davantage à une zone qu'à une ligne. Plusieurs des frontières du Québec ont souffert de cette confusion. Ce fut le cas, comme on le verra ultérieurement plus en détail, des frontières au Labrador et dans le Nord-du-Québec de même que pour le segment fluvial de la frontière avec l'Ontario.

L'établissement précis et définitif des lignes frontières est un processus qui comprend plusieurs phases dont les deux principales sont sa délimitation* et sa démarcation*. De nombreux documents et même les plus hautes instances judiciaires en matière de conflits internationaux ont parfois confondu ces deux moments pourtant bien distincts du processus de définition des frontières. Ainsi, dans l'affaire judiciaire du temple de Préah Vihéar[1] impliqué dans le litige frontalier entre la Thaïlande et le Cambodge, la Cour internationale de justice se réfère souvent à la délimitation alors qu'il aurait fallu parler de démarcation. Cette confusion terminologique fut la cause de nombreux différends frontaliers et a même rendu ambiguës plusieurs décisions arbitrales. Plus près de nous, un décret validant un projet d'entente entre le gouvernement québécois et celui de l'Ontario au sujet de leurs frontières commune dans le Saint-Laurent avait confondu ces deux termes en inversant carrément leurs significations respectives.

La délimitation est une opération juridique et politique qui consiste à émettre les principes et critères du *situs* de la frontière et de ses principaux vertex* (points entre deux segments où la frontière change de direction).

La démarcation est une opération matérielle et technique qui consiste à reporter sur le sol, au moyen surtout de l'abornement* (pose de bornes frontières), les termes de la délimitation. La démarcation n'a lieu qu'une fois que la délimitation de la frontière a été consignée dans un document qui guidera l'étape de la démarcation. Il peut s'agir d'un traité, comme ce fut le cas pour la frontière entre le Québec (Canada) et les États-Unis (le traité Webster-Ashburton[2] en 1842) ou de lois adoptées parallèlement par les États concernés, comme ce fut le cas pour les frontières septentrionales du Québec, établies en 1912 par des lois parallèles canadienne et québécoise. La délimitation peut aussi émaner d'une source extérieure aux parties : d'un jugement de cour ou d'une sentence arbitrale par exemple, comme ce fut le cas pour la frontière interprovinciale au Labrador. La délimitation et la démarcation constituent donc, d'un point de vue chronologique, deux moments bien différents et ont pour objet deux opérations distinctes. Alors que la délimitation choisit les critères de définition d'une frontière, la démarcation les matérialise.

La nature de la démarcation lui impose de tenir compte de la topographie jusque dans ses infimes détails. Or, rares sont les textes de délimitation qui soient complets à cette enseigne. Il peut arriver que les termes trop vagues d'une délimitation aboutissent à des contradictions au niveau de la démarcation. C'est le cas lorsqu'une frontière est délimitée en se référant au critère de la ligne de partage des eaux* alors que, dans les faits, le partage des eaux s'effectue presque toujours d'une façon beaucoup plus spatiale que linéaire. C'est précisément le cas, en raison d'un cadre naturel caractérisé par un réseau hydrographique mal hiérarchisé, d'une partie de la frontière interprovinciale au Labrador qui court dans des régions pratiquement amphibies. Alors que les termes et la phraséologie utilisés par le Comité judiciaire du Conseil privé de Londres laissent croire que la définition de la frontière est claire et que celle-ci peut être considérée comme établie de façon satisfaisante, il reste que la transposition des termes de la délimitation en ligne concrète sur le terrain n'est pas chose simple.

Il arrive donc qu'à l'étape de la démarcation il faille s'écarter du principe de délimitation si celui-ci est contredit par la réalité géographique. Le travail de démarcation devient alors sujet de négociation car, à cette étape, il faut en arriver à déterminer une ligne mutuellement convenue. Au terme du processus d'établissement d'une frontière, celle-ci doit constituer une ligne sans épaisseur et non une zone, bien qu'il arrive souvent, à un stade préliminaire du processus, que ce soit d'abord ainsi que se présente l'accident ou le phénomène géographique auquel se réfèrent les termes de la délimitation.

Le caractère nécessairement linéaire de la frontière est cependant moins évident en milieu liquide que sur terre où l'étape de la démarcation permet l'établissement de bornes frontières intervisibles et, en milieu forestier, de vistas*, ces bandes de terrain dégagées d'arbres de part et d'autre de la ligne frontière. Il s'agit d'une zone, généralement de 20 pieds de largeur, affectée d'une servitude de non aedificandi*, c'est-à-dire une restriction imposée aux propriétaires de terrains en position frontalière, leur interdisant de construire quoi que ce soit à moins de 10 pieds de la ligne frontière. Pour les frontières fixées dans un cours d'eau ou un plan d'eau, il faut avoir recours à des techniques de démarcation différentes, comme des bornes de réflexion*. Dans ces cas, la cartographie vient par ailleurs apporter un soutien indispensable.

La démarcation n'en demeure pas moins nécessaire dans ces milieux, car la frontière constitue toujours une limite des compétences étatiques pour l'application des lois et des règlements dans des régions qui sont souvent plus fréquentées que les régions traversées par des frontières terrestres. C'est le cas, par exemple, des segments du fleuve Saint-Laurent et de la rivière des Outaouais de la frontière Québec-Ontario qui sont beaucoup plus fréquentés que la plupart des segments de la frontière terrestre Québec-Maine, par exemple. En somme, la démarcation, étape essentielle et ultime à la fixation d'une frontière, doit pouvoir matérialiser les critères de définition de la frontière qu'établit sa délimitation, parfois grâce à des techniques qui viennent pallier les inconsistances de la formulation des documents de délimitation. Il faut dire qu'il n'est pas toujours facile d'établir si l'étape de la délimitation a été complétée et si une frontière incomplètement définie ne demande qu'à être démarquée. En effet, une frontière peut-elle être considérée comme complètement délimitée dès lors que le principe de délimitation pose des problèmes concrets d'abornement ?

Un exemple permet d'illustrer cette question. En 1912, par des lois parallèles fédérale et provinciale, la frontière septentrionale du Québec est fixée « le long des rives » ou « le long de la rive ». Cette formulation posait d'entrée de jeu la question : quelle est cette ligne ? La ligne des basses eaux ou celle des hautes eaux ? Délimitation incomplète, évidemment, puisque la géomorphologie littorale de la région fait que la distance entre ces deux lignes est souvent fort importante, de sorte que de très nombreux terrains sont des îles à marée haute, mais sont rattachés au continent à marée basse. L'écart total entre les deux options (référence à la ligne des hautes eaux ou à la ligne des basses eaux) est beaucoup plus important qu'on pourrait le croire à première vue, puisqu'il comprend aussi la totalité de la surface des îles affectées par le balancement des marées, ces îles ayant, dans certains cas, de grandes superficies.

Il a été subséquemment reconnu que c'est la ligne des basses eaux qui doit servir d'assiette à la frontière. La Convention de la Baie-James et du Nord québécois[3], signée en 1975 par les gouvernements fédéral et québécois, se trouve à reconnaître, au chapitre 4 *in fine*, que la frontière se situe à la ligne des basses eaux, puisque le texte se réfère aux estrans* qui se rattachent aux terres de catégories II et III*. Cette convention a été par la suite ratifiée par une loi du gouvernement fédéral[4]. Par ailleurs, une loi québécoise a aussi, dans le prolongement de la Convention[5], établi que les terres d'estran font partie des terres de catégorie III. On décèle facilement la position *a contrario* qui est à la base de cette formulation : le territoire québécois ne comporte aucune île autre que celles qui sont rattachées au littoral à marée basse, contrairement à la situation qui prévalait pour le district d'Ungava avant 1912, date de l'extension des frontières vers le nord. On verra plus loin que ce fut là, pour le Québec, une *occasion manquée* de définir son territoire de façon satisfaisante et que ce ne fut pas la dernière (voir les chapitres 2.1, *Qu'est-ce qu'un rivage?*, et 4.3, *Regarder le train passer*).

La référence (indirecte mais valide) à la ligne des basses eaux constitue-t-elle une délimitation précise et suffisante des frontières septentrionales du Québec ? Pas vraiment car, comme on le verra au chapitre 2.1, il existe plusieurs définitions de « la ligne des basses eaux », selon qu'on se réfère à des lignes de marées extrêmes ou moyennes et selon l'une ou l'autre des nombreuses méthodes de calcul des moyennes, notamment quant au choix de la période témoin. Il faut par ailleurs convenir que, sauf exception, plus on s'enfonce dans les détails, plus le problème devient secondaire quant à l'importance des territoires concernés.

Cela dit, la distinction entre délimitation et démarcation est fondamentale pour plus d'une raison :
1. les termes de la délimitation établissent en principe les critères de référence pour l'établissement de la démarcation ;
2. on ne peut procéder à la démarcation d'une frontière si la délimitation n'en a pas été convenue ;
3. une frontière *délimitée*, même si elle n'a jamais été démarquée, ne peut pas être considérée comme litigieuse même s'il subsiste des problèmes d'application des lois dans la région frontalière ;
4. la pratique internationale établit qu'en principe on ne peut remettre en question les termes convenus de la délimitation si celle-ci pose quelque problème de démarcation mais que, dans ces cas, celui-ci exige de nouvelles négociations.

Les frontières délimitant le territoire québécois sont, par endroits, précisément démarquées, comme la frontière internationale séparant le Québec des États américains limitrophes (New York, Vermont, New Hampshire et Maine). D'autres segments de frontière sont au contraire ni délimités ni démarqués et font l'objet d'un litige ouvert ; c'est le cas des frontières qui devraient délimiter les différentes portions du golfe du Saint-Laurent. La frontière septentrionale du Québec établie « à la ligne de rive » est délimitée en des termes qui laissent une large place à l'interprétation. Elle est donc l'objet d'une délimitation partielle, imparfaite et, naturellement, nullement démarquée. Une autre frontière, celle qui, au Labrador, délimite les territoires québécois et terre-neuvien, a été l'objet d'une délimitation, relativement claire pour la plus grande partie de son tracé, mais qui ne s'est pas concrétisée par une démarcation en bonne et due forme et qui, au surplus, n'est pas reconnue en sa totalité par le Québec. Les segments de cette frontière ont été représentés par les services cartographiques du gouvernement fédéral avec une relative précision, sans participation des provinces concernées. Au total, le pourtour du territoire québécois est balisé d'incertitudes.

Ces incertitudes, dues à des formulations vagues autant qu'à des stratégies de gestion territoriale où la part du politique a pu être parfois aussi sinon plus importante que les considérations d'ordre géographique, permettent-elles de dire qu'il existe de *bonnes frontières* et de *mauvaises frontières* ? Une approche normative inspirée de principes abstraits issus de concepts comme ceux de frontière naturelle* ou de frontière artificielle*, de *frontière clairement démarquée* ou de *frontière imparfaitement délimitée* ne serait à cet égard d'aucun secours. C'est plutôt en s'interrogeant sur l'impact plus ou moins positif des frontières sur les populations concernées qu'on peut porter un jugement de valeur sur la qualité des frontières. Quand on fait cet exercice, en tenant compte des composantes anthropologiques, culturelles, économiques du phénomène frontalier, bref quand on fait la radiographie des frontières québécoises, on peut en effet se permettre de juger de la cohérence de leur définition. Du même coup, on peut juger de la pertinence des lois et des décisions politiques qui sont à l'origine des frontières actuelles, telles qu'elles existent dans la *réalité*, quelle que soit leur *conformité juridique*.

La science des frontières a traditionnellement, et de plus en plus depuis deux ou trois décennies, fait l'objet d'études poussées et innovatrices chez les historiens, les juristes, les politologues, les anthropologues, les géographes. Aujourd'hui, d'autres disciplines entrent en jeu. Ainsi en est-il, par exemple, de la science économique. Une frontière peut, à toutes

FIGURE 2

Statuts des frontières du Québec

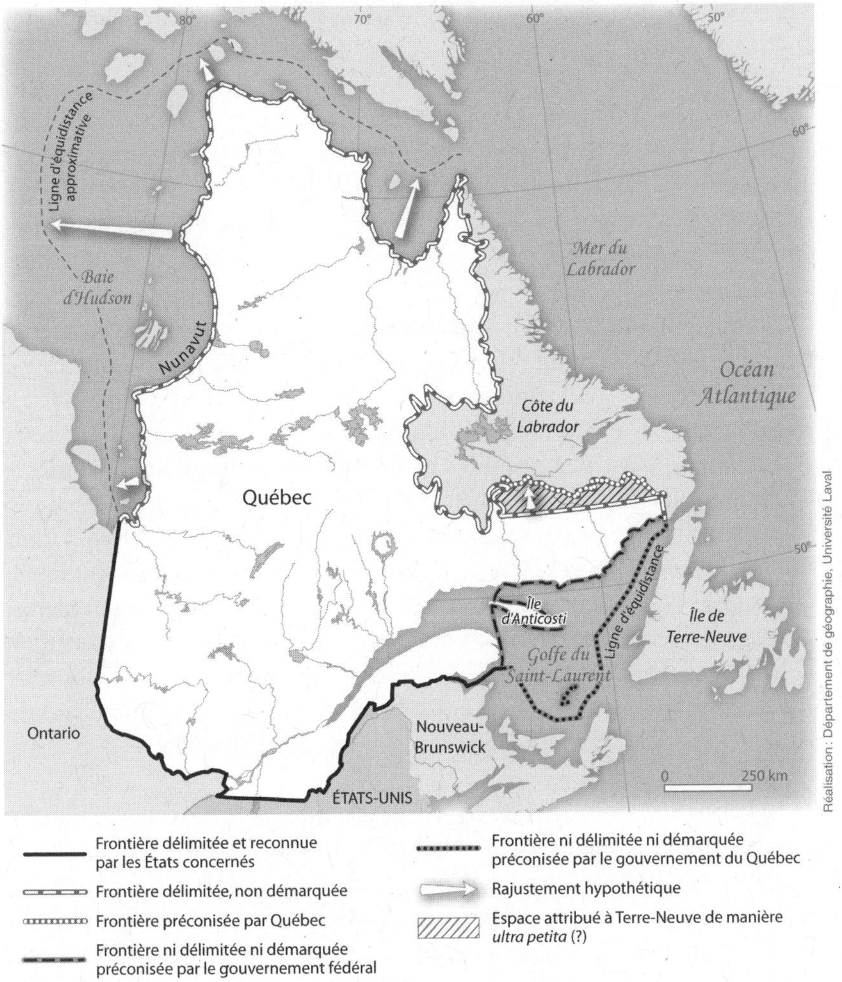

—— Frontière délimitée et reconnue par les États concernés	‑‑‑‑‑ Frontière ni délimitée ni démarquée préconisée par le gouvernement du Québec
▭▭▭ Frontière délimitée, non démarquée	⇨ Rajustement hypothétique
▭▭▭ Frontière préconisée par Québec	▨ Espace attribué à Terre-Neuve de manière ultra petita (?)
—— Frontière ni délimitée ni démarquée préconisée par le gouvernement fédéral	

fins utiles, disparaître à certains égards, du moins quant à son impact concret sur la vie des populations frontalières, lorsque des États voisins décident d'harmoniser leurs législations respectives afin de favoriser les échanges commerciaux entre leurs ressortissants.

À l'opposé, la frontière peut se renforcer lorsque l'État limitrophe adopte une législation de type protectionniste. La défonctionnalisation des frontières, de même qu'à l'inverse le renforcement de leurs fonctions, pique la curiosité des observateurs selon leurs disciplines respectives. Rien de mal à cela puisque ces évolutions ont en général leurs raisons.

Mais il faut surtout en conclure que des frontières peuvent, quant à l'effet qu'elles exercent sur les régions et les populations concernées, être *bonnes* à certains égards (selon certains points de vue disciplinaires) et *mauvaises* à d'autres égards.

À la suite de Ratzel[6], Lapradelle[7] et Ancel[8], J. R. V. Prescott[9] a bien montré qu'il n'existe pas de frontières intrinsèquement bonnes ou mauvaises, en rappelant que les frontières constituent des lieux de rencontre d'États autonomes et que ce sont les actions de ceux-ci qui déterminent la qualité des zones frontalières selon qu'il s'agira de frontières de contact* ou de frontières de séparation* et selon qu'elles seront mutuellement acceptées ou contestées.

Aujourd'hui, la dimension sociologique des frontières est l'objet d'études de plus en plus nombreuses (davantage en Europe qu'en Amérique), pour des raisons qui tiennent au caractère ambivalent de la frontière : ligne de séparation en même temps que ligne de contact. L'histoire nous enseigne que, pour peu qu'elles ne soient pas hermétiques, les frontières engendrent localement des zones d'échanges. La conséquence en est que les régions frontalières ont vu leur importance s'accroître et que la notion même de frontière est en mutation profonde à divers égards. De ligne, elle devient zone ; de physique, elle devient culturelle ; de non perméable, elle devient perméable ; bref, de politique, elle tend à devenir en quelque sorte sociale et régionale. En d'autres mots, elle acquiert une nouvelle image en même temps que de nouvelles fonctions qu'il est important de prendre en considération dans toute étude de frontière qui se veut autre que purement descriptive.

Cependant, sans négliger cet aspect, nous avons voulu, dans cet ouvrage, nous concentrer sur les aspects plus formels des frontières du Québec, c'est-à-dire ce qui touche leur délimitation, leur démarcation, leur justification géographique. Ce sont là des éléments indispensables pour la définition et l'application d'une politique territoriale claire, consciente, stratégiquement adaptée aux circonstances, constituant à la fois la base concrète et le cadre indispensable pour l'ensemble des politiques spécifiques que tout gouvernement responsable doit élaborer et appliquer. Nous croyons qu'il est essentiel, pour consolider un territoire québécois qui soit autre chose qu'un compromis plus ou moins imposé par des stratégies qui lui sont extérieures, de lever les ambiguïtés qui le stigmatisent. Sans prétendre les éclaircir toutes, le propos de ce livre est d'en dresser un catalogue, non exhaustif d'ailleurs, afin de mettre sur la table le dossier des incertitudes qui affectent le territoire québécois, tant quant à son épiderme que quant à son ossature.

I.4.

L'ossature territoriale

UNE FOIS DE PLUS, on peut se référer à la comparaison qu'a faite Friedrich Ratzel[1] entre le territoire étatique et un être biologique pour parler non seulement d'épiderme* territorial pour traiter de la question des frontières, comme on vient de le faire, mais aussi d'ossature* territoriale pour évoquer la question des compétences exercées sur les territoires à l'étude. À l'intérieur d'un contenant dont il importe d'assurer la netteté et la précision, la dimension du contenu est tout aussi essentielle, cela relève de l'évidence. Ce qui est moins évident et sujet à opinions divergentes, c'est que la question du partage et de l'exercice des compétences est inhérente à celle de l'intégrité territoriale. Cela est particulièrement vrai dans le cas des États régis par un système fédéral.

On peut prolonger l'analogie avec le corps humain et considérer les compétences qui s'exercent sur le territoire comme une ossature composée d'éléments dont l'articulation, l'interdépendance et la complémentarité doivent être harmonieuses, exemptes de heurts qui peuvent en limiter la fonctionnalité. Dans un État fédéral, cette articulation est consignée dans une constitution qui établit à la fois les partages territoriaux et les partages de compétences. Ce texte fondamental constitue donc, en principe, la référence qui permet d'en garantir le bon fonctionnement.

On sait bien qu'à l'instar de l'intérieur d'un corps vivant, les éléments constitutifs de l'État peuvent connaître des dysfonctionnements qu'en cas d'irrésolution on soumet aux tribunaux, ces hôpitaux de la santé sociopolitique. Si les archives judiciaires sont remplies comme elles le sont d'arrêts et d'avis concernant le partage des compétences entre niveaux de gouvernement, de déclarations d'*inconstitutionnalité*, souvent d'ailleurs par des jugements non unanimes, c'est bien qu'à cet égard l'incertitude constitue un contexte courant.

Cette incertitude institutionnalisée affecte tout particulièrement la question des compétences législatives, donc quant au contenu, mais elle touche aussi, on le verra plus loin, le contenant des aires spécifiques affectées par la variation des contenus. Ainsi, les tribunaux ont eu à juger de l'étendue des droits d'exploitation des richesses sous-marines et leur répartition entre les niveaux fédéral et provincial. Toutes les questions de délimitation des compétences entre les ordres de gouvernement et des territoires, au niveau de leur ensemble comme à celui des portions de territoire à des fins particulières, ne sont pas résolues, on ne le sait que trop.

Pour reprendre différemment l'analogie de Ratzel, on pourrait considérer l'exercice des compétences comme l'esprit qui gère le corps, c'est-à-dire le territoire, et espérer pouvoir appliquer la formule *mens sana in corpore sano*. Sans dramatiser ni exagérer, on se demande cependant si la situation actuelle ne correspond pas à *un contenu incertain dans un contenant incertain*. C'est dans cet esprit que les chapitres 2 et 3 traiteront respectivement des incertitudes horizontales et des incertitudes verticales.

On a vu que dans un État fédéral deux niveaux de compétence arrivent à se juxtaposer ou, selon le point de vue, à se superposer sur le même territoire. Dès lors, la question de l'intégrité territoriale n'est résolue qu'en partie par la délimitation des frontières. C'est qu'il faut aussi déterminer les matières à l'égard desquelles les deux niveaux de compétence peuvent agir à l'intérieur des frontières existantes. L'*épiderme* du territoire québécois souffre encore aujourd'hui, on vient de l'évoquer et nous le verrons plus en détail aux chapitres suivants, de nombreuses incertitudes quant à la localisation précise et définitive de ses frontières. Quant à l'*ossature* territoriale, comme on le verra également plus en détail plus loin, la question du partage des compétences entre les deux ordres de gouvernement comporte des incertitudes de nature différente.

Il ne se dégage pas de modèle fixe de référence pour appliquer en toutes circonstances les critères permettant d'établir le partage des responsabilités entre les deux paliers de gouvernement. L'incertitude liée à l'*ossature* du territoire implique les deux dimensions de l'intégrité territoriale : les compétences respectives des deux ordres de gouvernement s'exercent, aux niveaux décisionnel, administratif et budgétaire, selon un partage relativement clair (dimension verticale), sur des parcelles de territoire pratiquement toujours précisément délimitées (dimension horizontale). En fait, l'*incertitude verticale* réside surtout dans les théories d'interprétation de la Constitution et les mécanismes auxquels le gouvernement fédéral canadien peut ou pourrait avoir recours pour exercer des compétences au sujet desquelles les dispositions constitutionnelles sont inexistantes ou ambiguës, mais aussi relativement à celles que la constitution canadienne a clairement définies comme relevant des autorités provinciales.

Le territoire de l'État fédéré québécois est, bien sûr, le territoire de l'État fédéral dont il fait à la fois spatialement et structurellement partie. Cette situation est inhérente à tout système fédéral. Force nous est cependant de constater qu'à cet égard le système canadien est mouvant : il a été marqué, selon les périodes et les régimes politiques des deux niveaux, par un processus de réaménagement des compétences respectives des deux ordres de gouvernement. On observe en effet un glissement de certaines compétences du niveau québécois vers le niveau fédéral, un glissement dont l'importance varie selon qu'il affecte des portions de territoire ou son ensemble.

Les chapitres qui suivent visent à faire le point sur la question en décrivant d'abord le partage constitutionnel initial de 1867, puis en examinant la variation de l'*épaisseur* des compétences effectivement exercées par les deux ordres de gouvernement. Par la suite, nous ferons état du non-dit dans la constitution canadienne sur les compétences territoriales, de l'interprétation judiciaire qu'en ont faite les tribunaux et de l'accroissement conséquent des compétences exercées par le gouvernement fédéral sur le territoire québécois. Cela nous conduira à brosser un tableau évoquant une grande variété de types d'emprises territoriales fédérales, à partir des voies navigables jusqu'aux établissements militaires en passant par les parcs nationaux et parfois les oléoducs. Sans juger de la pertinence de la multiplication éventuelle de ces emprises, s'appuyant d'ailleurs sur des arguments juridiques autant que politiques et économiques, on peut considérer cette situation comme une incertitude qu'il importe d'envisager, d'éclaircir et, éventuellement, de lever.

Nous verrons en effet que la question n'est pas que juridique et que le politique et l'économique sont profondément concernés. Nous conclurons en nous demandant si les incertitudes grevant l'intégrité des compétences du Québec sont de nature à menacer l'équilibre qui animait originellement l'esprit de la Constitution devant gérer la complémentarité des compétences entre les deux ordres de gouvernement. Il relève de l'évidence que l'intégrité territoriale du Québec ne sera garantie, dans sa dimension verticale, que dans la mesure où aucune menace ne pèse sur les leviers juridiques et politiques nécessaires au complet épanouissement de la société québécoise. Le maintien de l'intégrité territoriale du Québec est à ce prix.

Le Québec, territoire enclavé

É VOQUONS, UNE FOIS DE PLUS, l'analogie que Ratzel établissait entre le territoire politique et l'être humain. Celui-ci est un être social et, à sa manière et à son niveau, l'État l'est également. Tout territoire est, à quelque égard, dépendant des territoires qui le jouxtent. Tout espace habité entretient des liens et des échanges de personnes et de marchandises avec d'autres espaces, ce qui implique que les positions relatives dont est responsable, entre autres, le tracé des frontières jouent pour aider ou nuire à la fluidité de ces échanges. La position relative d'un État n'est donc pas sans importance dans l'évaluation de la marge de manœuvre dont il dispose pour exercer les compétences que la situation constitutionnelle lui reconnaît. Qu'en est-il du Québec à cet égard?

Le toponyme collectif *provinces de l'Atlantique* a coutume de désigner un ensemble de quatre provinces canadiennes. D'abord, la province composée d'une île (Terre-Neuve) et d'une côte continentale (la côte du Labrador). À cet égard, elle mérite bien son nom de « province de l'Atlantique »; la longueur de ses côtes en fait la plus atlantique des provinces canadiennes. Le toponyme collectif *provinces atlantiques* est aussi partagé par les provinces dites *maritimes*: la Nouvelle-Écosse et le Nouveau-Brunswick qui ont deux façades, sur l'océan et sur le golfe, de même que l'Île-du-Prince-Édouard qui, elle, est en entier située dans le golfe. La toponymie laisserait-elle supposer que cet espace maritime est une mer et, de là, constituer un argument pour le considérer comme un territoire international? Ce serait évidemment un argument assez faible. De toute façon, on sait bien que la toponymie n'en est pas à une imprécision près et que, par ailleurs, elle est plus souvent une victime de la politique que l'inverse. Nous aurons l'occasion d'en reparler.

D'un autre point de vue, en contemplant une carte du nord-est de l'Amérique du Nord, on voit que la péninsule que partage le Québec avec son voisin de l'Est est projetée vers l'Atlantique et les espaces maritimes du Nord. Or, une péninsule, tout comme une presqu'île, est un espace géographique entouré d'eau sur la majorité de ses côtes. L'image qui se dégage d'un premier coup d'œil sur une carte représentant le territoire québécois est donc celle d'une région largement ouverte sur les espaces maritimes internationaux.

Qu'on se détrompe : le Québec est un État enclavé. Cette constatation n'a rien de provocateur, d'autant plus que ce sort est partagé par plusieurs provinces canadiennes. En soi, le fait que des subdivisions d'un État, sujet de droit international, n'aient pas de limites se confondant avec des frontières internationales ou n'aient pas de contact avec des espaces internationaux n'a rien d'anormal. C'est même la règle pour la majorité des États d'une certaine superficie. L'Union soviétique a sans doute été le seul pays au monde à avoir inscrit dans sa constitution que chacun de ses territoires de second niveau (en l'occurrence, les républiques composant l'Union fédérale) doit avoir une frontière internationale, une disposition soi-disant nécessaire pour garantir les éventuels cas de sécession. Cela dit, le caractère d'État enclavé qui caractérise le Québec, pour ne pas être anormal ni exceptionnel, n'en demeure pas moins irrationnel à plus d'un égard.

Établissons d'abord comment se définit cet enclavement. Le Québec est bordé, à l'ouest, au sud, au sud-est et à l'est, par des territoires terrestres relevant d'autres autorités politiques, respectivement par l'Ontario, par quatre États des États-Unis d'Amérique, par le Nouveau-Brunswick et par la côte du Labrador qui, avec l'île de Terre-Neuve, forme la province dont le nom a été récemment et erronément modifié pour devenir « Terre-Neuve-et-Labrador » (cette question est traitée au chapitre 2.6). Cette situation est en soi une conséquence tout à fait logique et normale du découpage géopolitique de la planète. Ce qui est à la fois moins logique et moins normal, c'est le fait que, de part et d'autre de ces voisinages continentaux, le Québec possède des *rivages bloqués*. C'est le cas au nord-ouest et au nord par une définition légalement valide de ses frontières qui le prive d'une mer bordière qui, en toute logique, devrait relever de son autorité. Ce point est traité au chapitre 2.1. C'est également le cas à l'est, selon la position du gouvernement fédéral canadien qui considère le golfe du Saint-Laurent comme territoire fédéral.

En reliant chacun des éléments qui constituent les frontières du Québec et que l'on vient de mentionner, on se trouve à reconstituer la chaîne ininterrompue de territoires non québécois qui font que le Québec n'a nulle part de contact avec un espace international. Comme on l'a noté plus haut, cela n'a en soi rien d'anormal. C'est le *blocage littoral* qui l'est, au-delà de l'illusion d'un pays ouvert que suggère une lecture superficielle de la carte géopolitique de la région.

À ce sujet, référons le lecteur au chapitre 2.1 où l'on traite du blocage du territoire québécois du côté de la baie d'Hudson. Sur ce point parti-culier, on pourrait longuement gloser sur les raisons qui ont amené les autorités britanniques ou outaouaises traceuses de frontières à boucher l'accès du territoire québécois à des espaces internationaux. Une étude éclairante, même si elle n'est pas convaincante aux yeux de tous, a été développée par Jacques Rousseau et incorporée en annexe au rapport de la CEITQ relativement au problème de la frontière au Labrador[1]. Il interprétait l'attribution par les autorités britanniques de la côte du Labrador à la colonie de Terre-Neuve en 1763 comme une volonté de bloquer désormais d'éventuels contacts entre la France et la population du Canada.

On pourrait envisager les conséquences du cas hypothétique d'un changement du statut du Québec advenant sécession, ne serait-ce que pour tester la logique de la situation actuelle. Le caractère anormal de certaines délimitations territoriales apparaît alors avec évidence. Imaginerait-on que les côtes de la Belgique soient baignées par une mer littorale britannique (transposition du cas de la frontière septentrionale du Québec) ou que la Flandre, issue d'un démembrement de la Belgique, soit limitée par une mer franco-belge (transposition du cas du golfe du Saint-Laurent)? Bien sûr, on ne règle aucun problème sérieux en voguant d'hypothèse en hypothèse ou en comparant la situation du Québec à des situations hypothétiques, mais des démonstrations *ex absurdo* ne sont pas toujours elles-mêmes absurdes.

Il reste que le réseau d'incertitudes territoriales qui s'est tissé sur et autour du Québec colore la dynamique géopolitique dans laquelle il se meut et tente de se définir. Encore faut-il être conscient de ces incertitu-des. C'est là l'objectif du présent ouvrage qui se veut ni un plaidoyer pour quelque changement ou confirmation de statut ni une condamnation de quelque politique que ce soit. Il se veut une contribution à une prise en compte réaliste de la situation géopolitique du Québec, ce qui peut s'avérer une garantie contre tout *autruchisme*, volontaire ou non. Nous n'hésitons pas à qualifier d'*autruchisme* toute attitude gouvernementale qui gommerait ou minimiserait les éléments problématiques et poten-tiellement nocifs pour une société qui cherche à se développer selon le destin qui lui est propre et appuyé sur un territoire et une conscience territoriale* exempts d'incertitudes.

Ainsi, nous n'avons pas fait le relevé des cas, nombreux, où le gouvernement du Québec a réagi à ce qu'il considère comme des intrusions du gouvernement fédéral dans le champ des compétences provinciales établies par la Constitution. Nous nous bornerons, au chapitre 3.3, à souligner que les mécanismes d'interprétation de cette constitution sont susceptibles de permettre la multiplication de ces interventions. Rappelons le titre de cet ouvrage : *Le Québec : territoire incertain*.

Le présent chapitre fait figure d'exception : le Québec est un État enclavé, voilà une certitude. Mais cette certitude doit être mise en relation avec d'autres éléments de la conjoncture qui, elle, est grevée d'un grand nombre d'incertitudes. Il faut dire que cette situation ne constitue pas un problème dans l'état actuel des choses, du moins pour ce qui touche l'ouverture du territoire québécois sur le golfe du Saint-Laurent. Ce n'est d'ailleurs que dans l'hypothèse d'un éventuel statut d'État indépendant que l'enclavement du Québec poserait problème, un problème similaire à celui qui s'est posé récemment à l'occasion du démembrement de la République fédérale de Yougoslavie. La mer territoriale de ce pays s'est trouvée découpée et répartie entre ses ex-républiques constituantes. Il en est résulté que la mer territoriale de la Slovénie se trouvait coupée du contact avec les eaux internationales jusqu'à ce qu'une autre ex-république constituante, la Croatie, consente un compromis juridique en marge des règles du droit international en la matière[2].

Concluons ce chapitre en soulignant l'étrange situation qui fait du Québec la province du Canada qui a les plus longues frontières littorales, un territoire géopolitiquement enclavé. La carte du monde n'en est pas à un paradoxe près.

1.6.

Territoire fédéral, territoires fédérés

Comme ces poupées russes emboîtées les unes dans les autres que les touristes et les enfants aiment désemboîter puis réemboîter, les territoires qui composent un pays constituent, si l'on peut dire, un phénomène politique à plusieurs étages. En fait, tous les pays (sauf quelques États minuscules) sont *territorialisés* à plusieurs niveaux ; à chacun de ceux-ci correspond un niveau de compétence. Ces territoires, à l'instar des poupées gigognes, s'emboîtent selon une organisation hiérarchisée qui constitue le système étatique. Ce système, d'un pays à l'autre, n'est pas uniforme. Le nombre de niveaux peut varier. Le Québec, qui, comme province, constitue le second niveau hiérarchique, se subdivise en une série de pyramides administratives dont la principale est constituée des régions administratives, subdivisées en municipalités régionales de comté, elles-mêmes subdivisées en municipalités dont les plus importantes sont elles-mêmes subdivisées en arrondissements, en quartiers.

Le territoire québécois est également subdivisé selon divers découpages organisant territorialement les compétences sectorielles concernées : divisions de recensement, circonscriptions foncières, districts judiciaires, régions sociosanitaires, réseaux locaux de services, réseau des centres sociaux de services communautaires, régions touristiques, commissions scolaires, circonscriptions électorales. Cette organisation territoriale n'est pas fixe et est périodiquement révisée et modifiée, soit pour des raisons démographiques, soit à des fins d'efficacité administrative, ou encore par le jeu du partage et du niveau des responsabilités déférées aux différents acteurs politiques.

Il serait hors de notre propos d'évaluer la cohérence de cette structure territoriale pour en repérer les inconsistances. Si on le faisait, on ne pourrait s'empêcher, pour ne citer qu'un exemple, d'analyser les raisons et les conséquences de la délimitation territoriale de la *région de la Capitale-Nationale*, qui s'étire jusqu'au fjord du Saguenay mais ne comprend pas les villes et municipalités situées sur la rive sud à proximité de Québec et profondément intégrées dans la vie régionale qui gravite autour de la capitale. On se demande si, dans ce contexte, l'expression *capitale nationale* n'est pas géographiquement vidée de son sens, ce qui ajoute au flottement que dénoncent déjà les tenants de l'utilisation exclusive au niveau pancanadien du terme *national*.

La relation de dépendance entre les niveaux de cette hiérarchie territoriale n'est cependant pas la même entre les deux niveaux supérieurs de l'administration (fédéral et provincial) et entre les niveaux inférieurs (provincial et municipal). Constitutionnelle, ou mieux *constitutionnalisée*, la répartition des compétences entre les niveaux fédéral et provincial tire son origine des dispositions des articles 91 et 92 de la constitution canadienne, alors qu'entre les niveaux provincial et sous-provincial elle est faite par délégation; c'est de cette délégation que les MRC et les municipalités tirent leurs pouvoirs. Parallèlement à cette hiérarchie pyramidale, les gouvernements provinciaux comme le gouvernement fédéral procèdent aussi, pour les matières relevant de leurs compétences respectives, à l'établissement de divisions administratives particulières.

Entre ces différents niveaux et entre ces différentes subdivisions, la délimitation des compétences n'est pas étanche; il y a largement place à des arrangements administratifs et, parfois aussi, à des affrontements lorsqu'un palier administratif ou politique estime que le principe d'autonomie de gestion ou même l'esprit du partage constitutionnel a été transgressé. Ces éventuelles transgressions, tout autant que les transgressions territoriales que nous avons évoquées plus haut, impliquent l'intégrité territoriale. On connaît le contentieux quasi permanent entre les deux ordres de gouvernement concernant les interventions fédérales dans le monde de l'éducation et, plus récemment, dans le domaine municipal.

Un État fédéral, c'est l'ensemble d'un certain nombre d'États fédérés ayant mis en commun un éventail de compétences tout en en conservant un certain nombre. C'est ce qu'on peut appeler le *modèle ascendant* de la formation d'un État fédéral. Le *modèle descendant* serait à l'inverse quant à son origine, à savoir qu'un État central (fédéral) se départit d'une partie de ses compétences pour qu'elles soient exercées par des autorités décentralisées (fédérées). Mais, quel qu'ait été le mode de formation d'un État fédéral, le territoire de celui-ci se trouve à comprendre un certain nombre de territoires inférieurs dans la hiérarchie politico-administrative.

Cependant, dès lors qu'on traduit la dualité de niveaux de gouvernement en termes territoriaux, autrement dit dès lors que l'on passe de la dimension verticale à la dimension horizontale de la structure étatique, la situation se complexifie. En effet, les deux dimensions du système de type fédéral se croisent, mais ne se superposent pas. Alors que le territoire de chaque État fédéré constitue une partie du territoire de l'État fédéral, certains *territoires fédéraux* constituent des parties précises du territoire des États fédérés. Cette situation résulte du fait que le gouvernement fédéral exerce des compétences générales sur l'ensemble des territoires fédérés mais exerce aussi des compétences particulières sur des portions des territoires fédérés, spatialement définies aux fins de l'exercice de ces compétences.

Il faut donc s'en rapporter à une notion intégrée du territoire en général et en milieu fédéral en particulier. Ainsi, cette notion doit concilier les différents *étages territoriaux*. À titre d'exemple, le territoire d'une pourvoirie peut aussi faire partie du territoire d'une municipalité, lequel fait partie du territoire du Québec dont elle dépend quant à l'exercice de ses compétences. Et ce territoire québécois est aussi canadien avec tout ce que cela implique quant aux superpositions de compétences législatives.

En effet, à chaque territoire correspondent un étagement d'autorités et un éventail de pouvoirs qui y correspondent et s'y exercent. Mais ces pouvoirs peuvent être limités dans les faits par l'exercice d'un pouvoir concurrent. Ainsi, le gouvernement fédéral canadien peut, sur des portions d'un territoire provincial, exercer certaines des compétences qui sont siennes en vertu de la Constitution ou par le jeu de l'interprétation de celle-ci. Le pouvoir provincial peut donc voir, dans ces cas, l'exercice de ses compétences diminuées sur certaines portions de son territoire, comme dans les parcs nationaux fédéraux, les réserves indiennes, les établissements militaires.

Si on replace la situation que l'on vient d'évoquer dans le contexte d'une interrogation sur l'intégrité territoriale, la double dimension de celle-ci, tant horizontale (relative à la délimitation des territoires) que verticale (relative à la délimitation des compétences), nous rattrape toujours.

Fédéralisme et asymétrie

B IEN DES POLITOLOGUES et des stratèges politiques se demandent
si le Canada gagnerait à pratiquer un fédéralisme asymétrique. On
s'est demandé moins souvent si ce pays est, dans les faits, une fédération
asymétrique. Pourtant, la réponse est assez claire : à certains égards, il l'est,
territorialement comme démographiquement : l'Île-du-Prince-Édouard,
la plus petite des provinces canadiennes, a une superficie 270 fois moindre
que celle de la plus grande (le Québec) et est 90 fois moins peuplée que
la plus populeuse (l'Ontario). N'oublions pas, non plus, que la superficie
des provinces ne représente que 60 % de la totalité de l'espace canadien et
que celle des trois territoires, 300 fois moins peuplés que l'ensemble des
provinces, recouvre 40 % du pays.

Ces écarts dimensionnels et démographiques ne se retrouvent pas
nécessairement sur le plan décisionnel au niveau des politiques pan-
canadiennes. Cela fait partie de l'essence même du fédéralisme. Cette
asymétrie démo-territoriale est pratiquement dans l'ordre des choses car
les conditions géographiques et leur impact sur le peuplement des territoires se traduisent nécessairement par une organisation différentielle de
l'espace dotée d'une présomption de permanence qui fait que l'asymétrie
apparaît après coup avec une netteté insoupçonnée à l'origine. Ainsi, en
1867, il était difficile de prévoir que la population de la Nouvelle-Écosse
qui, à l'époque, représentait 11 % de la population canadienne, en serait
réduite, moins d'un siècle et demi plus tard, à moins de 3 %.

Il faut ajouter qu'à l'échelle internationale l'asymétrie démo-territoriale
se retrouve à tous les niveaux. Au niveau international, Monaco a un
territoire huit millions de fois plus petit que celui de la Russie ; entre les
deux, tous les intermédiaires existent. La moyenne des superficies des dix
États les plus vastes demeure deux millions de fois plus élevée que celle
des dix États les plus exigus. Or, la voix des micro-États, sans avoir le
poids moral de celle des grandes puissances, s'est vu reconnaître, dans

diverses matières, un poids décisionnel statistiquement égal. À cet égard, les différences démographiques offrent d'ailleurs des exemples analogues.

L'organisation territoriale interne des États offre des situations similaires. Au Québec, la superficie et la population des municipalités et autres territoires légalement constitués varient dans des proportions comparables. Si l'on se fie aux chiffres de plusieurs publications gouvernementales (entre autres celle qui a été publiée en 1990, *Les régions administratives du Québec*[1]), ces données varient du zéro à l'infini. Selon cette source, près d'une centaine d'espaces administratifs ont une population zéro, dont trois réserves indiennes, six villages cris et 89 territoires non organisés. On y retrouve même une réserve indienne, celle de Cacouna, dont la superficie est… de 0 km², ce qui, évidemment, est une aberration en matière territoriale. Il y a sans doute des raisons pour présenter les statistiques de cette manière, mais, le moins qu'on puisse dire, c'est que celle-ci porte à confusion.

Notre propos n'est pas de suggérer la supériorité des systèmes de découpage territorial visant à établir des unités de dimensions sensiblement égales, en superficie (comme ce fut le cas pour les départements français issus de la révolution) ou en population (comme c'est souvent le cas pour le découpage des circonscriptions électorales). L'histoire de la formation des États fédéraux montre bien que les membres d'une fédération s'y sont le plus souvent intégrés en conservant leurs territoires dans leurs frontières antérieures. En général, le découpage ou le redécoupage d'un territoire national centralisé n'est pas soumis aux mêmes contraintes.

C'est donc davantage sur le plan du partage des pouvoirs qu'il importe de décrire des éléments illustrant le caractère asymétrique des systèmes fédéraux. Il appert que, dans le monde, il n'existe pratiquement aucun système fédéral parfaitement symétrique à cet égard. La raison en est qu'une large gamme de facteurs géographiques et historiques influe nécessairement, de façon plus ou moins importante, sur la pratique du fédéralisme sur le plan de l'exercice des compétences car il arrive qu'une application trop rigide du partage théorique de celles-ci est source de problèmes concrets. Cette nécessaire souplesse d'application des principes de gestion en milieu fédéral donne cependant ouverture, il faut le reconnaître, à des argumentations inspirées par des objectifs possiblement divergents, selon que priment les intérêts généraux de l'ensemble fédéral ou les intérêts particuliers de l'un ou de l'autre des membres de la fédération.

À cet égard, il est des domaines où le Québec se distingue de l'ensemble ou de la majorité des autres provinces sur la base du principe que l'on vient d'évoquer et de son application par voie de consensus entre les deux niveaux de gouvernement. Ainsi, le gouvernement du Québec perçoit lui-même les impôts sur le revenu alors que c'est le gouvernement fédéral canadien qui le fait pour les autres provinces, par suite d'ententes avec elles. De même, le Québec gère son propre régime des rentes, alors que c'est le régime de pensions du Canada qui s'applique dans les autres provinces.

Il faut ajouter que les différences d'objectifs poursuivis par les deux niveaux de gouvernement font que des accords entre les gouvernements canadien et québécois ont permis au Québec de développer et d'appliquer des programmes propres à la réalité québécoise en matière d'immigration, de formation de la main-d'œuvre et même, dans une mesure qui reste à évaluer, au niveau international quant au rôle que le Québec peut jouer auprès d'organismes internationaux comme l'Unesco. Cependant, le jeu des changements de régime intervenant aux deux niveaux de gouvernement fait que les politiques changent avec les partis au pouvoir et que des différences de position peuvent se faire jour au lendemain d'élections et apporter des changements dans l'exercice de leurs compétences respectives.

Les positions respectives des gouvernements du Québec et du Canada face à l'accord de Kyoto en constituent un bon exemple; là aussi, il reste à évaluer la marge de manœuvre que chaque gouvernement laisse à l'autre. Nous verrons que, par le jeu des programmes qu'ils développent, les gouvernements peuvent prendre l'initiative d'occuper un champ susceptible de déborder l'éventail de leurs compétences. On devine que le gouvernement fédéral, appuyé en cela par divers mécanismes d'interprétation constitutionnelle, est davantage en mesure d'en profiter que les gouvernements provinciaux.

Une analyse fine des programmes gouvernementaux des deux niveaux et de leur compatibilité permettrait d'évaluer l'importance de cette marge de manœuvre. Nous en verrons quelques aspects aux chapitres 3.2 et 3.3. En cette matière, différentes situations interpellent la notion d'intégrité territoriale dans la mesure où la gestion territoriale peut en être affectée, autrement dit dans la mesure où l'exercice des compétences des deux niveaux de gouvernement peut en venir à ne pas permettre à l'un ou à l'autre de remplir convenablement la mission qu'il s'est donnée face aux besoins et aux projets collectifs de société qui lui correspond.

Notre conception de l'intégrité territoriale ne se borne donc pas à préciser les limites territoriales du Québec actuel (ses frontières), bien qu'il y ait des ambiguïtés qui persistent à ce sujet, non plus qu'elle vise à revendiquer des territoires que d'aucuns considèrent devoir relever du Québec par simple convenance. Notre objectif n'est pas, non plus, de proposer quelque modèle de contrôle que ce soit relativement à la répartition des compétences entre les ordres de gouvernement. À partir du constat que les incertitudes qui hypothèquent le Québec et son territoire interpellent les deux dimensions de l'intégrité territoriale et qu'elles sont de nature variable, nous avons placé notre réflexion à la rencontre des préoccupations géographiques et juridiques qu'inspire une conscience territoriale tournée vers la cohérence des politiques en relation avec les populations concernées davantage que par un agenda et un credo politique précis. Au nom de la géographie politique, l'approche suivie par notre réflexion nous amène cependant à concentrer notre propos sur l'aspect territorial des incertitudes qui entourent et caractérisent l'État du Québec.

1.8.

La notion d'intégrité territoriale

DANS LA LITTÉRATURE JURIDIQUE et géopolitique, l'expression *intégrité territoriale* a été utilisée dans des sens et des contextes très variés. Il importe donc de clarifier cette notion, qui, il faut le reconnaître, comporte des ambiguïtés. Pour ce faire, nous reprendrons ici des réflexions développées autour du mandat confié en 1966 à la Commission d'étude sur l'intégrité territoriale du Québec. Référence y fut faite plus récemment lors d'une rencontre avec un groupe de fonctionnaires fédéraux qui tenaient une séance de travail concernant le statut des territoires nordiques pour expliquer dans quel contexte et dans quel sens l'expression « intégrité territoriale » avait été interprétée à l'intérieur de ce mandat.

Notre réflexion sur le sujet a donc été menée en lien avec les deux niveaux de gouvernement auxquels la notion d'intégrité territoriale peut être appliquée ou opposée. Nous n'avons aucun indice nous permettant d'évaluer la prise en compte de nos réflexions par les deux niveaux de gouvernement quant à l'orientation de leurs politiques territoriales. Notre définition de l'intégrité territoriale n'est donc conditionnée que par les questions que nous nous posons relativement à la situation propre au territoire québécois dans le contexte canadien.

Il faut d'abord noter que l'expression *intégrité territoriale* est largement utilisée dans la littérature relative au droit international public, tant dans la doctrine que dans la jurisprudence, de même que dans le domaine des relations internationales, notamment dans les traités et les ententes. L'expression est également utilisée, *mutatis mutandis,* relativement aux territoires constitutifs d'un État fédéral, ce qui n'est que normal puisque les éléments constituants d'un État fédéral sont eux aussi des États, des États fédérés. La portée de cette expression est cependant différente selon le niveau où se situe son usage.

La majorité des spécialistes du droit international s'entendent pour considérer le territoire comme l'élément constitutif de base de l'État. À chaque État correspond un territoire dont l'intégrité doit être garantie par des instruments juridiques et politiques. Déjà, la Société des nations avait stipulé, dans son pacte constitutif (article 10), que

> les membres de la Société s'engagent à respecter et à maintenir contre toute agression extérieure l'intégrité territoriale... de tous les membres de la Société.

Il est bien évident que cette formulation ne se prête pas à une application de ce principe, tout fondamental qu'il soit, à la problématique territoriale interne du Canada et tout particulièrement à celle du Québec. Il reste qu'elle nous éclaire sur le concept essentiel auquel réfère l'expression *intégrité territoriale*, à savoir le caractère stable, sinon permanent, de l'espace sur lequel un État exerce ses compétences, ce qui inclut les États membres d'une fédération, dans la mesure où ses compétences sont garanties par une constitution et non déléguées par une autre autorité. C'est évidemment le cas des provinces canadiennes.

Il convient de rappeler que diverses théories ont eu cours pour rendre compte des rapports entre l'État et le territoire. On a déjà vu, au chapitre 1.2, que, dans son *Cours de droit international public*, Charles Rousseau[1], un classique en la matière, constate que les théoriciens ont tour à tour considéré le territoire comme :
- un élément constitutif de l'État ;
- l'objet même de la puissance étatique ;
- une limite géographique à l'action des gouvernements ;
- un titre de compétence justifiant l'action étatique.

Ces théories recèlent l'intérêt de rappeler, comme on l'aura fait plus d'une fois, qu'il y a un rapport essentiel entre l'État, son territoire et la compétence qu'il exerce sur cette portion d'espace. Cette évidence nous a amenés à considérer l'*intégrité territoriale* comme une notion qui comporte deux dimensions complémentaires et intimement liées : une dimension *horizontale,* qui se réfère à la définition géographique, spatiale du territoire tel qu'il est délimité par ses frontières, et une dimension *verticale*, qui se réfère aux compétences qui s'y exercent, compétences qui peuvent relever de deux niveaux de gouvernement, comme c'est le cas dans un système fédéral.

Il est intéressant de noter que l'évolution récente du droit international semble aborder la question de l'intégrité territoriale des États d'une manière plus souple et *holistique* qui satisfait d'une certaine manière l'approche bidimensionnelle que l'on vient d'évoquer. Dans un ouvrage récent, intitulé *Le principe d'intégrité territoriale : d'un pouvoir discrétion-*

naire à une compétence liée, Philippe Chrestia[2] expose ainsi la tendance et le nouveau défi du droit international dont les principes s'appliquent aussi, selon nous, aux situations internes :

> La proclamation du principe d'intégrité territoriale résulte de la mise en œuvre d'une politique juridique destinée à concilier l'intégrité des États et les aspirations des peuples. Cette stratégie change en profondeur la nature du droit international. Désormais, dire que l'État a droit à son intégrité ne veut pas dire protéger l'État pour lui-même, mais protéger ceux qui se trouvent sur son territoire, c'est-à-dire sa composante humaine. Une évolution du droit international visant à subordonner le pouvoir à des fins humaines.

Cette nouvelle tendance n'entame pas la pertinence de la notion d'intégrité territoriale, mais lui confère une signification particulière qui ajoute une responsabilité propre à l'État qui s'y réfère pour orienter ses politiques. Il serait assurément intéressant et approprié qu'au Canada cette approche inspire le plus largement possible les gouvernements de tous niveaux parce qu'elle rejoint la mission ultime de toute autorité politique qui devrait être d'assurer dans les meilleures conditions le bien-être de tous ses citoyens.

La notion d'intégrité territoriale comporte, on le voit par les observations qui précèdent, des éléments positifs qui contribuent à une définition optimale des responsabilités étatiques en même temps qu'une clarification de l'assise territoriale de chacune des compétences qui s'exercent sur l'ensemble ou des parties du territoire. Cela dit, il faut reconnaître que l'usage qui a été fait de l'expression *intégrité territoriale* n'est pas toujours allé dans ce sens.

Un relevé sommaire des circonstances récentes où l'on s'est référé à cette expression illustre bien la polysémie du concept auquel elle correspond. Le sens de base est celui que l'on trouve dans les dictionnaires généraux pour le terme *intégrité* : « état d'une chose qui a toutes ses parties, qui n'a pas subi d'altération » (*Le Petit Larousse illustré*). Naturellement, une définition aussi large donne lieu à diverses interprétations et à un élargissement de son application au point que certaines de ces interprétations se contredisent nettement.

Un des sens le plus fréquemment donné à l'intégrité territoriale vise la non-modification des frontières ou du tracé des frontières d'un État. C'est en ce sens que la présidence de l'Union européenne a, en avril 2008, appuyé le principe de l'intégrité territoriale de l'Irak. Il avait aussi été convenu que les frontières des républiques ex-soviétiques ne devraient pas être modifiées, ce qui n'a cependant pas empêché la Russie de reconnaître la déclaration unilatérale d'indépendance de l'Abkhazie et de l'Ossétie du Sud, parties intégrantes de l'État géorgien. Ce n'est que dans un contexte de tension internationale que ce principe est remis en question et que se développent des mouvements sécessionistes comme ceux qui affectent aujourd'hui la Moldavie et la Géorgie. Il faut toutefois se garder de considérer comme émanant de causes semblables ni même comparables tous les mouvements indépendantistes de la planète.

L'application logique du premier sens reconnu à l'intégrité territoriale implique que l'occupation d'un territoire par un autre État est considérée comme une atteinte à son intégrité. Le Conseil de l'Europe s'y est nommément référé[3] en dénonçant l'occupation du Haut-Karabakh par l'Arménie, quelle que soit la valeur des raisons ethno-historiques que celle-ci invoque pour justifier cette action. Il en fut de même quant à une résolution du Conseil de sécurité des Nations Unies concernant les interventions armées entre la République du Congo et le Rwanda, en se référant nommément à la notion d'intégrité territoriale[4].

C'est également au nom de l'intégrité territoriale qu'est souvent exprimé le refus du droit de sécession aux peuples qui la réclament au nom du « droit des peuples à disposer d'eux-mêmes ». Le discours russe concernant la Tchétchénie et le discours chinois concernant le Tibet en sont des exemples.

Assez contradictoirement, l'intégrité territoriale a été invoquée pour garantir les frontières antérieures des nouveaux États issus du démembrement d'un autre État. Les cas de l'ex-URSS, de l'ex-Tchécoslovaquie et de l'ex-Yougoslavie sont bien connus. Cette application de la notion d'intégrité territoriale se réfère au principe d'*uti possidetis** dont l'application systématique aux nouveaux États ne fait pas l'objet d'un consensus unanime avant que n'interviennent les scissions mais semble s'imposer de fait une fois le démembrement effectué.

À plus d'une reprise, l'intégrité territoriale a été évoquée non pas en relation avec le tracé ou le respect des frontières d'un territoire mais en se référant plutôt à l'intervention dans les affaires domestiques d'un État. Ainsi, la France a récemment dénoncé l'intervention de la Syrie dans les élections libanaises comme un accroc au respect de l'intégrité territoriale (Sénat français, 2007), comme l'avait fait le prince Sihanouk, considérant que l'intégrité territoriale du Cambodge avait été violée par la soumission du pays à l'influence du Vietnam, position affirmée par une résolution adoptée par le Comité des frontières du Cambodge[5].

L'intégrité territoriale a aussi été évoquée au niveau interne des États, entre autres en matière de relations entre pouvoir central et autonomies locales. Ce fut récemment le cas en Macédoine, alors que le pouvoir central serbe estimait qu'accorder l'autonomie locale aux communautés albanaises constituait un accroc à l'intégrité territoriale du pays. Ce cas est assez particulier car, habituellement, ce sont les unités régionales (fédérées, dans le cas d'une fédération) qui utilisent ce genre de discours face au pouvoir central (fédéral, dans le cas d'une fédération). On ne connaît pas de cas où le discours politique, au Canada, se soit référé à la notion d'intégrité territoriale dans un contexte équivalent. Ce serait par ailleurs le cas si le gouvernement fédéral évoquait la notion d'intégrité territoriale pour justifier son droit de retenir le Nunavik comme continuant de faire partie du territoire canadien advenant une sécession du Québec. Sans invoquer nommément l'intégrité territoriale du Canada, c'est un argument souventes fois utilisé par les ministres fédéraux Trudeau, Chrétien et Dion.

Plus marginaux encore sont les cas où l'intégrité territoriale constitue un argument dans le discours revendicateur de certains gouvernements pour «récupérer» des territoires qui sont juridiquement soustraits à leur autorité. C'est en invoquant l'intégrité territoriale que le roi du Maroc s'est maintes fois référé aux «frontières authentiques» du royaume pour vouloir récupérer les villes de Ceuta et de Melilla actuellement sous contrôle espagnol et ainsi «restaurer l'intégrité territoriale du Maroc[6]», ou pour faire valider l'occupation par les forces marocaines du Sahara occidental, au nom de la «marocanité du Sahara[7]».

On voit, par les exemples que l'on vient de donner, que la notion d'intégrité territoriale est utilisée surtout dans le contexte international et se réfère en général aux relations entre États sujets de droit international. Cependant, on s'y réfère également à d'autres niveaux : entre composantes de tels États de même qu'entre niveaux différents de gouvernement à l'intérieur d'un même État, et cela tant sur le plan horizontal que sur le plan vertical, c'est-à-dire quant aux limites entre territoires aussi bien que quant au partage des compétences.

On aura noté que des références à la notion d'intégrité territoriale ont été faites dans des contextes très différents et même opposés. Certains se caractérisaient par la nécessité de respecter les frontières telles qu'elles étaient, convenues et reconnues. D'autres, au contraire, exprimaient des velléités d'autorités gouvernementales voulant modifier l'état actuel des frontières. Ces deux positions paraissent en complète contradiction. Elles peuvent pourtant être reliées dès lors que la définition d'une frontière est incomplète et laisse place à diverses interprétations. En effet, les doutes qui affectent la localisation précise d'une frontière ne peuvent pas ne pas engendrer chez les parties le désir d'en venir à une solution qui leur est favorable et de la faire respecter et d'invoquer, pour ce faire, la notion d'intégrité territoriale.

Au total, les exemples que nous avons cru utile d'apporter ici montrent surtout que la notion d'intégrité territoriale est ambiguë et soulignent l'importance d'en préciser la portée dans le contexte où le gouvernement québécois s'y est référé à diverses occasions.

Dans le contexte d'un État unitaire, la notion d'intégrité territoriale se rapproche de celle de souveraineté et le territoire sert à déterminer les limites de l'exercice des compétences de cet État. La notion est plus difficile à cerner dans le cas d'un État fédéré comme le Québec car, dans toute fédération, il y a nécessairement un partage des compétences qu'exercent deux États (de niveaux différents) sur le même territoire. Dans la mesure où une partie des compétences sur une fraction du territoire échappe à l'État fédéré, l'intégrité territoriale de celui-ci n'est pas menacée pour autant si le partage des compétences avait été prévu à l'origine dans la Constitution.

La notion que nous avons de l'intégrité territoriale implique le respect de la compétence étatique prévue à l'origine pour l'État fédéré du Québec face aux États fédérés voisins autant que face à l'État central. Dans un cas comme dans l'autre, si l'un des gouvernements se voit ravir par un autre gouvernement des compétences qui lui revenaient de droit selon le partage d'origine, on peut alors parler d'atteinte à l'intégrité territoriale. On verra qu'à cause des divers mécanismes constitutionnels, qui gèrent le fonctionnement des conséquences pratiques du partage des compétences, l'État central est en mesure, éventuellement, d'envahir le champ des compétences des États fédérés telles qu'elles ont été définies à l'origine, alors que l'inverse est pratiquement impossible. On verra, quand on examinera les *incertitudes verticales* (chapitre 3), quels mécanismes assurent cette prééminence des pouvoirs et accordent une légitimité d'ordre juridique à l'évolution géopolitique de la pratique du fédéralisme.

Il n'y a rien d'étonnant à ce que la question de l'intégrité territoriale puisse être envisagée de façon différente selon qu'elle est vue de Québec ou d'Ottawa ou, si l'on veut, selon qu'on l'envisage d'une optique à dominante *provincialiste* ou *centraliste*. Conscients de cet aspect subjectif des choses, nous avons pris le parti d'envisager le Québec et son territoire à partir de son statut juridique d'État fédéré dont la compétence territoriale est prévue dans la Loi constitutionnelle de 1867. Dans cette perspective, il nous paraît évident que, si l'intégrité territoriale du Québec a un sens, le gouvernement du Québec doit alors disposer de politiques cohérentes à cet égard. C'est le constat que tel n'a pas toujours été la caractéristique principale des politiques territoriales du Québec qui nous a amenés à écrire ce livre.

C'est pourquoi il importerait d'examiner en détail les politiques appliquées ou simplement déclarées en matière d'intégrité territoriale du Québec, tout en tenant compte du contexte fédéral à l'intérieur duquel elles doivent s'inscrire, mais une telle analyse déborderait le cadre de notre propos. Il demeure cependant approprié de se demander, par exemple, en matière de frontières, si les politiques territoriales visent ou devraient viser à promouvoir, ou du moins à permettre, la participation du Québec à l'abornement et à l'entretien de sa frontière méridionale qui est en même temps une frontière internationale.

Dans le cas des dimensions internes où il y a superposition des niveaux de compétence, il y a aussi lieu de se demander si les politiques territoriales du Québec favorisent la connaissance par le Québec de son territoire, dans les portions où c'est surtout le niveau fédéral qui agit. Des auteurs, comme Sébastien Grammond[8], ont noté la préoccupation du gouvernement du Québec en matière d'intégrité territoriale pour ce qui concerne la reconnaissance des droits territoriaux des autochtones. Il faut par ailleurs reconnaître qu'une telle préoccupation, sauf quant aux droits des autochtones, a souvent fait défaut et que des occasions de la consolider ont été ratées (nous aborderons succinctement le sujet au chapitre 4.3), même si, de loin en loin, le gouvernement québécois s'est référé à la notion d'intégrité territoriale pour traiter certaines questions particulières en matière de gestion territoriale.

En fait, on peut se demander ce que l'Assemblée nationale du Québec a voulu signifier quand elle a donné au gouvernement le mandat, par la Loi sur l'exercice des droits fondamentaux et des prérogatives du peuple québécois et de l'État du Québec[9], de « veiller au maintien et au respect de l'intégrité territoriale du Québec ». Le même article reprend un principe qui avait déjà fait l'objet d'une précision dans la Loi constitutionnelle de 1871, en rappelant que le gouvernement du Québec et ses frontières ne peuvent être modifiés qu'avec le consentement de l'Assemblée nationale. Tout porte à croire que la question des dimensions verticales de l'intégrité territoriale ne faisait pas l'objet de cette loi ; du moins peut-on interpréter ainsi sa formulation.

Conçue dans un sens large, l'intégrité territoriale déborde le champ des relations interétatiques, dès lors qu'on se demande si la population vivant dans un territoire exerce, par quelque moyen que ce soit, un contrôle suffisant sur son territoire. Si, par l'un ou l'autre des gouvernements interposé, ou par quelque autre intermédiaire, ou quelque autre moyen d'action, l'utilisation, l'aménagement ou la simple occupation de parties importantes du territoire échappent au contrôle de la population concernée et s'opposent à ses intérêts, on peut considérer que l'intégrité territoriale est menacée. Cet aspect de la question fera l'objet d'une réflexion que nous développerons brièvement au chapitre 4.2.

I.9.

L'intégrité territoriale à quel niveau ?

D ANS LA MESURE où le système fédéral est concerné, nous ne plaidons pour aucune des solutions qui s'offrent en matière constitutionnelle, c'est-à-dire le maintien de la Constitution dans sa forme actuelle, la remise en question du partage des compétences entre les deux niveaux de gouvernement ou l'indépendance politique du Québec. Nous ne faisons que développer une réflexion et une interrogation sur le sens de l'*intégrité territoriale* dans un contexte fédéral, au niveau des membres de la fédération concernée. Cette expression, appliquée pour la première fois au territoire québécois par le premier ministre Daniel Johnson père, nous semble tout à fait légitime dans ce contexte. Nous le précisons parce qu'il est arrivé qu'au cours de l'audition de mémoires présentés à la Commission d'étude sur l'intégrité territoriale du Québec (1966-1972) un intervenant, manifestement indisposé par le nom lui-même de l'organisme, a exprimé ainsi son agacement : «Aurait-on idée de parler de l'intégrité territoriale de la Saskatchewan ? » Bizarrement formulée, cette question semble oublier que la définition du territoire de cette province est beaucoup plus claire et définitive que ne l'est celle du Québec ; les chapitres qui suivent en démontrent l'évidence.

Ce qui est sans doute moins évident ou du moins sujet à des opinions divergentes, c'est que le Québec a, davantage que la Saskatchewan, des raisons de s'appuyer sur son caractère distinct pour préconiser une application modulée du partage des compétences. Une chose est certaine : l'expression *intégrité territoriale* est perçue différemment, dans son sens, son contenu et son application à des cas concrets, selon qu'elle est utilisée par des autorités gouvernementales, fédérales, provinciales du reste du Canada (ROC) ou québécoises, ou par des communautés ou organismes autochtones.

N'entrons pas dans l'interminable débat, par moments verbeux sinon surréaliste, autour de l'expression *société distincte*, débat qui est récemment revenu à la surface à l'occasion de la reconnaissance par le gouvernement fédéral de l'existence d'une *nation québécoise*. Fermons plutôt cette discussion en rappelant que le fait que les Québécois considèrent majoritairement qu'ils forment une société distincte, alors que bien des citoyens du ROC nient cette réalité, constitue en soi une distinction marquée qui les autorise à se considérer comme tels. Certains considèrent ce raisonnement comme un sophisme, mais il est des sophismes que monsieur de La Palisse aurait spontanément signés. De là à traduire cette reconnaissance dans les textes officiels, il y a un pas important que des politiciens n'osent pas franchir en s'enveloppant d'un manteau de prudence pour nier cette différence ou simplement éviter de la définir et même de la nommer.

Parmi les diverses théories qui ont été évoquées à l'égard du territoire (élément constitutif de l'État, limite de l'action des gouvernants, objet de propriété de l'État, objet de la compétence législative d'une autorité gouvernementale), c'est sans doute cette dernière théorie de la compétence qui est la plus appropriée dans le contexte constitutionnel canadien et québécois.

Au Canada, les deux niveaux gouvernementaux (trois, sur les espaces où le droit inhérent à l'autonomie gouvernementale des autochtones est reconnu) se juxtaposent (ou se superposent, selon le point de vue) sur le même territoire et leurs compétences législatives respectives s'y chevauchent. C'est la constitution canadienne qui détermine le faisceau de compétences relevant de chacun des niveaux. Dans la mesure où l'État central possède, en vertu de ce partage, des compétences importantes sur des portions du territoire de l'État fédéré, compétences que les mécanismes constitutionnels permettent d'élargir considérablement, comme on le verra plus loin, on peut se demander si l'intégrité du territoire d'un tel État fédéré est mise en cause, actuellement ou potentiellement.

Puisque le partage des compétences est prévu et enchâssé dans un document constitutionnel constituant une base juridique incontestable, on peut penser qu'il n'y a là aucune menace ni aucun danger de dérive. Mais le fait est que la présence de niveaux décisionnels différents sur le même territoire a donné lieu à diverses prises de position souvent divergentes. Ainsi, certains principes relatifs au fonctionnement de l'ordre constitutionnel sont considérés par d'aucuns comme susceptibles de porter atteinte à l'intégrité territoriale du Québec à cause du large champ qu'ils ouvrent aux possibilités d'extension unilatérale de la compétence fédérale sur le territoire.

À cet égard, un principe souvent évoqué est celui de la prépondérance législative fédérale au cas de législations fédérales et provinciales qui sont à la fois valides et incompatibles. Il en sera question au chapitre 3, mais établissons d'ores et déjà que le principe réglant ce genre de problème est le suivant : quand le Parlement fédéral légifère dans un domaine qui relève de sa compétence, sa loi sera prépondérante même si celle-ci empiète sur une loi provinciale portant sur un domaine qui relève aussi de la compétence de la province.

La notion d'intégrité territoriale est évidemment liée à la définition juridique des territoires concernés et à la mesure dans laquelle celle-ci est respectée. Sous l'angle d'une appréciation qualitative de la conformité de la définition juridique et de son application aux données géopolitiques relatives aux frontières (accès, contiguïté, relations avec les populations concernées), la question se pose dans des termes qui dépassent le droit et interpellent des considérations politiques, elles-mêmes liées à des facteurs sociétaux où la part de subjectivité peut être plus ou moins déterminante.

Envisagée sous cet angle, la notion d'intégrité territoriale concorde avec celle de *conscience territoriale* qui exprime la mesure dans laquelle est assumée, chez les membres d'un groupe, chez l'ensemble de ce groupe ou au niveau de l'autorité politique qui l'encadre, l'identification de ces acteurs à un territoire donné[1]. Dans un contexte fédéral, conscience territoriale et intégrité territoriale peuvent donc se manifester par rapport à l'un ou l'autre (ou à l'un et à l'autre) des niveaux de gouvernement. Il en résulte que la conscience territoriale commande des attitudes qui reconnaissent plus ou moins de pertinence à la notion d'intégrité territoriale au niveau provincial. Il faut en effet reconnaître que, évident au niveau national pancanadien (vis-à-vis des États-Unis, par exemple), ce concept ne peut avoir tout à fait la même portée au niveau des parties constituantes du pays, à celui des provinces d'abord, mais aussi au niveau de territoires sous-provinciaux soumis à une problématique particulière, comme ceux qui font l'objet de négociations avec les communautés autochtones. La raison en est que les facteurs qui conditionnent la conscience territoriale sont de plusieurs ordres : des facteurs psychosociaux voire personnels, les conditions socioéconomiques, la dimension ethnolinguistique, le cadre législatif du statut des autochtones, le jeu des forces centrifuges agissant sur les régions marginales[2].

Naturellement, l'intégrité territoriale du Canada se confond avec celle des provinces quand il s'agit d'une frontière internationale. La situation est par ailleurs différente quand il s'agit d'un différend frontalier, actuel ou potentiel, entre deux provinces. Dans ce cas, l'intégrité territoriale du Canada n'est pas en jeu, mais elle l'est au niveau des provinces. La preuve en est que la constitution canadienne a établi que les limites territoriales interprovinciales ne peuvent pas être modifiées sans l'assentiment des provinces concernées.

La question de l'intégrité territoriale est donc pertinente d'autant plus que les incertitudes qui l'hypothèquent constituent les éléments les plus nettement définissables de la problématique géopolitique du Québec et des éléments d'incertitude qui la composent. Quand on constate le nombre et l'importance des incertitudes qui touchent le territoire québécois et son intégrité, on est en droit de se demander si les gouvernements successifs du Québec ont apporté à ces questions toute l'attention qu'elles méritent, au-delà des réactions à des problèmes particuliers manifestées en des circonstances précises (nous en reparlerons aux chapitres 4.3 et 4.4). Ce souci s'inspire de deux éléments qui font que ces questions sont fondamentales dans la réalité géopolitique d'un pays, d'un État, d'une société. Le premier est que, comme il est rappelé dans un ouvrage collectif dirigé par Pascal Gauchon et Jean-Marc Huissoud[3],

> le contrôle et la formation des territoires restent l'enjeu majeur de la géopolitique.

Le second élément tient à la relation entre la société et le territoire qui constitue sa référence identitaire, les auteurs rappelant qu'Aymeric Chauprade[4] reconnaît le fondement de la géopolitique dans la «territorialisation des identités». C'est l'écart entre cette évidence géopolitique et l'indéfinition relative du territoire québécois qui a motivé l'écriture du présent ouvrage et son articulation autour de la notion d'intégrité territoriale.

Précisons, avant d'évoquer les nombreuses incertitudes touchant le territoire québécois, que nous utilisons l'expression *intégrité territoriale* dans un sens autant géographique que juridique ce qui, selon nous, justifie de l'appliquer au Québec, même si nous respectons l'avis de ceux qui, d'un point de vue strictement juridique, estiment que son emploi doit en être plus restrictif. Nous en donnons l'explication dans l'introduction du chapitre consacré aux incertitudes verticales (chapitre 3) car, on l'a dit, cette dimension, selon nous, fait intégralement partie de la notion d'intégrité territoriale.

2.

Incertitudes horizontales

Si, du point de vue juridique et géomatique, elle a un caractère essentiellement linéaire, la frontière, du point de vue de la géographie régionale, est à la fois une ligne et une zone. Les différences entre les caractères géographiques, naturels comme humains, de deux pays voisins (aux divers sens que l'on peut attribuer au mot *pays*) se manifestent le plus souvent de manière progressive dans l'espace, même s'il existe une ligne, très précisément fixée, représentant la limite de l'exercice des compétences étatiques des deux territoires qu'elle sépare. L'analyse géographique s'intéresse aux relations réciproques qu'entretiennent ces deux réalités que sont la *zone* frontalière, c'est-à-dire la zone de contact caractérisée par une certaine compénétration des réalités voisines, et la *ligne* elle-même de la frontière, c'est-à-dire la solution de continuité des compétences exercées sur les territoires concernés.

Du point de vue juridique, la frontière est une ligne, et seulement une ligne, dont le droit international, tant par la doctrine que par la jurisprudence, encadre le processus de délimitation. *Mutatis mutandis*, le droit interne applique les mêmes règles, à condition que les autorités politiques concernées aient, à leur niveau, la compétence pour gérer leurs limites territoriales et ne soient pas soumises à cet égard à un pouvoir externe qui pourrait leur imposer des frontières contre leur volonté.

Ainsi, le Canada, comme tout autre pays, ne peut changer unilatéralement ses frontières internationales, ce qui est une évidence, non plus d'ailleurs que les frontières des provinces sans le consentement de celles-ci, tel que le stipule la Constitution. La situation est la même au niveau des frontières interprovinciales, à cette différence près que les provinces peuvent changer les frontières (les limites internes) de toutes les divisions des territoires relevant de leurs compétences, ces compétences exercées par les autorités régionales ou municipales étant le résultat de délégations de pouvoirs que contrôle l'État provincial.

La frontière est donc une ligne, une ligne précisément définie et localisée, stable, visible et reconnaissable, une ligne convenue et consignée. Ces caractéristiques constituent l'exigence fondamentale pour qu'une frontière soit incontestée et incontestable. La conséquence en est qu'il est essentiel que les termes d'une délimitation frontalière aient été assez clairs pour que la démarcation en ait été ou puisse en être réalisée avec une précision absolue. On peut en effet se demander si une délimitation qui a été énoncée en des termes qui laissent une certaine marge d'interprétation, comme une référence à une « ligne de rivage » ou à une ligne de la hauteur des terres*, peut être considérée comme une délimitation valide pouvant dès lors servir de base à une opération de démarcation. Nous y reviendrons en examinant le cas de la frontière septentrionale du Québec.

Si les termes de la délimitation sont imprécis, à plus forte raison si la délimitation n'a pas fait l'objet d'une entente ou d'une décision arbitrale ou judiciaire qui en dispose, la *ligne* frontière devient géographiquement une *zone*. En effet, lorsque des États voisins préconisent des localisations différentes de la frontière qui les sépare, celle-ci se dédouble et encadre une zone occupant l'espace qui représente l'écart géographique entre les prétentions des deux parties. Cette zone se trouve de ce fait à constituer une incertitude territoriale susceptible de se muer en litige frontalier, actuel, déclaré ou latent. Si l'on compare les situations limologiques* des provinces et des territoires canadiens, il appert à l'évidence que c'est au Québec (autour du Québec) que ces incertitudes horizontales sont les plus nombreuses. Avec un brin de cynisme, on pourrait y voir un domaine supplémentaire auquel s'alimente le concept de société distincte.

L'état de délimitation et de démarcation des frontières du Québec entretient des incertitudes multiples. Certaines frontières, délimitées selon des termes plus ou moins précis, ne sont pas encore démarquées alors que d'autres ne sont ni délimitées ni démarquées. Délimitées en termes généraux mais non démarquées au nord, délimitées à l'est (du côté de la côte du Labrador) selon un processus qui laisse en suspens des questions irrésolues, généralement délimitées et démarquées à l'ouest et au sud, ni délimitées ou démarquées dans le golfe du Saint-Laurent, les frontières du Québec voient leur état varier de façon considérable selon les segments qui les composent.

La plupart des frontières du Québec sont définies par référence à l'eau : milieu des rivières, chenal principal, rives fluviales, littoraux maritimes, lignes médianes d'espaces fluviaux ou maritimes, lignes de partage des eaux. Or, le droit international reconnaît que le milieu liquide constitue le type d'assiette frontalière le plus problématique. Il n'est donc pas étonnant que plusieurs interrogations se posent encore même si des décennies se sont écoulées depuis que des textes officiels ont énoncé des critères de délimitation frontalière qui permettraient aux gouvernements concernés, théoriquement du moins, de passer à l'étape de la démarcation, si tant est qu'ils aient la réelle intention de résoudre définitivement ces problèmes territoriaux.

La Commission d'étude sur l'intégrité du territoire du Québec avait étudié tous et chacun des segments de frontières qui entourent le Québec. Cette étude a établi que très rares sont ceux qui se sont alors révélés exempts d'imprécision ou d'incertitude. Il n'y a pas lieu ici de reprendre en détail l'analyse de cette situation, d'autant plus qu'à vrai dire elle n'a pas beaucoup évolué depuis que les rapports de cette commission ont été remis au gouvernement du Québec, il y a de cela maintenant quarante ans.

Parmi les nombreuses questions qu'a étudiées la CEITQ, certaines touchent des points de détail qui ont toutefois leur importance quand on sait que toute frontière étatique se doit d'être fixée au mètre près. Ainsi, le point d'aboutissement septentrional de la frontière Québec-Ontario (au littoral de la baie James) et le point d'aboutissement oriental de la frontière Québec–Nouveau-Brunswick (à la jonction de la baie des Chaleurs et du golfe du Saint-Laurent) n'ont pas encore été établis de façon précise. Même si ces vertex ne font l'objet d'aucun contentieux actuellement actif, ils sont liés à d'autres incertitudes dont certaines sont extrêmement importantes : d'abord celle qui touche la délimitation définitive et mutuellement acceptée des limites septentrionales du Québec le long du littoral qui entoure la péninsule du Québec-Labrador, puis celle qui est relative au statut du golfe du Saint-Laurent, fédéral ou interprovincial. Ces deux questions sont traitées respectivement aux chapitres 2.1 et 2.4.

Plusieurs segments des frontières québécoises se confondent avec le lit de cours d'eau, leur centre, leur thalweg* ou l'une de leurs rives. Ce mode de délimitation, comme aussi le fait de se référer à la source d'un cours d'eau, pose des questions que l'imprécision du vocabulaire employé par les juristes, souvent assez ignorants des réalités géographiques, se trouve à imposer aux géographes la tâche de proposer par la suite des solutions qui font appel davantage à l'imagination qu'aux réalités concrètes. Le jugement du Conseil privé dans la cause de la côte du Labrador n'est pas exempt de tels exemples.

Aussi, on sait que le cours des rivières peut varier avec le temps, par le jeu de facteurs naturels ou humains. Sur ce point particulier, lorsque des problèmes concrets se poseront, il y aura lieu de se référer aux règles relevant de la coutume internationale qui sont applicables à ce genre de problème.

Enfin, quelques cas particuliers soulignent le caractère artificiel de certains tracés frontaliers : c'est le cas des nombreuses périclaves* qui ponctuent la frontière Québec-Ontario le long de la ligne droite qui constitue son segment septentrional et de la périclave d'Akwesasne, une réserve indienne qui n'est reliée au territoire québécois principal que par une route qui emprunte nécessairement le territoire américain. Cette situation n'est qu'un des éléments de la situation complexe de cette réserve dont le territoire est à cheval sur l'État de New York, l'Ontario et le Québec. En traiter ici nous entraînerait dans une longue digression. Quant à la divagation de la frontière méridionale du Québec, en principe fixée au 45° de latitude nord mais en réalité s'en écartant de presque un kilomètre, parfois vers le nord parfois vers le sud, cette question relève presque du folklore, surtout à cause des bâtiments, assez nombreux, que cette ligne traverse (les *line houses*).

La variété des problèmes qu'offre la situation générale des frontières du Québec, tant au niveau de leur délimitation qu'à celui de leur démarcation, tient au fait que les assises géographiques des différents segments de frontières sont de nature fort variable, chaque type recelant potentiellement ses propres difficultés. Le tableau 1 fait la synthèse des assises géographiques des frontières du Québec.

Tableau 1
Assises géographiques des frontières du Québec
Frontière Québec–Terre-Neuve (et-Labrador)

N°	Segment	Assise géographique	Problématique de démarcation
1	De l'ance Sablon au 52e parallèle	Ligne droite sud-nord dont le point de départ est la limite orientale de la baie de Blanc-Sablon.	Une borne géodésique a été placée par le ministère des Terres et Forêts du Québec, intitulée « borne altimétrique », localement considérée comme borne frontière, à tort.
2	Le 52e parallèle	Ligne géodésique.	Aucun problème de démarcation, vu la précision des techniques géodésiques actuelles. Ce segment n'est pas officiellement reconnu par le Québec.
3	La rive orientale de la rivière Romaine	Rive.	Localisation imprécise de la rive là où des anses ou des lacs voisins ponctuent son parcours (problème mineur). Ce segment n'est pas officiellement reconnu par le Québec.
3-4	Vertex entre les segments 3 et 4	La source de la rivière Romaine.	Toute rivière a une pluralité de sources. Le gouvernement canadien a établi unilatéralement quelle était cette source, ce à quoi le gouvernement québécois n'a pas réagi, ne reconnaissant pas les segments 2, 3 et 4 de la frontière telle qu'elle est définie par le Conseil privé.

N°	Segment	Assise géographique	Problématique de démarcation
4	De la source de la rivière Romaine jusqu'à la ligne de partage des eaux	Ligne droite sud-nord.	Cette question n'a pas fait l'objet d'échanges entre les gouvernements du Québec et du Canada parce que le Québec ne reconnaît pas les segments 2, 3 et 4 de la frontière telle qu'elle est définie par le Conseil privé (question de l'ultra petita, traitée au chapitre 2.2).
5	La ligne de partage des eaux	Ligne virtuelle délimitant les bassins du Saint-Laurent et de l'Atlantique.	Cette ligne ne peut être qu'approximative et sujette à entente, la frontière étant une ligne à fixer à l'intérieur d'une bande de terrain dont la largeur varie selon les conditions hydrographiques locales. Certaines zones sont drainées vers les deux bassins. À son extrémité nord, la topographie et l'hydrographie ne permettent pas de fixer la ligne séparatrice des deux bassins. La position du Québec est que la ligne de partage des eaux forme frontière à partir de la ligne méridienne qui relie la baie de Blanc-Sablon à la ligne de partage des eaux aux environs du 52ᵉ.

Frontière dans le golfe du Saint-Laurent (hypothèse d'un golfe interprovincial)

N°	Segment	Assise géographique	Problématique de démarcation
	Divers segments	Espace maritime.	Des méthodes reconnues pour le calcul des lignes d'équidistance des rives permettent de localiser précisément les segments d'une telle frontière sur des cartes. Cela a été fait en 1968, par entente entre les provinces riveraines.

Frontière dans le golfe du Saint-Laurent (hypothèse d'un golfe fédéral)

N°	Segment	Assise géographique	Problématique de démarcation
	Divers segments	Lignes parallèles aux lignes de rivage.	Aucune des trois étapes devant définir une délimitation permettant la démarcation n'a été franchie, à savoir : 1. Choix de la largeur de la bande littorale reconnue comme «provinciale»; 2. Établissement des lignes de base droites; 3. Établissement des lignes parallèles aux lignes de base droites.

Frontière Québec–Nouveau-Brunswick

N°	Segment	Assise géographique	Problématique de démarcation
1	Vertex sud-ouest	Point de jonction entre la rivière Sainte-Croix et le lac Beau.	Aucun problème : point convenu.
1	Lac Beau-Lac Long	Ligne géométrique.	Aucun problème de démarcation, vu la précision des techniques géodésiques actuelles.

N°	Segment	Assise géographique	Problématique de démarcation
1-2	Vertex	Un point situé à un mille au sud de l'extrémité sud du lac Long.	Aucun problème : point convenu.
2	Fiefs Madawaska et Témiscouata	Segments de droites, lignes géométriques.	Aucun problème de démarcation, vu la précision des techniques géodésiques actuelles.
3	Méridiens et parallèles	Lignes géométriques.	Aucun problème de démarcation, vu la précision des techniques géodésiques actuelles.
4	Rivière Patapédia	Centre de la rivière.	Aucun problème parce que ce tronçon de rivière ne comporte pas d'îles.
5	Rivière Ristigouche	Centre du chenal principal de la rivière.	Il a été établi que les îles relèvent de la province du Nouveau-Brunswick même si la frontière se trouve alors à s'écarter de la ligne du chenal principal comme le dit l'acte de délimitation. Le seul problème qui pourrait se présenter concerne l'évolution géomorphologique des lieux qui ferait naître ou disparaître des îles.
5	Vertex nord-est	La limite entre la baie des Chaleurs et le golfe du Saint-Laurent.	Ce point ne pourra être précisément éclairci que lorsque sera résolu le statut du golfe du Saint-Laurent (fédéral ou interprovincial).

Frontière Québec–États-Unis d'Amérique

N°	Segment	Assise géographique	Problématique de démarcation
	Divers segments	Diverses assiettes.	Aucun problème de démarcation ; abornement complété et tenu à jour par la Commission frontalière.

Frontière Québec-Ontario

N°	Segment	Assise géographique	Problématique de démarcation
1	Lac Saint-François	Milieu du lac.	Un tracé a été convenu par un projet d'entente (1980) entre les deux provinces resté lettre morte, à cause de la non-ratification par le gouvernement fédéral.
2	Le Saint-Laurent	Milieu du chenal principal.	Un tracé a été convenu par un projet d'entente (1980) entre les deux provinces resté lettre morte, à cause de la non-ratification par le gouvernement fédéral.
3	Vaudreuil-Soulanges	Segments de droites.	Aucun problème de démarcation, vu la précision des techniques géodésiques actuelles.
4	Rivière des Outaouais	Milieu du chenal principal.	Ligne convenue ; précision à apporter quant au raccord entre le milieu des ouvrages transfrontaliers (surtout barrages) et le milieu du chenal principal.
5	Lac Témiscamingue	Ligne médiane du lac.	La représentation cartographique s'écarte parfois de la ligne médiane, mais celle-ci est convenue et ne pose donc pas de problème.

Nᵒ	Segment	Assise géographique	Problématique de démarcation
6	Méridienne	Ligne géométrique.	Pas de problème, compte tenu de la précision des techniques géodésiques actuelles. La dernière opération d'arpentage date de 1933.
6	Vertex	Point littoral.	Une incertitude de très faible importance est notée au tableau 2.

Frontière Québec-Nunavut

Nᵒ	Segment	Assise géographique	Problématique de démarcation
1	Vertex sud-ouest	Point littoral.	Une incertitude de très faible importance est notée au tableau 2.
1	De la frontière Québec-Ontario jusqu'à la frontière Québec–Terre-Neuve	Ligne du littoral.	Pour localiser la ligne des basses eaux convenue comme assise de la frontière, il faudra préciser à laquelle des lignes de basses eaux se référer (maximale, minimale, moyenne et, si moyenne, calcul sur quelle période?). Il faudra aussi préciser la méthode utilisée pour tracer les lignes de base droites devant les indentations de la côte et l'ouverture des embouchures de rivières.
1	Vertex nord-est	Un point sur le littoral.	La configuration des lieux ne permet pas de déterminer un critère objectif pour fixer ce point. Devra faire l'objet d'une entente basée sur une décision arbitraire.

Compte tenu de la variété des assises géographiques des frontières du Québec, il y a lieu de relever les nombreuses incertitudes relatives à cette enveloppe frontalière et d'examiner les quatre principaux cas qui sont encore vifs, irrésolus, ambigus et dont on se demande parfois s'ils n'ont pas été oubliés par l'Administration gouvernementale québécoise, des cas qui contribuent à faire du Québec un *territoire incertain*.

Qu'est-ce qu'un rivage?

O N A DIT PRÉCÉDEMMENT, sur un ton légèrement badin, que la délimitation des frontières septentrionales du Québec pouvait nous amener à nous poser la question «pourquoi simplifier les choses alors qu'il est si facile de les compliquer?» Cette boutade n'est pas tout à fait impertinente quand on compare la situation actuelle avec ce qu'elle aurait pu être si l'on avait, en 1912, au moment de l'agrandissement du territoire québécois vers le nord, tout simplement transféré au Québec l'ancien territoire de l'Ungava, jusque-là une subdivision des Territoires du Nord-Ouest, dans sa totalité plutôt que d'en soustraire les îles littorales et ainsi reporter les limites du territoire acquis à la *ligne de rivage*.

Le grand nombre de problèmes de frontières qui, dans ce vaste monde, sont nés de l'ambiguïté d'un terme, d'un mot, d'un seul petit mot, est, disons-le, déconcertant. C'est comme si les traceurs de frontières ne savaient pas toujours ce qu'est une côte, une ligne de rivage, une île, un lac, un chenal, termes auxquels ils se réfèrent pourtant constamment. Malheureusement, telle semble être pourtant la situation.

Par exemple, le problème de la délimitation d'une partie de la frontière entre le Québec et l'Ontario (il s'agit du segment du Saint-Laurent; voir au chapitre 2.3) tenait à la définition de deux termes *lac* et *fleuve*, le principe de délimitation étant différent pour l'une et l'autre de ces deux réalités géographiques qui constituaient successivement l'accident géographique de référence. Mais où commence et où finit un lac qui n'est finalement que le gonflement d'un fleuve? Belle question qu'auraient dû se poser ceux qui ont conçu la définition de cette frontière. Par ailleurs, on reviendra plus loin sur certains aspects de l'*affaire du Labrador* qui, tout compte fait, a reposé sur la définition d'un mot: la *côte*. Nous en traitons au chapitre 2.2.

Le moins qu'on puisse dire, c'est que l'histoire des frontières canadiennes aura fourni de beaux exemples pour la théorie et l'histoire des frontières, surtout quant à l'importance surprenante que peut revêtir un terme, un seul terme, dans un texte officiel, puisque les interprétations qu'on peut en faire ultérieurement sont susceptibles de décider du sort de vastes territoires. Regardons, pour le moment, comment le seul terme *rivage* peut être source d'incertitudes, d'ambiguïtés et éventuellement de différends. Il s'agit de la frontière septentrionale du Québec qui court depuis l'aboutissement nord de la frontière Québec-Ontario jusqu'à la frontière entre le Québec et la province voisine à la pointe septentrionale du Labrador côtier.

Le tracé de la frontière septentrionale du Québec a été établi en deux temps, chaque fois par deux lois parallèles du Canada et du Québec. Les lois de 1898, que l'on considère celles-ci comme une extension du territoire québécois vers le nord ou une confirmation des frontières existantes, faisaient courir la frontière du Québec en

> partant de la tête du lac Témiscamingue, puis suivant la limite est de la province d'Ontario, Nord vrai, jusqu'à la rive de la baie d'Hudson connue généralement sous le nom de baie James, de là dans une direction nord-est, et ce en suivant ladite rive jusqu'à l'embouchure du fleuve East-Main, puis vers l'Est[1]…

On s'est demandé si l'effet de ces lois de 1898 constituait une extension du territoire du Québec à partir de ses limites septentrionales établies depuis 1774 ou confirmait plutôt une situation existante. La prépondérance de la preuve documentaire privilégie cette seconde hypothèse[2]. Mais cet aspect, important bien qu'il soit mal connu même des spécialistes de la question, comporte moins de conséquences par rapport aux interrogations qu'on se pose sur le territoire québécois, sauf pour ceux qui voudraient s'y référer comme argument appuyant l'éventuelle partition du Québec septentrional advenant une sécession du Québec, ce dont il sera succinctement question au chapitre 2.7.

Cette délimitation plaçait déjà le premier segment de la frontière septentrionale du Québec à la rive. Des lois parallèles, fédérale et provinciale, poursuivirent en 1912 la délimitation du Québec sur la même lancée, c'est-à-dire en utilisant également la ligne de rivage comme assiette de la frontière[3]. En effet, les lois de 1912 visaient à agrandir le territoire du Québec en y incorporant la majeure partie du district d'Ungava faisant auparavant partie des Territoires du Nord-Ouest, tout en ramenant la frontière à la rive, c'est-à-dire en excluant de l'espace attribué au Québec toutes les îles, tant celles de la zone littorale que celles du large, qui, jusqu'alors, étaient incluses dans le district d'Ungava. Cette exclusion a eu pour effet de réduire le territoire désigné par le toponyme «district d'Ungava » à un espace résiduel qui fut rattaché au district du Keewatin six ans plus tard. La figure 3 illustre cette séquence.

Presque un siècle après cette extension territoriale, on s'interroge encore sur les véritables raisons à la base de cette décision. Elles sont loin d'être claires malgré l'explication fournie par le premier ministre canadien de l'époque, Robert Borden, en réponse à une question concernant « ces îles avoisinantes » :

> [...] nous avons décidé de ne pas les céder pour le moment. Une des raisons était la difficulté de donner une description suffisamment définie des îles adjacentes à ces territoires. De plus, le gouvernement du Canada peut en avoir besoin pour les fins de la navigation et de la défense[4].

Cette réponse faisait bon marché des remarques que lui avait antérieurement formulées le premier ministre du Québec, Lomer Gouin, remarque inspirée autant par une règle de sens commun que par la coutume de droit international de même que généralement par celle de droit interne, dans des situations analogues :

> Je me permettrai de faire observer que l'exclusion des îles qui sont éloignées de la terre ferme sur la côte ouest de la baie James et de la baie d'Hudson et comparativement rapprochées de l'Ungava, ne serait pas de nature à favoriser une bonne administration. Ces îles, il nous semble, devraient être sous la même administration que la terre ferme, si l'on veut assurer une bonne et fidèle observance des lois et des règlements faits pour, entre autres choses, la protection des pêcheries et autres ressources naturelles[5].

À vrai dire, les raisons évoquées par le premier ministre canadien pour justifier la position de son gouvernement font plutôt figure de prétexte car, quand on consulte les innombrables textes constituant des délimitations frontalières, rares sont ceux qui détaillent nommément toutes et chacune des îles situées en face des territoires concernés. Les références collectives à des archipels sont chose courante en matière de délimitations territoriales. Ainsi d'ailleurs avait-on agi lors des délimitations de la côte du Labrador, successivement rattachée au Québec et à Terre-Neuve. Par ailleurs, on a, dans ces cas, souvent recours à des lignes d'équidistance pour diviser des indentations côtières de grandes dimensions baignant des territoires voisins, comme on le fait régulièrement pour délimiter les frontières fluviales. Une demande en ce sens avait d'ailleurs été faite par le premier ministre du Québec, comme autre possibilité de solution, assurément impraticable, de nommer toutes les îles concernées.

FIGURE 3

Évolution des frontières septentrionales du Québec

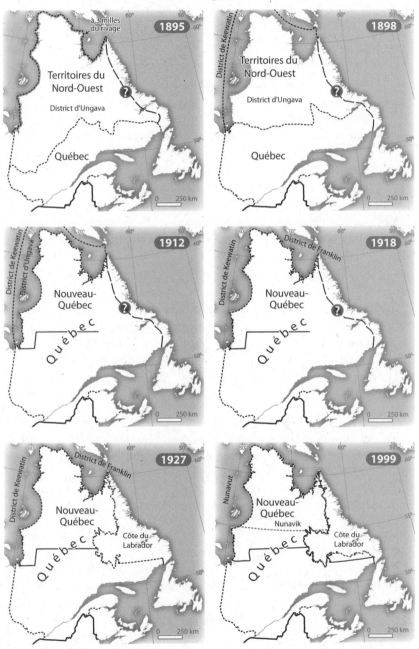

Réalisation : Département de géographie, Université Laval

La seconde raison invoquée pour soustraire les îles à l'augmentation territoriale de 1912, fait référence aux éventuels besoins du gouvernement fédéral à des fins de navigation et de défense. On ne peut que s'étonner que ces besoins aient été jugés importants pour des îles situées dans les eaux intérieures canadiennes, alors qu'elles ne l'ont pas été pour des îles situées du côté de la mer territoriale ouverte sur la haute mer internationale, du côté de la côte du Labrador et de la Colombie-Britannique. Deux poids, deux mesures…

On peut aussi s'étonner que, lorsque les Inuits du Nunavik ont tout naturellement réclamé l'usage des îles littorales dans les baies James et d'Hudson, sur la base de la même logique évoquée par le Québec en 1912, on n'ait pas envisagé, ni à Ottawa ni à Québec, de s'en tenir à la délimitation de l'ancien district d'Ungava. Cette solution, soumettant les îles littorales à la même autorité que la partie continentale, aurait été logique et normale. Mais cette presque évidence n'a pas empêché que l'entente conclue en décembre 2006 entre les Inuits du Nunavik et le gouvernement fédéral concernant l'usage de ces îles ne fasse pas mention d'une telle éventualité qui avait été exclue des négociations ayant abouti à cette entente. Une occasion ratée dont il sera question au chapitre 4.3.

Revenons au titre de ce chapitre : « Qu'est-ce qu'un rivage ? » C'est en effet la question qui se pose depuis que le gouvernement fédéral canadien a imposé une définition territoriale du Québec qui l'a dès lors installée dans l'incertitude. En 1912, la frontière septentrionale du Québec, à partir de l'extrémité occidentale de la frontière qui, jusqu'alors, délimitait le Québec au nord, fut définie en ces termes :

> […] de là, vers le Nord et l'Est, le long des rives de la baie d'Hudson et du détroit d'Hudson ; de là, vers le Sud, l'Est et le Nord en suivant la rive de la baie d'Ungava et la rive dudit détroit ; de là, vers l'Est en suivant la rive dudit détroit jusqu'à la frontière du territoire relevant de la juridiction légale de l'île de Terre-Neuve[6]…

Il s'agissait donc d'une référence très vague : « au rivage », ni plus ni moins. Le problème inhérent à une telle définition est qu'une limite de compétence, qui ne peut être que *linéaire*, à une seule dimension, soit définie par référence à un élément naturel qui est essentiellement *spatial*, à deux dimensions. Que les rivages constituent des lignes, voilà une fiction que connaissent bien les cartographes qui ont dû inventer des symbolisations permettant de résoudre ce dilemme. À petite échelle, les détails disparaissent et, en délimitant une frontière à ce niveau de précision, on se trouve à régler le problème en évitant de le poser. Mais, généralement, les cartes à grande échelle représentent à la fois la ligne des hautes eaux et celle des basses eaux, l'espace intercalaire étant d'autant plus vaste que les marées sont importantes ; cet espace est généralement représenté par une symbolisation particulière. Or, c'est sur le littoral septentrional du Québec qu'on retrouve les plus fortes marées de la planète : près de 20 mètres de différence verticale, ce qui peut représenter des kilomètres de différence horizontale dans les régions où la mer bordière est peu profonde.

Voilà, géographiquement exprimée, l'incertitude inhérente à la délimitation de la frontière septentrionale du Québec, longue de près de 2 500 kilomètres. La première question qui se posait était donc de savoir si la référence au rivage impliquait d'établir la frontière à la ligne des basses eaux ou à la ligne des hautes eaux, question qui, en d'autres lieux, pourrait paraître de moindre importance sinon spécieuse. Appliquée aux littoraux septentrionaux de la péninsule Québec-Labrador, elle implique des territoires de plusieurs centaines de kilomètres carrés, du fait que des milliers d'îles et d'îlots, dont certains ont une vaste superficie, sont rattachés au continent à marée basse et augmentent d'autant la surface du territoire intercalaire entre les lignes de basses et de hautes marées.

Une réponse, indirecte mais, à toutes fins utiles, valide, a été apportée à cette question lors de la signature de la Convention de la Baie-James et du Nord québécois, en 1975. En conformité avec le principe qui sera reconnu en 1982 par la Convention des Nations Unies sur le droit de la mer, c'est la ligne des basses eaux qui a été retenue comme référence à la localisation de la « ligne de rivage ». En conséquence, les descriptions territoriales au chapitre du régime des terres de diverses communautés cries font en sorte que ces terres, qui font évidemment partie du territoire québécois, sont nommément délimitées par la ligne des basses eaux. Une partie du problème a donc été résolue, mais une partie seulement. En effet, la précision alors apportée aux termes de la délimitation de la frontière laisse en suspens quatre éléments d'incertitude :

a) Il existe plus d'une définition de la ligne des basses eaux : s'agit-il des basses eaux extrêmes ou des basses eaux moyennes ? Et encore, sur quelle base établir une moyenne ? À partir de quelle échelle de temps déterminer les extrêmes ? Cette question n'a fait l'objet d'aucune entente, à notre connaissance. Incertitude.

b) Les lignes de rivage sont soumises à une dynamique géomorphologique qui, dans certains cas, peut être très active. C'est précisément le cas dans le Québec septentrional où le relèvement isostatique*, c'est-à-dire le soulèvement du continent à la suite de la fonte du glacier continental qui a recouvert le Québec jusqu'à il y a environ 12 000 ans, est important et relativement rapide, à l'échelle géologique et même historique. Dans certains secteurs du littoral de la baie d'Hudson, ce relèvement est de un à deux centimètres par an. On pourrait croire que cette variation est négligeable, mais n'oublions pas que la variation horizontale du trait de côte peut être cent fois plus importante que sa variation verticale. Or, certaines îles se retrouvent, à marée basse, situées à un jet de pierre du continent, donc sujettes à un éventuel rattachement au continent. Cette question a été suffisamment importante pour que des études techniques aient été menées afin de mesurer et cartographier l'impact de ce relèvement isostatique sur les variations actuelles et prévisibles de la localisation du trait de côte. Au niveau fédéral, cette analyse a été faite par des experts du gouvernement ; au Québec, par des recherches privées, notamment par une équipe dirigée par le géomorphologue Michel Allard de l'Université Laval[7]. On ignore si les résultats de cette étude ont été tenus en compte par quelque organisme du gouvernement québécois. Incertitude.

c) Toute frontière est en principe composée d'une série de lignes droites, inscrites sur le terrain par des bornes physiques, ou seulement sur des cartes pour les secteurs situés en milieu liquide (parfois par des bornes de réflexion* de part et d'autre des cours d'eau). Or, une ligne de rivage est le plus souvent faite de séries de courbes successives qui ont obligé les limologues* à adopter un système dit « des lignes de base droites » qui ramènent les lignes courbes, qui sont la règle dans la nature, à une série de segments de droite ponctuée de vertex*, terme qui, en contexte de frontière, désigne chacun des points où la frontière change de direction. Il s'agit alors d'établir une méthode qui permet de ramener les lignes courbes à des lignes droites en fixant des points de référence qui deviendront des vertex de la frontière. Ce faisant, il faudra établir des critères objectifs et calculables permettant de décider, par exemple, si une baie ou une anse doit être contenue derrière une ligne qui la ferme ou si, au contraire, la ligne frontière ira s'insinuer au fond de cette échancrure du littoral et en suivre les contours par une série de lignes droites plus courtes.

La figure 4 illustre que la localisation d'une frontière littorale pourra varier selon le niveau de détail avec lequel les lignes de base droites sont établies. Les portions maritimes reconnues comme prolongation du territoire continental seront fonction de la dimension des indentations prises en compte pour l'établissement des lignes. L'importance de ces portions sera directement proportionnelle à la dimension des anses, baies et autres indentations prises en compte et à la référence ou non aux îles en position littorale.

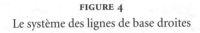

FIGURE 4
Le système des lignes de base droites

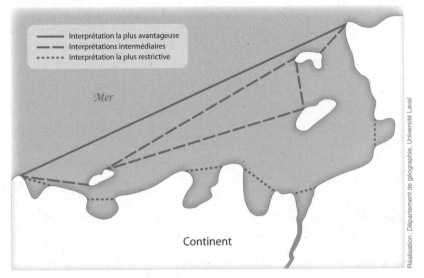

Réalisation : Département de géographie, Université Laval

Ces considérations peuvent paraître des questions de détail. Mais ce sont des détails qui, se répétant à mille exemplaires et plus, en viennent, par leur nombre, à constituer une question d'importance. Ce n'est pas sans raison que le droit international s'est sérieusement intéressé à cette question et a progressivement édicté des règles élaborées et précises qui peuvent servir de référence pour résoudre ce genre de problèmes. Il n'y a pas lieu d'en faire ici un exposé détaillé, mais il importe de savoir qu'elles existent. Au fait, il ne semble pas qu'elles aient fait l'objet de quelque discussion ou négociation entre les gouvernements concernés pour lever l'imprécision qui oblitère ce dossier depuis près d'un siècle. Incertitude encore.

d) Ce que l'on vient d'évoquer relativement au tracé d'une frontière devant suivre une « ligne de côte » est encore compliqué du fait que nombreuses sont les rivières importantes qui aboutissent aux baies James et d'Hudson par estuaires interposés ; les marées affectent souvent les rivages de ces rivières loin en amont de leurs embouchures. Une question analogue à celle qui a déjà été évoquée se pose alors : jusqu'où, dans l'estuaire, la ligne frontière s'insérera-t-elle le long de la ligne des basses eaux ? Le gouvernement du Québec n'a, à cet égard, adopté aucune position officielle. Là aussi, persiste une incertitude qui couvre, dans certains cas, de vastes superficies.

Voilà du travail pour les éventuelles commissions chargées de la démarcation de cette frontière, si tant est que l'incertitude territoriale du Québec sera un jour levée, permettant ainsi d'accéder à ce stade où ses frontières seront une fois pour toutes clairement définies. En attendant, le Québec demeure, sur ce point comme sur tant d'autres, un territoire incertain, tout aussi incertain que quant à ses rives et à ses côtes.

Lorsque les gouvernements concernés conviendront d'entreprendre des négociations pour en venir à une définition précise et définitive des frontières du Nord québécois, deux attitudes seront possibles pour le gouvernement québécois. Ils pourraient prendre leçon des conséquences d'une délimitation illogique, justement soulignée par les revendications récentes des Inuits concernant l'usage des îles littorales, pour envisager une rectification de cette frontière. Ils pourraient aussi se contenter, en considérant la récente entente intervenue entre le gouvernement fédéral et les Inuits du Nunavik comme une solution acceptable, de se pencher de façon passive sur les détails d'une délimitation qu'en saine géopolitique il faut bien considérer comme une absurdité géographique. Voilà une alternative qui se révélera sans doute comme l'illustration d'une occasion manquée. Pour le moment, les services cartographiques du gouvernement du Québec n'ont pu, faute de définition plus précise, représenter la zone frontalière qu'en représentant les îles littorales considérées comme québécoises d'une couleur différente de celles qui sont considérées comme faisant partie du Nunavut, ce qui apparaît sur les cartes topographiques au 1 : 250 000 depuis 1980 environ.

Tout hypothétique qu'elle soit, la question du rattachement des îles littorales au territoire québécois demeure pertinente, car il faut bien conclure que les incertitudes quant au détail de cette ligne frontière mettent en lumière l'ineptie du principe général de sa délimitation, en soustrayant du territoire québécois toutes les îles littorales. Une ineptie sur les plans géographique, sociologique et historique et pourtant consacrée par le droit! Philippe Pontaven[8] écrivait en 1972 :

> À l'époque contemporaine, la frontière à la rive est soit un cas isolé soit une curiosité historique.

Dans un ouvrage qui illustre la complémentarité, évidente, nécessaire et pourtant trop peu étudiée jusqu'à maintenant, entre les applications pratiques du droit et de la géographie, Patrick Forest[9] propose une observation qui éclaire notre propos, tant dans le cas du dossier des îles littorales du Nord que dans celui de la frontière interprovinciale au Labrador :

Contrairement au géographe dont l'intérêt réside en la caractérisation et la nuance de l'espace, le juriste chercherait plutôt à proscrire les espaces de transition et à compartimenter l'espace existant, qui est considéré passif et artificiel.

Nous avions déjà évoqué la solution hypothétique d'un partage des ressources du Labrador intérieur en proposant l'établissement d'un condominium* dans la région[10], ce qui constituait, en un sens, un « espace de transition ». Par ailleurs, pour ce qui concerne les îles du littoral nordique, nous sommes en face d'une situation qui correspond clairement au « compartimentage d'espace » dont parle Patrick Forest, comme la démonstration en a été faite plus d'une fois. La dernière en date a été précisément l'objet des négociations menées entre les Inuits du Nunavik et les autorités fédérales au sujet de l'utilisation des îles du littoral, négociations visant à contourner les effets négatifs de ce compartimentage.

Comme on y a fait allusion précédemment, le gouvernement du Québec n'a pas été partie à ces négociations et s'est contenté de prendre acte de l'entente intervenue entre les Inuits et le gouvernement fédéral, sa position étant de veiller à ce que la mise en œuvre de l'entente « respecte l'intégrité territoriale du Québec », expression assez vague du genre de celles qui sont utilisées dans les textes qui comblent leur imprécision par des formules comme « sous réserve des droits… » ou « sans préjudice des droits… » Entre les énoncés de ce type souventes fois utilisés par le gouvernement du Québec et les actions concrètes pour garantir cette intégrité territoriale, il y a une marge faite des nombreuses incertitudes qui font l'objet de notre analyse.

2.2.

Qu'est-ce qu'une côte?

R IVAGE ET CÔTE sont deux réalités géographiques intimement liées. Elles partagent une même contiguïté avec un espace marin. Les deux ont une dimension spatiale et non linéaire, malgré leur représentation sous cette forme sur les cartes géographiques. Les deux, en effet, ont une superficie : la côte se prolonge à l'intérieur du continent et le rivage, vers la mer. Une *ligne de rivage*, on vient de le voir au chapitre précédent, se veut une ligne située à l'intérieur de la zone de contact entre l'élément liquide et l'élément terrestre. Le problème vient du fait que ce contact varie de position comme de dimensions. À l'échelle d'une périodicité serrée, il varie selon le jeu des marées, donc quotidiennement et sur des distances plus ou moins égales ; à l'échelle d'une périodicité beaucoup plus écartée, celle du relèvement isostatique*, les espaces concernés peuvent être beaucoup plus importants.

La *côte* partage donc avec le *rivage* le problème de l'absence de définition univoque. Parfois confondue avec le rivage, la côte est généralement considérée, en droit international et en géopolitique, comme un territoire d'une certaine profondeur vers l'intérieur du continent. Mais, ni la géographie ni le droit international n'ont établi un critère objectif de délimitation de ce type d'espace.

On peut se demander si le droit international, dont les principes sont issus des puissances européennes, n'a pas, sciemment et volontairement, gardé ouverte cette question pour laisser, à partir des littoraux dont elles avaient pris possession à l'époque du développement des empires coloniaux, le champ libre à d'éventuelles extensions territoriales vers l'intérieur. L'histoire du développement des empires coloniaux en Afrique semble le confirmer.

Quoi qu'il en soit, cette absence de définition préalable a amené les théoriciens, de même que certains tribunaux et arbitres, à rechercher dans la topographie des références concrètes sur lesquelles appuyer la délimitation des territoires désignés comme des *côtes*. De ce processus est née la notion d'*hinterland géopolitique* selon laquelle toutes les régions drainées vers le littoral reconnu comme le territoire de base font partie de ce territoire. C'est à cette *théorie de l'hinterland*, qui avait déjà été appliquée lors de la délimitation des territoires conquis en Afrique par les puissances européennes, que se sont référés les juges du Conseil privé de Londres lorsque la question leur fut posée à titre de tribunal d'arbitrage :

> Quels sont l'emplacement et la définition de la frontière entre le Canada et Terre-Neuve dans la péninsule du Labrador en vertu des lois, arrêtés-en-conseil et proclamations[1] ?

La réponse apportée par le Comité judiciaire du Conseil privé de Londres à cette question, ainsi posée, s'est résumée à appliquer au territoire jusqu'alors revendiqué par le Canada et le Québec, d'une part, et par Terre-Neuve, d'autre part, la définition que la théorie de l'hinterland se trouve à donner au mot *côte*. Ce terme était en effet, depuis l'attribution d'une partie du Labrador à Terre-Neuve par des lois britanniques en 1809 et en 1825, la référence de base pour une éventuelle définition du territoire concerné. Or la définition reconnue de la théorie de l'hinterland s'exprime en ces termes : théorie selon laquelle tout État qui possède un territoire côtier dont l'arrière-pays n'appartient à aucun autre État en acquiert automatiquement la souveraineté, jusqu'à la ligne de partage des eaux.

Il n'y a pas lieu de refaire ici l'historique de la longue saga de l'*affaire du Labrador* ni de la série d'attributions, de changements, de définitions qui ont affecté ce territoire. Le rapport de la CEITQ a décrit avec force détails les différentes étapes de cet historique et les dates charnières de l'évolution territoriale de cette région : 1763, 1774, 1809, 1825, 1902, 1927, 1949. Il n'y a pas lieu non plus de faire l'analyse et la critique de la *théorie de l'hinterland*, voisine de la *théorie de la contiguïté*, chose faite dans le rapport de la CEITQ[2] qui cite plusieurs critiques sévères de ces pseudo-doctrines.

Ce qui importe, dans notre réflexion, ce sont les ambiguïtés, les zones floues, les incohérences et même les contradictions inhérentes à la décision du Conseil privé de 1927 et à la manière dont les gouvernements concernés ont géré cette question, avant, durant et après l'examen qu'en a fait le Comité judiciaire du Conseil privé. À cet égard, la côte du Labrador constitue assurément un territoire incertain à l'intérieur de cet autre territoire incertain qu'est le Labrador dont la *côte du Labrador* ne constitue qu'une partie, contrairement à ce que déclare erronément la constitution canadienne depuis le changement de nom de la province de Terre-Neuve en celui de « Terre-Neuve-et-Labrador », en décembre 2001. Le Labrador, quintessence de l'incertitude territoriale : incertitude géographique, historique, juridique, toponymique. Nous aurons l'occasion, au chapitre 2.6, de revenir sur la maldonne toponymique qui constitue le dernier épisode de la saga du Labrador.

Telle qu'elle a été définie par le Comité judiciaire du Conseil privé en 1927, la frontière intérieure de la côte du Labrador dessine le tracé suivant (nous reprenons les termes de la sentence arbitrale) :

> For the above reasons their Lordships are of opinion that, according to the true construction of the Statutes, Orders in Council and Proclamations referred to in the Order of Reference, the boundary between Canada and Newfoundland in the Labrador Peninsula is a line drawn due north from the eastern boundary of the bay or harbour of Ance Sablon as far as the fifty-second degree of north latitude, and from thence westward along that parallel until it reaches the Romaine river, and then northward along the left or east bank of that river and its head waters to their source and from thence due north to the crest of the watershed or height of land there, and from thence westward and northward along the crest of the watershed of the rivers flowing into the Atlantic Ocean until it reaches Cape Chidley ; and they will humbly advice His Majesty accordingly[3].

Ainsi définie, la frontière comporte, à partir de son point terminal sud-est, cinq segments : en direction du nord, puis de l'ouest, puis de nouveau vers le nord :

1. le segment partant de « l'ance Sablon » (le nom actuel est : baie de Blanc-Sablon) jusqu'au 52ᵉ parallèle de latitude nord ;
2. le segment du 52ᵉ parallèle jusqu'à la rivière Romaine ;
3. le segment de la rive gauche de la Romaine jusqu'à sa source (à droite de la Romaine, sur les cartes) ;
4. un court segment de ligne droite reliant la source de la Romaine à la ligne de partage des eaux entre le bassin de l'Atlantique, d'une part, et les autres bassins, d'autre part (c'est-à-dire les bassins de la baie James, de la baie d'Hudson et de la baie d'Ungava, au nord, et celui du Saint-Laurent, au sud) ;
5. le long segment de la ligne de partage des eaux jusqu'au point terminal nord, au cap Chidley.

Il faut noter, quant à ce dernier point, que le cap Chidley est situé sur l'île Killiniq qui ne fait pas partie du territoire québécois mais plutôt du Nunavut, selon la définition de la frontière septentrionale du Québec en

FIGURE 5

Les segments de la frontière au Labrador (tracé de 1927)

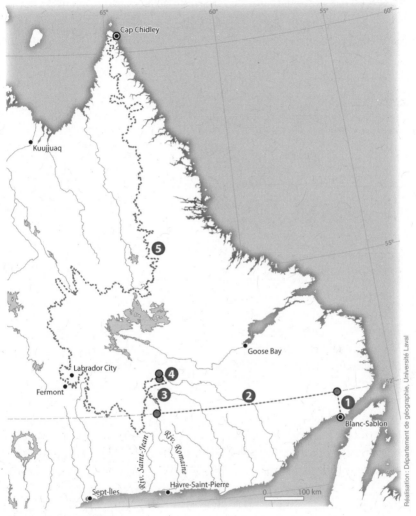

Les segments du tracé de 1927

Segments   Texte du jugement : "...the boundary between Canada and Newfounland in the Labrador peninsula is...

1   ...a line drawn due north from the eastern boundary of the bay or harbour of Ance Sablon as far as the fifty-second degree of north latitude...

2   ...and from thence westward along that parallel until it reaches the Romaine river...

3   ...and then northward along the left or east bank of that river and its head waters to their source...

4   ...and from thence due north to the crest of the watershed or height of land there...

5   ...and from thence westward and north-ward along the crest of the watershed or the rivers flowing into the Atlantic Ocean until it reaches Cape Chidley..."

1912 ; la frontière qui sépare le Québec de Terre-Neuve se termine donc sur la rive sud du détroit de McLellan, en face de l'île Killiniq, en un point, soit dit en passant, qui n'a jamais été établi de façon précise pour la bonne raison qu'aucun critère objectif de nature géographique ne permet d'y établir la limite entre les bassins de la baie d'Ungava et de l'Atlantique.

C'est cette définition de la côte du Labrador qui est communément reconnue par la cartographie internationale et canadienne de même que par une partie de la cartographie produite au Québec, y compris celle de provenance gouvernementale. Il convient de préciser que la sentence arbitrale du Conseil privé de Londres est une *opinion* qui, par la sanction royale, équivaut à un *jugement*. Cela dit, des incertitudes demeurent, non tant sur la validité du jugement du Conseil privé que sur la transposition éventuelle de l'acte de délimitation que constitue le jugement de 1927 en une frontière démarquée sur le terrain. Ces incertitudes sont de deux ordres bien différents : d'abord l'incertitude entourant les positions et les attitudes successives du gouvernement du Québec, mais aussi, quelles qu'aient été celles-ci, les incertitudes et les ambiguïtés inhérentes au tracé de cette frontière, tel qu'il a été défini par le Conseil privé de Londres et reconnu par les gouvernements terre-neuvien et canadien.

Cette délimitation par le Conseil privé a occasionné une longue controverse, le Québec n'ayant pas entériné nommément et officiellement le tracé de 1927, ce qui explique qu'à ce jour aucun de ses segments n'a été officiellement démarqué. Par ailleurs, de très nombreux actes de reconnaissance de la frontière telle qu'elle a été délimitée en 1927 ont fait en sorte que la position du Québec est relativement faible face à une éventuelle renégociation du tracé. Ces reconnaissances, dont fait abondamment état le tome 3.7.3 du rapport de la Commission d'étude sur l'intégrité du territoire du Québec en 1971, font que le gouvernement du Québec, malgré certaines positions officielles contraires, a, dans les faits, à peu près ratifié la délimitation de 1927, à l'exception du secteur compris entre le 52ᵉ parallèle et la ligne de partage des eaux. Depuis la présentation de ce rapport, les prises de position explicites ou implicites du gouvernement du Québec, relativement au tracé de 1927, se sont souvent encore contredites, en enfonçant le problème plus profondément encore dans l'incertitude et l'ambiguïté.

Il faut dire que la définition de la frontière telle qu'elle a été établie par les savants juges du Conseil privé n'est pas absente d'imprécisions qui peuvent, dans une certaine mesure, expliquer la position pour le moins prudente des gouvernements successifs du Québec. En effet, aucun des cinq segments du tracé de la frontière n'est exempt de problème, contribuant ainsi à en faire une frontière officiellement délimitée mais non facilement *démarcable* sur certaines portions de son parcours, ce qui a aussi contribué à entretenir des doutes sur l'interprétation de la sentence arbitrale et à nourrir la position du Québec, une position attentiste, ambiguë, confuse et parfois contradictoire.

Les deux seuls segments de la frontière définis de façon claire et dont la démarcation ne poserait aucun problème technique, advenant entente quant à l'étape de la démarcation, sont les deux lignes droites qui constituent la portion sud du tracé (les segments 1 et 2 représentés à la figure 5). La ligne droite courant du sud au nord depuis la limite orientale de la baie de Blanc-Sablon, nommée *Ance Sablon* dans la sentence arbitrale, (segment 1 de la carte) ne posait que le problème de localiser précisément le point de départ de la frontière, assez vaguement défini comme « la limite orientale de la baie de Blanc-Sablon ». Le ministère des Terres et Forêts de l'époque a fixé à quelques kilomètres à l'est de Blanc-Sablon, à quelques centaines de mètres du littoral, une plaque portant l'inscription suivante : « Terres et forêts Québec / Géodésie / Repère altimétrique / n° 80 ». Localement, bien que rien n'en spécifie le statut, ce signal est considéré comme une borne frontière. Effectivement, sa localisation semble s'accorder avec la ligne sud-nord constituant le premier segment de la frontière telle qu'elle a été définie par le Conseil privé. En fait, cette plaque, posée par le seul gouvernement du Québec, serait située sur les derniers mètres de la côte québécoise du Labrador.

Au-delà du détail que l'on vient d'évoquer, on peut donc considérer que ces deux segments méridionaux de la frontière ont été clairement définis à Londres en 1927. La position actuelle du gouvernement du Québec est cependant d'ignorer la validité de la sentence arbitrale pour ce qui touche la ligne du 52e parallèle et, par voie de conséquence, de ne pas reconnaître les deux segments suivants, à savoir la rive orientale de la rivière Romaine et la ligne méridienne qui raccorde la source de cette rivière à la ligne de partage des eaux (les segments 3 et 4 de la figure 5). Le Québec se trouve ainsi à ignorer les segments de la frontière telle qu'elle a été définie par le Conseil privé qui sont facilement *démarcables*, mais à reconnaître le segment le plus problématique à cet égard, à savoir celui de la ligne de partage des eaux.

Les services gouvernementaux québécois ont pris l'habitude, depuis quelques années, de représenter la frontière interprovinciale comme suivant la ligne de partage des eaux depuis son extrémité nord jusque derrière l'anse de Blanc-Sablon, en un point situé non loin du point de rencontre de la ligne méridienne et du 52e parallèle (élément 8 de la

FIGURE 6
Les inconsistances du jugement de 1927

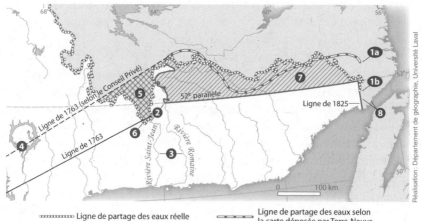

Ligne de partage des eaux réelle   Ligne de partage des eaux selon
                                            la carte déposée par Terre-Neuve

Légende

1. La mauvaise appréciation de la distance entre le point terminal du segment de 1825 et la ligne de partage des eaux : a) selon la carte présentée par Terre-Neuve à Londres ; b) selon la réalité représentée par les cartes actuelles.
2. L'impossibilité de joindre le 52ᵉ à la source de la rivière Saint-Jean.
3. L'invention de l'« erreur des cartographes de l'époque ».
4. Déplacement vers le nord (a posteriori) de la limite du gouvernement de Québec de 1763.
5. De ce fait, une partie du territoire du gouvernement de Québec, tel qu'il a été « redéfini » par les juges, est donnée à Terre-Neuve, en contradiction avec la définition de 1763.
6. Même sans la substitution inventée par les juges, une partie du territoire du gouvernement de Québec en aurait été soustraite.
7. Résultat total : le secteur dit de l'*ultra petita* est ajouté à la réclamation de Terre-Neuve.
8. Par ailleurs, il faut noter l'importante inconsistance qui affectait la proposition canadienne : la ligne proposée (à un mille du rivage) contredisait une loi valide (1825).

figure 6). Cette position contredit la sentence de 1927, mais correspond à une interprétation qui ne manque pas de logique et qui aurait pu avantageusement être envisagée par les juges du Conseil privé, ce qui leur aurait évité d'avoir recours à un raisonnement « tiré par les cheveux », pour prendre une expression qu'utilise Blaise Pascal dans ses *Pensées*. Voici comment.

Ils ont interprété la loi de 1825 comme se trouvant à limiter le territoire terre-neuvien au Labrador non seulement à l'est par la ligne de partage des eaux à partir de la baie de Blanc-Sablon, mais également au sud par la ligne du 52ᵉ de latitude, ce que la loi ne spécifiait pas. Dans leur esprit, cette ligne devait rejoindre la source de la rivière Saint-Jean qui constituait l'extrémité nord-est du gouvernement de Québec depuis 1763. Or, cette source se situe au sud du 52ᵉ parallèle, comme on le voit sur la figure 6.

Cette constatation a amené les juges à choisir, comme assiette d'un tronçon de la frontière, une autre rivière qui, elle, prenait sa source au nord du 52e parallèle, la rivière Romaine, une rivière à laquelle aucun texte ne s'était référé auparavant. On peut dire que c'est l'imagination des savants juges qui est venue combler un hiatus que révélait l'interprétation des textes et des cartes, en appuyant leur « invention » sur une prétendue erreur toponymique des cartographes ou des législateurs de l'époque.

En 1774, le *gouvernement de Québec*, qui devient alors la *province de Québec*, s'était vu donner comme limite orientale de son territoire la rivière Saint-Jean, ce qui laissait entendre que ce qui était situé à l'est relevait de Terre-Neuve. Or, comme on vient de le voir, cette rivière prend sa source au sud du 52e parallèle, ce qui ne permettait pas aux juges de faire le raccord entre ce parallèle, utilisé comme référence dans l'Acte de 1825 et la source de la rivière Saint-Jean qui fixait, en 1763, la limite extrême nord-est du gouvernement de Québec.

Devant cette impasse dans leur argumentation, les juges ont imaginé que les cartographes de l'époque s'étaient trompés au sujet de la toponymie des rivières et qu'en mentionnant la rivière Saint-Jean ils avaient en tête la rivière Romaine. Qu'à cela ne tienne, substituons l'une à l'autre ! Il faut dire qu'une carte publiée en 1777, intitulée *Nouvelle carte de la Province de Québec selon l'Édit du Roi d'Angleterre du 7 octobre 1763 par le Capitaine Carver et autres, Traduites de l'Anglais*, représentait la rivière Saint-Jean comme prenant sa source au nord du 52e parallèle, ce qui a permis aux juges du Conseil privé d'asseoir leur prétention sur une carte manifestement très imprécise (figure 7).

Le hic, c'est que ce raisonnement se contredit lui-même puisqu'il implique, une fois cette substitution opérée, qu'une partie du territoire reconnu au Québec en 1774 se retrouvait dès lors intégrée au territoire terre-neuvien. Voilà un détail qui permet de dire que les savants juges ont, du moins pour ce secteur, *composé* la frontière à partir de suppositions. Il s'agit d'une tentative ingénieuse pour combler une faille logique qui n'en demeure pas moins artificielle, mais qui, d'un point de vue juridique, ne permet pas d'invalider la totalité de la sentence arbitrale.

On ne peut s'empêcher de s'étonner, cependant, que ni le Canada (et le Québec, car les deux gouvernements faisaient cause commune à Londres) ni les juges du Comité judiciaire n'aient pensé se référer au fait que le point où la ligne sud-nord de l'Acte de 1825 atteint le 52e parallèle est en réalité situé très près de la ligne de partage des eaux et qu'en conséquence il eût été possible et logique de croire que les auteurs de la loi de 1825 voulaient dès lors reconnaître à Terre-Neuve un territoire délimité,

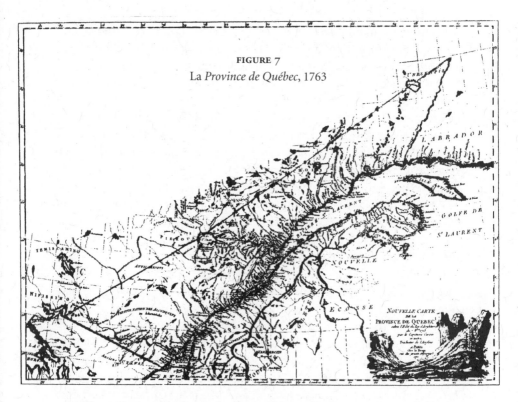

FIGURE 7
La *Province de Québec*, 1763

vers l'intérieur, par la ligne de partage des eaux, c'est-à-dire, en termes
clairs, donner à Terre-Neuve le bassin atlantique, en plus de la partie de
la côte drainée vers le golfe, située à l'est de la baie de Blanc-Sablon. Cette
interprétation aurait eu l'avantage d'être compatible avec la référence à
la rivière Saint-Jean dont la source voisine la ligne de partage des eaux.
Elle aurait aussi évité la contradiction que la solution des juges comportait, en soustrayant du territoire québécois une partie de ce qui lui
était reconnu depuis 1763, comme l'illustre la figure 6. Enfin, elle rendait
inutile le recours à une prétendue erreur cartographique jamais évoquée
par quiconque auparavant.

On peut répondre à cela que c'est vouloir raisonner à la place du législateur, ce qui est vrai, mais c'est précisément ce qu'ont fait les juges en
1927 en lui attribuant, en plus, une erreur toponymique qui n'a jamais été
corroborée par quelque autre document écrit ou cartographique.

L'incertitude entretenue au sujet du segment du 52e parallèle (le
segment 2 de la figure 5) est importante. Cela tient au fait que la seule
manifestation un tant soit peu claire de la non-reconnaissance du tracé de
1927 par le Québec concerne la vaste zone comprise entre le 52e parallèle

et la ligne de partage des eaux que le Québec considère, à travers certaines représentations cartographiques (mais, encore là, pas toutes), comme faisant partie du Québec. Cette position s'appuie sur l'argument que les juges du Conseil privé auraient reconnu à Terre-Neuve un territoire plus vaste que ce qui était demandé, ce qu'en droit on appelle un cas d'*ultra petita** («au-delà de la demande»).

Théoriquement, cet argument pourrait effectivement constituer un motif valable de contester cette partie du jugement du Conseil privé puisque la demande de Terre-Neuve devant le tribunal disait que le Comité judiciaire «devrait définir la frontière au nord du 52e parallèle comme suivant la ligne de partage des eaux ou de la hauteur des terres». Il n'est d'ailleurs pas inutile de noter que la *Chamber's Encyclopaedia*, citée plus d'une fois au dossier, traduisait bien quelles étaient les limites de la côte du Labrador alors couramment reconnues en Grande-Bretagne :

> The part draining to the St. Lawrence belongs to Quebec; that draining to the Atlantic belongs (since 1809) to Newfoundland[4].

Ajoutons que cet énoncé a aussi été utilisé par le Canada pour appuyer sa thèse (pièce 1131 du dossier conjoint), ce qui illustre bien l'inconsistance de celle-ci puisque sa position de fond était que la «côte» ne devait avoir qu'un mille de profondeur. On peut ajouter que l'argument de l'*ultra petita* est minimisé par le fait qu'une des cartes fournies par Terre-Neuve pour appuyer ses prétentions (carte publiée par une maison londonienne de production cartographique) représentait le territoire revendiqué comme limité au sud par le 52e parallèle et non pas la ligne de partage des eaux (figure 8). Mais il faut savoir que d'autres se référaient à la ligne de partage des eaux depuis l'arrière de Blanc-Sablon. Cette contradiction constituait le principal point faible de la position de Terre-Neuve.

On se demande pourquoi les juges ont attaché tant d'importance à une carte privée qui était moins en concordance avec l'argument de base de Terre-Neuve, à savoir la délimitation d'une côte par référence au bassin hydrographique, d'autant plus qu'on pourrait imaginer les longues arguties que développeraient les avocats saisis de cette question pour établir si la netteté de la carte en question compense l'ambiguïté des termes du texte. On ne manquerait sans doute pas de noter que la carte présentée au tribunal par Terre-Neuve était extrêmement imprécise, notamment dans le secteur du point de rencontre des deux premiers segments. Or, la recevabilité de la preuve cartographique en matière de litiges frontaliers est directement proportionnelle à la précision des cartes. A. O. Cukwurah, dans un ouvrage bien documenté sur le règlement des conflits frontaliers, rappelle que

FIGURE 8

Carte présentée par Terre-Neuve à Londres

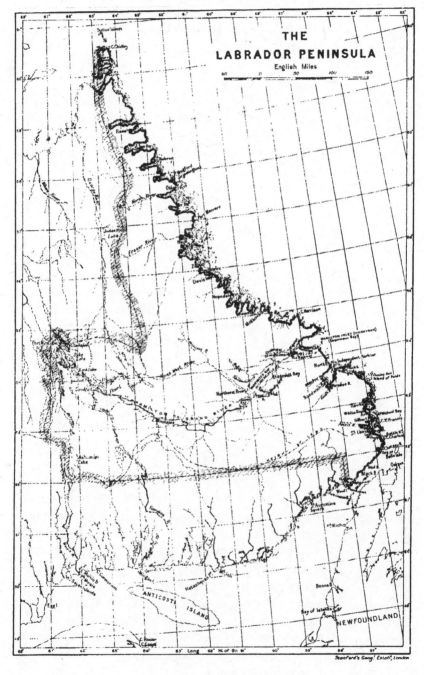

The existence of inaccuracies in any map, wether annexed to a treaty or not, which features in boundary proceedings, will definitely diminish its probative value… In boundary proceedings, it is always inconvenient not to have what the arbitrator… described as a "solid and constant basis for discussion" afforded by reliable maps[5].

Ce long détour à travers l'imagination des honorables juges du Conseil privé nous amène à considérer qu'une interprétation plus simple et plus logique eût été de considérer que la loi de 1825 fixait une portion de la frontière définie jusqu'à un point ou, approximativement, elle devait rencontrer la ligne de partage des eaux qui constituait le principe de base de l'établissement de la frontière. L'écart entre le 52ᵉ parallèle et la ligne de partage des eaux est, à cet endroit, bien moindre que l'écart entre la source de la rivière Saint-Jean et le 52ᵉ, écart qui a amené les juges à développer un raisonnement qui, tout compte fait, s'est trouvé à *inventer* en partie la frontière dont ils avaient le mandat d'identifier la localisation et non de la créer.

En effet, le Comité judiciaire du Conseil privé, compte tenu des termes du compromis d'arbitrage, devait être *déclaratif* de droit et non *constitutif* de droit. En termes clairs, cela veut dire que le tribunal d'arbitrage devait dire, à partir des textes existants et des faits susceptibles d'appuyer les prétentions des parties, « où était la frontière » et non pas « où devrait être la frontière ». Le mandat d'arbitrage donné au Comité judiciaire est d'ailleurs très clair à cet égard. Il précisait « en vertu des lois, arrêtés-en-conseil et proclamations ». Il s'agissait de « reconnaître » une frontière et non de la « créer ». Cela dit, il est cependant loin d'être sûr que les inconsistances du jugement de 1927 constituent une base pour le faire déclarer nul, ne serait-ce que partiellement.

La référence à la rivière Romaine, dans le jugement d'arbitrage, pose un autre problème. En la choisissant (artificiellement, on vient de le voir) comme segment permettant de faire le lien entre le 52ᵉ parallèle et la ligne de partage des eaux, les juges ont choisi de préciser leur référence en fixant le tracé sur la rive gauche de la rivière. On se demande pourquoi, quand on sait que les frontières fluviales, dans leur quasi-totalité, suivent non pas une rive mais le milieu ou le chenal principal du cours d'eau. Les exceptions sont extrêmement rares ; la frontière entre le Honduras et le Nicaragua, placée sur la rive droite du Rio Coco, de sorte que le fleuve est entièrement situé au Nicaragua, constitue une de ces très rares exceptions.

Nous reverrons cette étrange question au chapitre 2.3. Disons-le maintenant : pour une fois, les juges londoniens ont été chiches pour Terre-Neuve : pourquoi confiner son territoire à la rive plutôt que, comme cela se fait dans la quasi-totalité des cas de frontières fluviales, au milieu de la rivière? On se le demande. En effet, l'ancienne tradition, datant du Moyen Âge, de fixer les frontières des États à la rive des cours d'eau délimitant leur territoire est depuis longtemps abandonnée et la pratique internationale a connu, depuis le xviiie siècle, de nombreuses rectifications de frontières dans le sens de l'abandon des limites à la rive pour se référer plutôt à la ligne médiane.

Un troisième problème affecte ce segment de frontière, celui de l'identification de *la source de la rivière Romaine* à laquelle se réfère la définition du tracé qui doit, de là, rejoindre, en ligne droite vers le nord, la ligne de partage des eaux. Autre ambiguïté que nous verrons également au chapitre 2.3, car comment déterminer «la» source d'une rivière qui, comme c'est pratiquement le cas de tous les cours d'eau, est alimentée par un grand nombre de sources? Les cartes publiées par le gouvernement fédéral en ont choisi une, mais selon quel critère? Cette question n'a pas fait l'objet de négociations impliquant le gouvernement québécois; forcément, puisqu'en principe il préconise un tracé où ne figure pas la rivière Romaine. Il reste que la localisation du quatrième segment de la frontière, telle qu'elle a été délimitée par le Conseil privé, c'est-à-dire une ligne droite méridienne réunissant «la source de la rivière Romaine» et la ligne de partage des eaux, est fonction du choix de «la» source. Le grand spécialiste des frontières, Stephen B. Jones, en traitant des différents aspects de la délimitation des frontières, a démontré, exemples à l'appui, que le recours aux accidents géographiques pour définir le tracé des frontières constitue une référence remplie d'embûches. Il note

> [...] warning should be sounded that it is almost never possible to show the exact source of a river on a map[6].

Thomas Holdich, qui fut président de la Royal Geographical Society et un des premiers grands spécialistes des frontières internationales, avait une connaissance pratique du terrain. Il écrivait:

> The source of a river is sometimes adopted as a definite geographical point in a boundary agreement, regardless of the fact that every great river in the world must have several sources[7]

et il ajoutait même:

> To indicate that the source intended to be the source of the principal affluent, is merely to invite a storm of dispute.

Manifestement, les enseignements de Holdich, pourtant alors reconnu comme la plus grande autorité en la matière, n'ont pas influencé les juges du

Conseil privé lorsqu'ils ont choisi « la » source de la rivière Romaine comme un des vertex de la frontière. Les autorités fédérales canadiennes ont décidé que, pour déterminer « la » source de la rivière Romaine, il fallait suivre le cours de la rivière jusqu'à son point le plus éloigné de l'embouchure. Le hasard a voulu que ce point soit relativement près de la ligne de partage des eaux avec laquelle ils voulaient faire le lien à partir du 52e parallèle, par rivière Romaine interposée. La figure 9 illustre ce contexte. Nous y reviendrons.

FIGURE 9
Les sources de la rivière Romaine

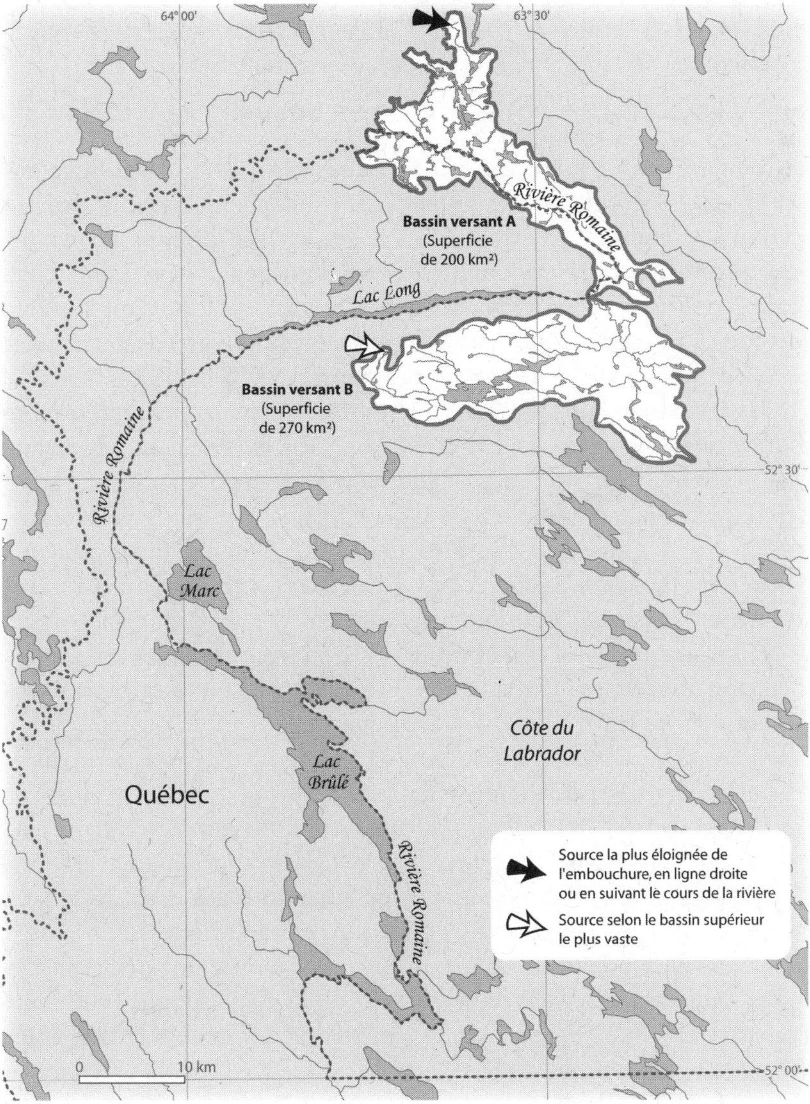

Réalisation : Département de géographie, Université Laval

Enfin, le cinquième segment de la frontière, le plus long et celui qui présentera sans doute les problèmes les plus difficiles pour une éventuelle démarcation, c'est la ligne de partage des eaux. La raison en est simple : les interfluves, c'est-à-dire les espaces qui séparent les bassins de deux cours d'eau voisins, ne constituent pas des lignes mais des zones où les eaux n'ont, pour ainsi dire, pas toujours décidé de quel côté s'écouler. Cette réalité, bien connue des géographes mais dont les juristes semblent ignorer la complexité, a été la source d'un très grand nombre de différends frontaliers. Les Argentins et les Chiliens en savent quelque chose, eux qui se sont disputé durant des décennies de vastes territoires compris entre la *ligne de partage des eaux* et la *hauteur des terres*, expressions que le document de délimitation avait à tort jugées synonymes.

Or, le texte du jugement du Conseil privé confond lui aussi ces deux réalités comme si elles n'en faisaient qu'une ; il définit le segment 5 de la frontière par référence à « la ligne de partage des eaux ou ligne des hautes terres ». Cette confusion est particulièrement évidente dans la section méridionale et centrale de la ligne de partage des eaux, là où il n'y a pratiquement pas de *hautes terres*. Il s'agit d'une région sans grand relief, caractérisée par une hydrographie mal définie et instable. C'est évidemment ce genre de relief qui cause problème quand il s'agit de déterminer et de localiser une ligne de partage des eaux.

De deux choses l'une. Ou bien les savants juges ont ignoré l'importante différence entre ces deux expressions, ou bien ils voulaient laisser aux éventuels commissaires des frontières le soin de choisir l'une ou l'autre de ces deux réalités comme base de la démarcation. Mettons cette imprécision au compte de l'ignorance des réalités géographiques car, dans l'autre hypothèse, ce choix eût équivalu à laisser la délimitation ouverte et à renvoyer la balle aux hommes de terrain.

Tel qu'il se présente concrètement, le problème s'exprime en termes bien simples : comment établir une ligne de partage des eaux dans des secteurs où les eaux ne se partagent que peu ou prou, ou mal, ou de façon variable ? Or, cette question n'est ni hypothétique ni négligeable. Ce phénomène est assez fréquent, dans cette région dont certaines zones sont pratiquement amphibies, pour que les Innus aient créé, dans leur langue plus précise que le français ou l'anglais pour désigner les accidents géographiques, un terme pour désigner les lacs à deux décharges, se déversant dans deux bassins différents. Des lacs, rivières et barrages tirent leur nom de racines comme *aitumamiu*, qui signifie « hauteur des terres, ligne de partage des eaux », ou *aitukupitan*, qui signifie « il y a une décharge à chaque extrémité du lac », tels les lacs Itomamo et Itomamis.

Il existe aussi une rivière Étamamiou, de même qu'un hameau du même nom, maintenant inhabité.

Certaines cartes de la série topographique nationale ont indiqué la ligne de partage des eaux au beau milieu de lacs qui se déversent dans les deux bassins de l'Atlantique et du Saint-Laurent, comme sur la carte *Sandy Lake* (23J5E, 1 : 50 000) de même que sur la carte *Schefferville* (23J, 1 : 250 000), qui représentent la frontière au milieu du lac Opémisca (voir la figure 10). Un calcul élémentaire et forcément approximatif à partir de cette dernière carte laisse croire que le territoire drainé vers les deux bassins de l'Atlantique et du Saint-Laurent couvre une superficie d'environ 300 kilomètres carrés. Belle *superficie* pour une *ligne* !

FIGURE 10
Un *aitukupitan* (lac à deux décharges)

Imaginons qu'un castor futé construise son barrage dans l'une des décharges d'un lac biréique* et oriente ainsi la sortie de ses eaux vers un bassin au détriment de l'autre ; le voilà devenu commissaire de frontière ! Le vent qui, l'hiver, accumule des congères bloquant l'écoulement des eaux, n'est pas en reste. Selon les années et la fréquence des vents dominants, on a constaté qu'un balancement du sens d'écoulement de certaines eaux du plateau lacustre du Labrador central n'est pas rare. Bonne chance aux commissaires de démarcation de la frontière qui auront à décider, dans ces zones ambivalentes, quelles quantités d'eau se déversent dans chacun des bassins.

Les traceurs de frontières, au niveau international, ont été responsables de bien des problèmes, un peu partout dans le monde, en utilisant cette expression abstraite de « ligne de partage des eaux » pour désigner un phénomène topographique qui, pour respecter la réalité géographique, aurait dû être désigné par l'expression « zone de partage des eaux », quitte à préciser une méthode permettant de tirer la ligne frontière dans cette zone. En fait, le recours à ce phénomène topographique tient à cette conception géopolitique nocive à bien des égards qui se réfère à la notion de *frontière naturelle*. Le problème est que les accidents géographiques qualifiés de *frontières naturelles* ne sont pas des lignes, mais des espaces, des zones, des bandes de territoire dont l'épaisseur peut varier sans cependant jamais se réduire à une ligne. Or, toute frontière doit être délimitée de façon précise, au mètre près, par une ligne sans aucune épaisseur, quitte à négocier entre États voisins (contigus) l'existence de zones neutres ou de transition qualifiées de *no man's lands*. Même dans ces cas, d'ailleurs, les territoires voisins sont délimités par des lignes qui constituent les limites précises de l'application territoriale des compétences respectives.

La frontière interprovinciale au Labrador, pour une bonne partie de son parcours, est grevée de l'ambiguïté inhérente à la référence à une *ligne de partage des eaux* et, advenant une entreprise de démarcation, il faudra user d'imagination pour résoudre les contradictions, les ambiguïtés et les incertitudes inhérentes à cette notion. Tous les géomorphologues connaissent les phénomènes propres aux régions humides sans relief, comme c'est le cas dans le Labrador central. L'instabilité du cours des rivières et des ruisseaux, la variation des limites et du niveau des nappes d'eau et les cas de capture* y sont fréquents, ces régions étant très sensibles aux moindres perturbations climatiques, tectoniques et même phytobiologiques (en relation avec la biologie végétale).

Le phénomène de capture est particulièrement important parce que le déversement subit d'un cours d'eau vers un autre faisant partie d'un bassin différent implique parfois des espaces de bonnes dimensions. Il n'y a pas lieu d'entrer ici dans ces aspects techniques de l'hydrographie, mais nous avons fait des calculs hypothétiques qui révèlent qu'une variation de niveau de l'ordre d'un mètre à peine peut amener un bassin secondaire de plusieurs dizaines de kilomètres carrés, et même plusieurs fois plus, à passer d'un bassin principal à un autre. Comme on vient de le mentionner, le lac Opémisca est dans une telle position et est susceptible de variations pouvant modifier la localisation de la ligne de partage des eaux.

Cela dit, il faut reconnaître que la délimitation des territoires par référence aux bassins versants est une approche susceptible de concilier les exigences respectives du droit et de la géographie. Frédéric Lasserre[8] rappelle que le bassin versant constitue une échelle de gestion qui présente plusieurs avantages bien que, parfois des difficultés, sinon des inconvénients. La définition de la côte du Labrador terre-neuvienne se prête bien à ce constat. D'une part, la reconnaissance du vaste bassin versant de l'Atlantique est incontestablement avantageuse pour l'aménagement de son artère principale qu'est le fleuve Churchill, mais, dans sa partie sud, le 52ᵉ parallèle coupe la partie supérieure des bassins de nombreuses rivières susceptibles d'être aménagées pour la production d'hydroélectricité. Il est remarquable de constater que le fait d'avoir privé le Québec de l'intégrité des bassins hydrographiques de la Côte-Nord, en 1927, rappelle le fait, en 1912, de l'avoir privé des îles littorales du Nord. Certains pourraient encore conclure : deux poids, deux mesures.

Des auteurs ont évoqué divers arguments pour remettre en question la décision de 1927. Ceux-ci sont d'un autre ordre et ont été examinés en détail au volume 3.1 du rapport de la CEITQ en 1970. Telle est, par exemple, l'argumentation voulant que des juges lords du Comité judiciaire du Conseil privé étaient alors juges et parties dans cette affaire. C'est ainsi que des historiens[9] ont fait le lien entre l'octroi de la côte du Labrador à Terre-Neuve et le fait que le gouvernement britannique avait prêté 15 millions de dollars à une société devant construire une usine de pâtes et papier au Labrador qui était acculée à la faillite par suite d'une requête formulée, entre autres, par deux des juges.

Par ailleurs, la CEITQ, malgré ses nombreuses recherches, n'a pu trouver de preuve voulant que l'un ou l'autre des membres du Comité du judiciaire du Conseil privé ait pu tirer un profit personnel de l'attribution de la côte du Labrador à Terre-Neuve et elle en a conclu que la décision de 1927 ne pouvait pas être considérée comme entachée de fraude[10]. Même si cet aspect du problème dépasse le cadre de présent ouvrage axé sur les incertitudes engendrées par la délimitation de la frontière et non sur ses aspects politico-juridiques, nous y reviendrons rapidement au chapitre 4.4.

Pour conclure sur cette question en tentant d'adopter une approche pratique, on peut dire que seules des négociations politiques entre le Québec et Terre-Neuve peuvent permettre d'en arriver à une démarcation de la frontière à partir de la délimitation de 1927 car, est-il utile de le rappeler, le Québec ne dispose d'aucune argumentation juridique pouvant lui permettre de remettre en question la délimitation elle-même. Des accommodements pourraient faire l'objet d'ententes concernant, par exemple, la tête des rivières situées au nord du 52ᵉ parallèle, mais nous considérons la voie judiciaire sans issue sur cette question. Il faut ajouter que le Québec, malgré des déclarations et des prises de position plus ou moins officielles déclarant ne pas reconnaître le tracé de 1927, s'est trouvé à maintes reprises à prendre acte du fait que «la côte du Labrador» relevait de la province voisine. Rappelons qu'il s'agit bien de la «côte du Labrador» et non de tout le Labrador, comme se trouve à l'affirmer l'adjonction des mots «and Labrador» / «et Labrador» au nom traditionnel de cette province. Cette désignation, dont il nous sera donné de prouver l'ineptie, s'est trouvée à ajouter l'erreur à l'incertitude.

Il faut bien reconnaître enfin que la position défendue conjointement par le Québec et le Canada devant le Comité judiciaire du Conseil privé était indéfendable historiquement et géopolitiquement. La partie canado-québécoise reconnaissait à Terre-Neuve un filet territorial d'un mille de largeur depuis le golfe du Saint-Laurent jusqu'au détroit d'Hudson, ce qui était clairement incompatible avec la loi de 1825 qui remettait au Québec un territoire limité par une ligne qui s'enfonçait à quelque 61 kilomètres à l'intérieur des terres.

Sur le plan historique, on peut se demander à quel territoire, canadien ou terre-neuvien, se seraient alors rattachés les espaces situés à l'est de la ligne Blanc-Sablon-52ᵉ et derrière la frange d'un mille reconnue à Terre-Neuve. Se serait-il agi d'une *terra nullius*? Mais surtout, en saine géopolitique, comment peut-on imaginer la gestion d'un territoire d'une forme qu'on peut pratiquement qualifier de surréaliste puisqu'il est mille fois plus long que large? On peut comprendre que les juges anglais n'aient pas voulu créer une telle aberration.

Mais, comme nous pensons l'avoir démontré, cela ne signifie pas que la solution adoptée soit exempte d'anomalies. On le voit bien: celles-ci colorent d'incertitudes le territoire québécois. Ainsi, en étendant la notion de *côte* jusqu'à contenir un territoire qui s'enfonce à 500 kilomètres à l'intérieur du continent, le Conseil privé de Londres s'est trouvé à confondre les notions de *côte* et de *bassin*. Cette confusion en est venue à en créer une autre, institutionnalisée celle-là, en confondant *la côte du Labrador* avec le toponyme *Labrador*, question que nous examinerons au chapitre 2.6.

Un constat tout simple témoigne du fait que la frontière interprovinciale au Labrador est source d'incertitudes et, à vrai dire, qu'elle constitue une incertitude en soi : c'est le fait que cette frontière est, sauf exception, la seule frontière interétatique de l'Amérique à n'être matérialisée sur le terrain par aucune borne frontière. Le long des quelque 2 000 kilomètres sur lesquels s'étend le tracé de 1927, il n'existe en effet aucun signe matériel ayant le statut officiel de borne frontière. Il existe bien, à quelques kilomètres à l'est du village de Blanc-Sablon, une borne intitulée « borne altimétrique » dont nous avons mentionné l'existence, mais le ministère des Ressources naturelles et de la Faune ne considère pas cette borne comme une borne frontière, bien qu'elle soit située à proximité de la ligne sud-nord qui constitue le premier segment de la frontière interprovinciale. Une frontière n'ayant fait l'objet d'aucune démarcation est, à plusieurs égards, une frontière incertaine.

2.3.
Les tenants et aboutissants des cours d'eau

LES COURS D'EAU ont un nom qui les désigne, en principe, depuis leur source jusqu'à leur embouchure. En fait, le plus souvent, ils ont été nommés à partir de quelque élément du paysage ou de ce qu'il inspire ou rappelle, cet élément du paysage étant le plus souvent l'embouchure ou une confluence. L'histoire nous enseigne, par exemple, que ce fut le cas du Saint-Laurent, dont le nom fut d'abord attribué par Jacques Cartier à une modeste baie du golfe pour ensuite déborder sur l'ensemble du fleuve. La rivière Chaudière, près de Québec, tire son nom de la chute du même nom située tout près de son embouchure. Très souvent, des rivières portent longtemps le nom qu'on leur a attribué, sans que l'on sache avec précision jusqu'où, vers l'amont, leur nom les désigne. Dans la partie supérieure des rivières surgit en effet une difficulté toponymique particulière : celle de déterminer jusqu'à laquelle de leurs multiples sources leur nom s'appliquera, à partir de sa partie aval. Cela s'explique par le fait, sauf exception rarissime, que l'embouchure d'une rivière est connue et nommée bien avant l'une ou l'autre de ses sources car, sauf exception encore là, les sources de tout cours d'eau sont multiples.

Du côté de l'embouchure, le problème n'est pas d'ordre toponymique, mais plutôt d'ordre limologique*, dès lors qu'on se réfère nommément à l'embouchure d'une rivière dans le texte de délimitation d'un territoire et de ses frontières. En effet, où situer un *point* (oui : précisément «un point») défini comme l'embouchure d'un cours d'eau, alors qu'on sait fort bien que ce terme désigne plutôt un *espace* d'une certaine superficie. C'est pratiquement toujours le cas, même s'il s'agit d'un minuscule cours d'eau aboutissant directement dans un espace maritime (lac, baie, golfe ou mer) ou d'une confluence. Dans ce dernier cas, les règles relatives aux frontières fluviales reconnues par le droit international veulent que le vertex* en question se situe au point de rencontre de la ligne médiane du cours d'eau principal et de la prolongation de celle de l'affluent ou à la rencontre des chenaux principaux des deux cours d'eau. En fait, la technique pour la détermination du point de référence pour la localisation de l'embouchure d'un cours d'eau s'inspire de celle des lignes de base droites* servant à délimiter la mer territoriale. Elle consiste à déterminer le point milieu d'une ligne droite entre deux autres points situés de part et d'autre de l'embouchure là où les rives s'incurvent pour prendre la direction générale de la côte où aboutit le cours d'eau.

Le cours du Saint-Laurent est une succession d'espaces liquides que distinguent géographes, géomorphologues et hydrologues par une terminologie appropriée, mais floue : rivière, fleuve, lac, estuaire, golfe. Les spécialistes ne s'entendent ni sur la définition exacte de chacun de ces termes ni sur leur application à des situations concrètes. La détermination des endroits précis où le fleuve devient estuaire et où l'estuaire devient golfe ne fait pas l'unanimité. Certains, se référant au phénomène de la marée, placent la limite entre le fleuve et l'estuaire à la tête du lac Saint-Pierre ; d'autres, utilisant plutôt un critère morphologique, le placent en aval de Québec, là où intervient le premier élargissement important du fleuve et où le degré de salinité des eaux change de façon notable. On a aussi distingué un haut estuaire, un moyen estuaire et un bas estuaire, sans toutefois s'entendre sur les limites de ces différentes sections du fleuve.

Ces débats n'ont pas d'inférence géopolitique car aucun texte de délimitation territoriale n'utilise ce repère terminologique. En fait, c'est plutôt l'inverse, en ce sens que la délimitation du territoire québécois selon le gouvernement fédéral canadien, telle qu'elle est illustrée à la figure 11, s'est trouvée à suggérer que la limite entre l'estuaire et le golfe est celle qui fait frontière entre un Saint-Laurent provincial et un Saint-Laurent fédéral. Mais cette définition ne fait pas l'unanimité entre les gouvernements fédéral et provinciaux, comme on le verra au chapitre 2.4.

Pour ce qui est d'un lac formé par l'élargissement d'un cours d'eau, ce qui constitue un cas de figure fréquent, la situation devient problématique dès lors que les termes *lac* et *fleuve* (ou *rivière*) constituent des références successives dans un texte de délimitation frontalière. Effectivement, la frontière entre le Québec et l'Ontario, dans sa partie méridionale, a été fixée au fleuve Saint-Laurent, dans un secteur où il s'élargit pour former le lac Saint-François. Or, il était important de savoir à quel point de son cours le Saint-Laurent devient le lac Saint-François et à quel autre point il redevient un simple fleuve. Voici pourquoi.

Cette question n'est pas théorique et le problème dépasse largement le cadre terminologique. Elle s'est posée dès qu'on a voulu déterminer de façon précise le tracé des derniers segments, du côté ouest, de la frontière interprovinciale, tant à l'intérieur que de part et d'autre du lac Saint-

François. Une ambiguïté importante résultait du fait que la frontière avait été définie, après diverses péripéties qu'il n'y a pas lieu de rappeler ici[1], comme devant suivre le milieu du chenal principal du fleuve et le milieu du lac Saint-François. Étant donné que le *milieu du chenal principal* d'un cours d'eau et le *milieu* d'une surface lacustre constituent deux réalités géographiques différentes et que les lignes qui s'y conforment respectivement ne se superposent pas ni ne se rencontrent nécessairement en un point précis, il était important de définir les limites de ces deux réalités hydrographiques successives, autrement dit, de localiser les limites, en son amont comme en son aval, du lac formé par un élargissement du fleuve.

En fait, les désignations toponymiques des éléments naturels (lacs, baies, golfes, estuaires…) sont rarement définies par des limites précises, même dans les bases de données toponymiques. La précision recherchée est donc soumise aux définitions et aux techniques de localisation proposées par les spécialistes, en se référant aux méthodes déjà utilisées dans des délimitations de frontières (comme à un genre de jurisprudence limologique*), mais aussi parfois à leur imagination ou leur volonté de répondre positivement aux demandes des juristes et des décideurs politiques aux fins d'appuyer « scientifiquement » leurs prétentions territoriales. La situation du cas concret qui nous intéresse ici se compliquait du fait que cette portion du fleuve est ponctuée d'une série d'îles (près d'une cinquantaine) qui, évidemment, ont un impact sur la localisation du chenal principal.

Des négociations entre les gouvernements des deux provinces ont été menées et ont abouti à une solution convenue qui, fait intéressant, n'a pas été inspirée par la transposition au niveau juridique d'une définition stricte de termes émanant de la science géographique. Celle-ci n'a d'ailleurs pas toujours intérêt à définir les termes qu'elle utilise d'une façon aussi serrée que ne le voudrait le droit, aux fins de la délimitation précise des frontières. En effet, on ne voit pas quel peut être l'utilité, pour l'analyse et l'interprétation géographiques, de préciser où doit être tirée la ligne qui sépare un cours d'eau d'un espace qui n'en constitue qu'un renflement et qu'en conséquence on appelle un lac. Voilà un bon exemple où les sciences géographique et juridique ont la possibilité de s'interpeller de façons différentes selon les intérêts concernés.

Il est rassurant de constater que, pour une fois, le sens commun a prévalu sur une approche péchant, disons-le, par excès d'intellectualisme en voulant attacher à des termes techniques une signification qu'ils n'ont pas dans tous les contextes. En décembre 1980, le gouvernement du Québec a adopté un décret autorisant le ministre de l'Énergie et des

Ressources de signer un projet d'entente devant établir la localisation précise de la frontière selon un rapport de terrain annexé au décret[2]. Celui-ci prévoyait aussi la préparation d'un «projet de législation approprié», ce qui cependant n'a pas été réalisé, le gouvernement fédéral n'ayant pas voulu donner son aval à ce projet, pour des raisons demeurées obscures. On peut donc dire, pour résumer l'incertitude liée à cette portion de frontière, qu'il s'agit moins d'une question à résoudre que d'une solution à consacrer, advenant la collaboration du gouvernement fédéral.

Comme on l'a vu précédemment, un problème bien différent se présente, non pas dans le cours d'une rivière, mais à sa source, pour autant qu'il existe *une* source identifiable pour chaque cours d'eau. Revenons brièvement sur la question. L'identification de la tête d'une rivière pose problème dès lors qu'un acte de délimitation se réfère à «la» source d'une rivière comme point terminal d'un segment d'une frontière fluviale. La question est alors de savoir auquel des affluents d'amont est attaché le nom du cours d'eau en question. L'usage toponymique, comme d'ailleurs les bases de données gérées par les autorités toponymiques gouvernementales, est rarement d'enregistrer cette précision. En général, seules les coordonnées de l'embouchure y sont consignées comme référence spatiale. À cet égard, il faut peut-être excepter les grands fleuves dont parfois plus d'une communauté veut s'approprier l'exclusivité de l'honneur d'en posséder la source. Le cas classique en la matière est celui du Danube. Depuis longtemps, deux villages allemands prétendent, avec force publicité, posséder «la vraie source du Danube». L'un, Furtwangen, prétend que c'est *sa* rivière Breg qui constitue la source du *roi des fleuves*, parce qu'elle est plus longue que la Brigach pour laquelle la ville de Donaueschingen réclame, pour sa part, le titre de *source officielle et symbolique* du Danube.

Outre le cas des sources du Danube, qui constitue une dispute somme toute anodine, un exemple plus près de notre propos illustre le problème qu'engendre la référence à la source d'un cours d'eau. C'est le cas d'un territoire autoproclamé, la *Republic of Indian Stream*, qui a existé de 1832 à 1835. Cette quasi-comédie géopolitique avait été le résultat d'une ambiguïté dans les termes de la délimitation de la frontière entre les États-Unis et le Canada. Le traité de Paris se référait à l'«extrémité nord-est de la rivière Connecticut» dont les eaux d'amont forment trois et même quatre affluents parallèles, chacun des deux États optant pour celui qui lui conférait le plus de territoire. Il en est résulté que chaque gouvernement y a exercé ses compétences, entre autres fiscales, au détriment des Indiens qui s'y trouvaient. Ceux-ci ont donc décidé de ne se soumettre à aucun des États protagonistes et de former une république indépendante de 730 kilomètres carrés comptant environ 300 habitants[3].

Le caractère quelque peu folklorique de ces deux cas de figure ne doit pas occulter la sévère leçon qu'ils constituent quant aux conséquences de l'imprécision des termes de délimitation des frontières. À ce sujet, il convient de rappeler ce qu'écrivait Stephen B. Jones, dans son ouvrage *Boundary Making* publié en 1945, un classique qui conserve toujours sa pertinence et son utilité : «It is almost never possible to show the exact source of a river on a map[4].»

On a évoqué plus haut l'incertitude qui persiste au sujet du court segment de frontière qui va de «la» source de la rivière Romaine jusqu'à la ligne de partage des eaux. En effet, bien malin celui qui peut établir, à l'aide de quelque critère objectif, laquelle des nombreuses sources de la rivière a un droit exclusif à ce titre. Nous avions illustré, dans notre étude de la frontière publiée en 1963[5], les nombreuses possibilités qui s'offraient quant à l'identification de la source de la rivière Romaine. La figure 9 illustre deux de ces possibilités, selon les critères le plus fréquemment utilisés, à savoir soit la source la plus éloignée de l'embouchure, soit celle qui est à la tête de l'affluent dont le débit est le plus important ou dont le bassin est le plus vaste.

Parmi ces solutions hypothétiques, un choix a été fait unilatéralement par l'autorité fédérale et a été exprimé sur les cartes topographiques. Il faut dire que, du point de vue limologique, ce choix était sans doute le plus logique, non pas à cause de la valeur du principe privilégié (le point le plus éloigné de l'embouchure, par rapport aux dimensions respectives des bassins supérieurs), mais à cause de la configuration des lieux, ce qu'illustre bien la figure 9. Le Québec, pour sa part, n'a jamais pris position quant à l'une ou l'autre de ces possibilités. Il eût été d'ailleurs illogique qu'il en prenne une puisqu'en principe il n'accepte pas la référence du 52e et au segment de la Romaine jusqu'à sa source comme un élément valide de la délimitation de la frontière, à cause de l'argument de l'*ultra petita*[*].

En 1997 en effet, le gouvernement du Québec a exprimé sa position par rapport au jugement du Conseil privé de telle façon que, tout en reconnaissant le tracé de 1927 pour la plus grande partie de la frontière (le segment de la ligne de partage des eaux), il le contredisait quant à la référence au 52e.

On voit que, dans sa dimension axiale, c'est-à-dire depuis sa source jusqu'à son embouchure, en passant par ses goulots et ses renflements, un cours d'eau se doit, aux fins de référence géopolitique, d'être défini avec précision. Cette règle doit s'appliquer tout autant à la référence faite aux rives, dans les cas, rares il est vrai, où, comme cela existe pour la frontière orientale du Québec, une frontière a été délimitée par référence à l'une des rives d'un cours d'eau. En effet, on a vu précédemment (chapitre 2.2) qu'un des segments de la frontière de la côte du Labrador a été fixé par les juges du Conseil privé à la rive gauche de la rivière Romaine.

Deux questions se posent alors. La frontière suivra-t-elle la rive en période d'étiage (des basses eaux) ou de crue (des hautes eaux) ou encore une ligne correspondant au niveau moyen des eaux? Dans le cas de la rivière Romaine, la question est plutôt théorique, en tout cas de peu d'importance, la différence verticale entre les niveaux extrêmes ne se traduisant pas par des différences horizontales (territoriales) significatives, parce que les rives de cette rivière sont en général assez nettes et les écarts entre les lits majeur et mineur de la rivière, de peu d'importance. On a vu que la situation des rivages septentrionaux du Québec est, à cet égard, radicalement différente.

On peut aussi se demander si le lac Marc, un lac latéral relié au cours principal de la rivière Romaine par un goulot si court que certains pourraient considérer cet espace lacustre comme un appendice de la rivière, est contourné ou non par le tracé de la frontière. Les cartes de la série topographique nationale (fédérale) semblent considérer que la frontière ne contourne pas le lac et que, conséquemment, il fait partie du territoire reconnu à la province de Terre-Neuve.

Sur les cartes québécoises, le segment sud de la frontière de la côte du Labrador étant en général représenté par la ligne de partage des eaux et non par le 52e parallèle, le lac Marc, situé dans le territoire concerné par l'*ultra petita**, est considéré comme inclus dans le territoire du Québec de même que la totalité du bassin de la rivière Romaine. Qui donc peut dire avec certitude si le lac Marc fait ou non partie du Québec? Cette question constitue une énième incertitude, qui serait de minime importance si la rivière Romaine était confirmée comme faisant frontière. Elle conserve toute son importance si l'on se réfère au sort de la région affectée par l'*ultra petita*.

Dans ce chapitre, nous avons voulu évoquer quelques éléments d'incertitude, d'importance inégale il est vrai, qui ont ponctué le long (anormalement long!) processus de définition territoriale du Québec pour souligner, une fois de plus, la nécessité, dans les documents relatifs aux définitions de frontières, de localiser et de délimiter avec précision les éléments auxquels on se réfère. En matière de frontières, la moindre ambiguïté dans les textes de délimitation est l'occasion d'en interpréter les termes de bien des façons, en ne se privant pas, à l'occasion, de tordre le cou à la précision toponymique ou à la logique géographique.

Deux exemples illustrent clairement cette observation. Le premier concerne la référence qu'ont faite les juges du Conseil privé dans la cause du Labrador à la prétendue erreur des cartographes qui auraient confondu les rivières Saint-Jean et Romaine, de façon à substituer celle-ci à celle-là dans leur définition de la frontière. Le second exemple se réfère à la prétention canadienne exprimée devant le Conseil privé, à savoir que le territoire continental de la colonie de Terre-Neuve se résumait à une bande de terrain de près de 2 000 kilomètres de longueur et d'une largeur mille fois moindre : environ 1 600 mètres. Comme quoi les cours d'eau, comme la toponymie et la définition des termes géographiques, peuvent être des complices involontaires de l'incertitude territoriale du Québec.

2.4.

Un golfe international, national, fédéral, interprovincial ?

SI L'ON EN JUGE PAR LES CARTES PUBLIÉES par le gouvernement du Québec depuis une trentaine d'années, une partie du golfe du Saint-Laurent comprise entre la Côte-Nord, l'île d'Anticosti, la Gaspésie et les îles de la Madeleine fait partie du Québec. Cependant, la position du gouvernement fédéral canadien contredit cette prétention, faisant du golfe un territoire fédéral. La contrepartie de la position fédérale serait que l'espace maritime du golfe soit plutôt partagé entre les provinces limitrophes.

Qu'en est-il ? Encore là, on nage dans l'incertitude. De tous les éléments de la délimitation territoriale du Québec, rien en effet n'est plus indéterminé que la frontière dans le golfe du Saint-Laurent, incertaine tant quant à sa localisation que quant à son statut. La nature même de cette frontière est en question puisqu'on ne peut établir de façon absolument certaine si le golfe fait partie des eaux internationales ou si, au contraire, le golfe constitue un espace canadien, ce que certains gouvernements étrangers contestent. Si c'est l'hypothèse du golfe « national » qui prévaut, il reste à déterminer le statut de ce golfe canadien : fédéral ou interprovincial ?

Jusqu'à maintenant, il n'a pas été établi de façon certaine que le golfe du Saint-Laurent est ou doit être reconnu comme des eaux intérieures canadiennes. Les avis des juristes sont partagés, comme en a fait état le rapport de la CEITQ consacré à cette question[1]. Plusieurs gouvernements étrangers n'ont jamais reconnu le caractère canadien des eaux du golfe. Depuis 1949, le gouvernement fédéral canadien considère que le golfe « peut constituer » des eaux intérieures canadiennes, mais il a été relativement prudent et discret à ce sujet. Francis Rigaldies, dans son étude bien documentée sur le statut du golfe du Saint-Laurent, évoque deux raisons pour expliquer les hésitations du gouvernement fédéral à proclamer officiellement ce statut :

> Une telle option en effet pourrait d'une part entraîner les foudres de principe des États-Unis et, d'autre part, raviver les prétentions – justifiées ou non sur le plan constitutionnel – des provinces riveraines au chapitre de l'exploitation du sous-sol[2].

FIGURE II

Les frontières dans le golfe du Saint-Laurent

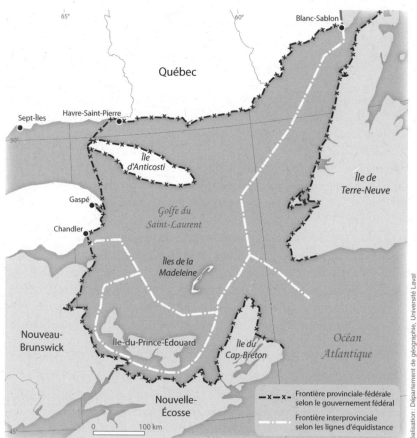

Si la position du gouvernement fédéral est prudente sur ce point, c'est sans doute qu'il envisage d'autres moyens pour garantir sa propriété et son contrôle des richesses marines et sous-marines dans le golfe. Mais il faut dire que les cartes publiées par le gouvernement fédéral sont hésitantes à cet égard ; nombreuses sont celles qui placent clairement la frontière du Canada le long des rivages de la Côte-Nord, de l'île d'Anticosti et de la Gaspésie.

Cette situation ambiguë avait amené la CEITQ, qui considérait que la reconnaissance du caractère canadien des eaux du golfe constituait pour le Québec, davantage que pour le gouvernement fédéral, un objectif souhaitable, à recommander que le Québec appuie la position fédérale voulant que le golfe soit canadien[3]. En effet, dans cette hypothèse, la logique appuierait le partage de cet espace entre les provinces riveraines avec les conséquences que cela comporterait pour le contrôle des richesses marines et sous-marines qui s'y trouvent.

Chaque hypothèse recèle cependant des interrogations. Si le golfe est un espace partagé entre les provinces riveraines, selon le principe largement reconnu par le droit de la mer qui est celui d'un partage selon les lignes d'équidistance des rives, celles-ci s'imposeraient naturellement. Si, au contraire, il s'agit d'un espace fédéral entouré de frontières fédérales-provinciales, il faut alors établir si ces frontières se confondent avec les traits de côtes, comme dans le cas de la frontière septentrionale du Québec, ou si elles doivent être parallèles à la ligne de rivage en déterminant un genre de mer territoriale provinciale ; et alors, de quelle largeur ? On nage donc ici dans des eaux bien incertaines car, on le voit, chaque incertitude en engendre une autre.

Il ne fait pas de doute que l'intérêt du Québec est de préconiser d'abord que le golfe soit reconnu comme canadien et qu'ensuite celui-ci soit partagé entre les provinces riveraines. Il faut d'abord dire que la solution d'un golfe fédéral contreviendrait à un principe du fédéralisme, non absolu il est vrai, mais généralement accepté et appliqué, voulant que les frontières internationales des États fédérés coïncident avec celles de la fédération. La solution d'un golfe fédéral, en plus de soulever diverses questions auxquelles ni la constitution canadienne ni des décisions judiciaires n'apportent réponse, se trouve à se référer à un territoire qu'aucun texte ne mentionne, un territoire entièrement composé d'eau et d'une population nulle si l'on excepte la population *flottante*, c'est le cas de le dire, des bateaux qui y naviguent.

Certains se posent la question de savoir si, dans un contexte de souveraineté éventuelle de l'une des provinces riveraines, les eaux du golfe deviendraient internationales ou si le principe de l'*uti possidetis** s'appliquerait à ce cas, d'une façon qui n'est pas courante, mais qui s'est effectivement présentée récemment, lors du démembrement de l'Union soviétique : la mer d'Aral et le lac des Tchoudes, autrefois à l'intérieur de la seule URSS, sont aujourd'hui partagés, la première entre le Kazakhstan et l'Ouzbékistan, la seconde entre l'Estonie et la Russie.

En voilà assez pour que l'on puisse parler, ici comme ailleurs, d'incertitude territoriale. Certains éléments du statut juridique des espaces liquides sont cependant connus et reconnus. Ainsi, le lit du fleuve fait partie du domaine public québécois, sauf ce qui a pu être attribué au gouvernement fédéral en 1867 et ce que ce dernier a pu acquérir par la suite. Mais se pose la question de la limite orientale du fleuve. L'estuaire fait-il partie intégrante de l'espace fluvial ? Et comment le définir alors que même les géographes ne s'entendent pas sur les limites amont et aval de l'estuaire. Et que dire du golfe ? Les gouvernements du Canada et du Québec ont exprimé cartographiquement leurs différentes interprétations des limites entre le fleuve, l'estuaire et le golfe, encore que ces interprétations émanant d'une même autorité ne sont pas toujours concordantes, tant s'en faut.

Ainsi, plusieurs cartes émises par divers organismes du gouvernement fédéral ont utilisé des symboles cartographiques qui pourraient laisser supposer que les frontières du Québec suivent les rives du Saint-Laurent bien en amont du golfe tel qu'il est habituellement représenté carto-graphiquement. Sans nécessairement attribuer aux autorités fédérales l'intention de représenter une revendication précise quant au fleuve et au golfe, certaines cartes produites par des ministères fédéraux posent problèmes. Ainsi, un atlas intitulé *Golfe Saint-Laurent, utilisation des eaux et activités connexes*, publié en 1973 par Environnement Canada[4] représente systématiquement le golfe comme limité à l'ouest par une ligne reliant l'embouchure du Saguenay à la ville de Rivière-du-Loup. Aussi, le ministère fédéral des Mines et des Relevés techniques a publié des cartes qui semblent représenter les frontières du Québec (ou les limites du golfe ?) jusqu'à Québec en 1959 et en 1970, et jusqu'à Trois-Pistoles en 1964 (figure 12). Sur ces cartes, une plage de couleur entoure le Québec en suivant les frontières terrestres et les littoraux. Le fait que, sur un autre feuillet des cartes de 1959 et 1970, la plage de couleur suit le littoral du lac Ontario alors que la frontière internationale est clairement indiquée au centre du lac pourrait donner l'impression que les bandes de couleur correspondent aux limites territoriales des provinces et que les espaces aquatiques sont considérés comme des territoires fédéraux. Ces représentations laissent songeur et, le moins que l'on puisse dire, entretiennent l'ambiguïté.

Henri Brun[5] estime que le territoire du Québec de 1867 était délimité à la côte, plus précisément à la ligne des basses marées, et qu'il n'y a pas eu d'accroissements territoriaux par la suite. Le territoire du Québec ne comprendrait aucune partie du golfe, sauf les canaux interstitiels entre le continent et les îles littorales, ni une mer territoriale. Étant donné qu'en principe les frontières extérieures des membres d'une fédération coïncident en général avec celles de la fédération elle-même, il devrait logiquement en être de même pour les accroissements territoriaux en application des règles du droit international.

FIGURE 12
Délimitations territoriales dans le Saint-Laurent selon des cartes fédérales

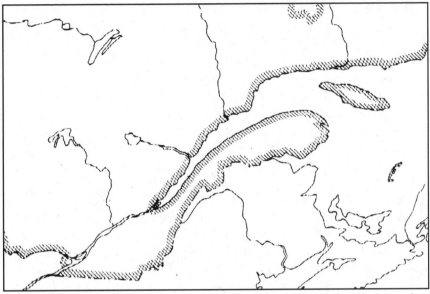

Carte «*Canada*», Canada, ministère des Mines et des Relevés tehniques, Direction des levés et de la cartographie, 1 : 2 000 000, 1959, 6 feuillets (*Québec*, feuillet n° 1). Cette carte a été rééditée telle quelle en 1970.

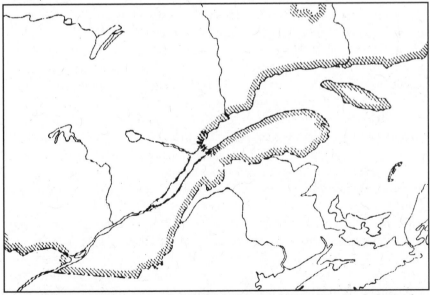

Carte «Québec», Canada, ministère des Mines et des Relevés techniques, Direction des levés et de la cartographie, 1 : 2 000 000, 1964.

Il reste que l'interprétation que donne la Cour suprême du Canada du droit constitutionnel canadien peut faire en sorte que la situation soit tout autre, comme le montre l'arrêt de 1967 *Reference : Offshore Mineral Rights of British Columbia*[6] attribuant de tels accroissements à l'État fédéral plutôt qu'à la Colombie-Britannique. Mais, la Cour suprême n'ayant pas encore eu à se prononcer dans le cas du lit des eaux du golfe du Saint-Laurent, il en résulte que l'incertitude demeure quant à la délimitation de la frontière du Québec dans le golfe.

Devant l'incertitude relative au statut du golfe du Saint-Laurent, tant du côté du gouvernement québécois que du côté du gouvernement fédéral, celui-ci a proposé, en 1968, d'établir des « lignes administratives » ayant pour fonction d'établir un état de fait pour faciliter, en l'absence de délimitation formelle de la frontière, la mise en place de limites à des fins comme l'attribution par les autorités respectives de permis ou le partage entre celles-ci des revenus provenant de l'exploitation des ressources naturelles[7]. Il s'agissait là d'une proposition d'ordre politique qui visait, d'une part, à faciliter la vie aux compagnies exploratrices des ressources sous-marines et qui témoignait, par ailleurs, de l'ambiguïté du statut du golfe, ambiguïté à laquelle le gouvernement fédéral, par la voix du premier ministre Trudeau, apportait sa solution sans consultation des provinces concernées qui ont d'ailleurs rejeté cette proposition.

En général, la position du gouvernement fédéral a été de considérer que la limite orientale du domaine public québécois dans le Saint-Laurent s'arrête à une ligne qui part de Cap-des-Rosiers en Gaspésie pour rejoindre la pointe ouest de l'île d'Anticosti et de là, après avoir contourné l'île en suivant ses rives vers l'est puis vers l'ouest, rejoindre de nouveau la pointe Ouest et, de là, se diriger en ligne droite vers l'embouchure de la rivière Saint-Jean qui constituait la limite orientale du « gouvernement de Québec » de 1763. Plusieurs lois fédérales contenant des dispositions relatives à la gestion du réseau fluvial, comme la Loi sur la protection de l'environnement[8] et la Loi sur la marine marchande du Canada[9], se réfèrent à ces lignes, se trouvant ainsi à les considérer implicitement comme constituant la frontière entre les eaux provinciales et un golfe fédéral.

En 1964, le Québec, le Nouveau-Brunswick, la Nouvelle-Écosse, l'Île-du-Prince-Édouard et Terre-Neuve s'étaient entendus pour délimiter, quant à eux, les frontières interprovinciales dans le golfe du Saint-Laurent suivant des lignes d'équidistance entre les cinq provinces concernées. Le gouvernement fédéral ne donna toutefois pas suite à cette démarche[10]. Il ne s'agissait évidemment pas alors d'un véritable accord de délimitation (pour ce faire, il aurait fallu que des lois parallèles, fédérales

FIGURE 13

Proposition fédérale pour le partage des ressources minérales dans le golfe (1968)

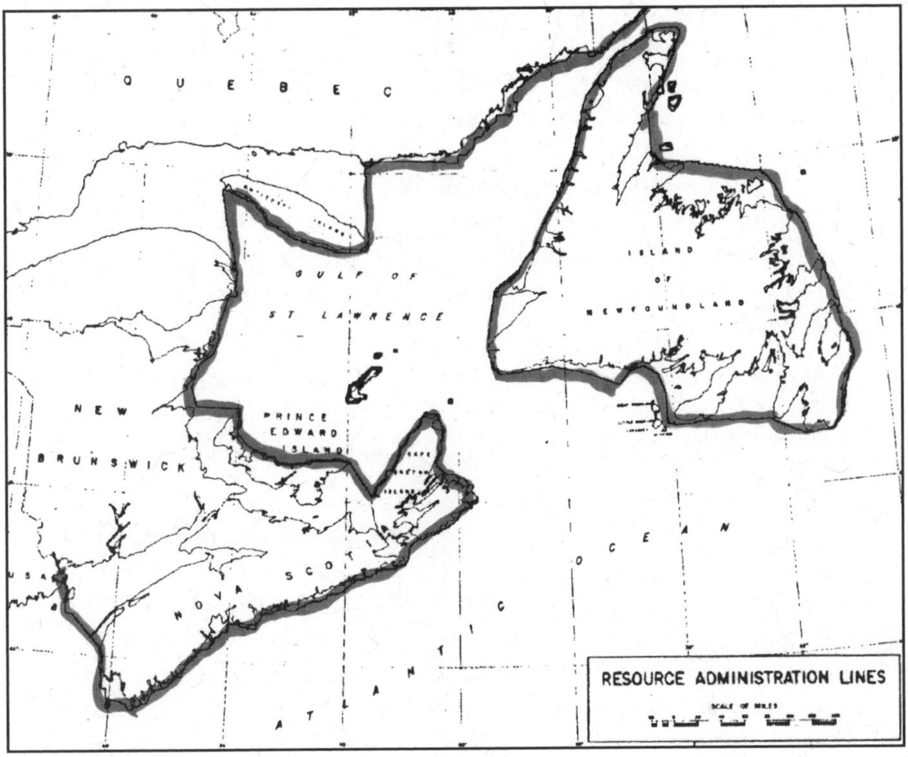

et provinciales, soient adoptées selon les termes de l'article 3 de la Loi constitutionnelle de 1871), mais plutôt d'une proposition formulée auprès du gouvernement fédéral.

Divers pourparlers se sont déroulés par la suite entre le gouvernement fédéral et ceux des cinq provinces dans le but d'en arriver à un accord prévoyant un régime coopératif eu égard à l'exploitation de ces zones extracôtières. Terre-Neuve s'est retirée du processus en 1974 et le Québec s'en est dissocié peu de temps après. Finalement, le Canada et les trois provinces restantes ont conclu une entente en 1977 mais celle-ci est devenue caduque à la suite du désistement de la Nouvelle-Écosse.

Puis, dans la foulée de la controverse entourant le programme énergétique national des années 1980[11] et de l'affirmation continue du gouvernement fédéral voulant que ce dernier avait compétence sur le plateau continental, le gouvernement fédéral et les gouvernements de la Nouvelle-Écosse et de Terre-Neuve en sont arrivés à des accords sur la gestion conjointe et le partage des revenus provenant de l'exploitation des hydrocarbures au large des côtes de ces provinces[12]. Chacune des lois de mise en œuvre[13] prévoyait que, si un litige devait survenir entre les deux provinces sur la localisation de la limite maritime entre les zones extracôtières de chacune des provinces, le gouvernement fédéral pouvait déférer celui-ci à un tribunal d'arbitrage, lequel déterminerait alors le tracé en question.

Un tel litige a subséquemment eu lieu, ce qui fait que le gouvernement fédéral a institué un tribunal d'arbitrage pour entendre l'affaire le 31 mars 2000. Le tribunal avait pour mandat de déterminer le tracé de la ligne séparant les zones extracôtières respectives des deux provinces en appliquant

> [...] les principes du droit international relatif au tracé des limites maritimes compte tenu des adaptations de circonstance... comme si les Parties étaient... des États ayant les mêmes droits et obligations que le Gouvernement du Canada[14].

Le tribunal a déterminé le tracé en question dans une sentence arbitrale rendue le 26 mars 2002[15]. Ce tracé suit en gros la ligne d'équidistance entre les deux provinces jusqu'à une distance de 200 milles marins de la côte, ce qui est la largeur de la zone économique exclusive* reconnue au Canada en vertu du droit international. Chose intéressante, le tracé se termine, à son aboutissant nord-ouest, « à un point de trijonction avec le Québec[16] ». En effet, après avoir signalé que la délimitation visait également une partie

> du golfe du Saint-Laurent en direction d'un point de trijonction comprenant des espaces du golfe connexes aux îles de la Madeleine (Québec)[17],

le tribunal fixe la délimitation en traçant une ligne droite entre les points anguleux 2016 et 2015 en justifiant celle-ci par le fait qu'une :

> ligne d'équidistance stricte entre les côtes adjacentes concernées aboutirait, légèrement au nord, à un point de trijonction avec le Québec[18].

Il faut toutefois se garder d'interpréter ces mots du tribunal comme constituant une reconnaissance de l'existence d'une frontière québécoise à cet endroit puisque, nous l'avons dit, celui-ci devait, selon son mandat, faire *comme si* les provinces étaient des États souverains. Le tribunal a précisé que, même si le territoire entourant le golfe était canadien et que le Canada lui-même considérait que les eaux du golfe étaient des eaux intérieures canadiennes, il devait, aux fins de l'arbitrage, traiter les provinces comme des États à part entière et considérer le golfe comme

FIGURE 14

Délimitation des zones extracôtières de la Nouvelle-Écosse
et de Terre-Neuve-et-Labrador (carte extraite de *Arbitrage entre...*[19])

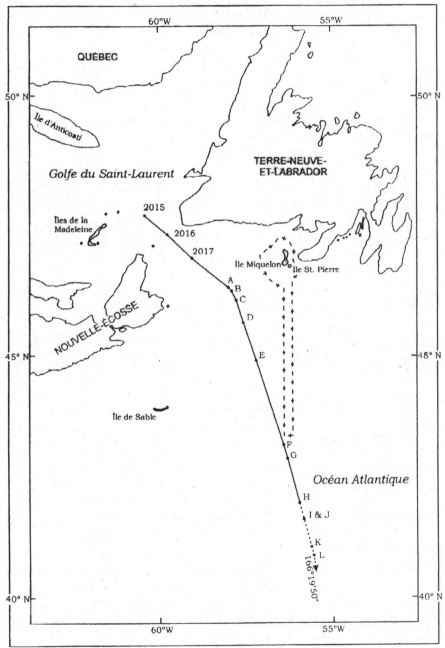

étant international. On ne peut s'empêcher de s'étonner que le tribunal d'arbitrage ait été mis par le gouvernement fédéral dans une situation bizarre en lui donnant le mandat de faire « comme si » les provinces de Nouvelle-Écosse et de Terre-Neuve étaient des États souverains et d'appliquer à la question qui leur était soumise les principes de délimitation du droit international pour déterminer la limite entre les deux provinces, même si le gouvernement du Canada, dont lui venait le mandat, considérait le golfe comme canadien. Nous ne jugeons pas ; nous nous étonnons.

De son côté, le gouvernement du Québec, qui avait longtemps omis d'exprimer clairement sa position quant à ses frontières dans le golfe, a envisagé d'indiquer sur ses cartes les lignes d'équidistance entre les littoraux des cinq provinces riveraines, après l'entente de 1964. On a d'abord décrit les points de la côte devant servir de base pour déterminer la position des points médians. Autour des années 1970, on en a établi les coordonnées précises et, depuis 1999, la consigne est que toutes les cartes produites par le gouvernement du Québec doivent représenter les lignes d'équidistance dans le golfe. Ainsi, en vertu de cette consigne, la description des districts judiciaires de Gaspé, de Mingan et de Bonaventure tiennent en compte le lit du fleuve et du golfe.

Aussi, un arrêté ministériel adopté par le ministre des Ressources naturelles et de la Faune le 21 décembre 2009[20] concernant la délimitation, en milieu marin, d'une zone à l'intérieur de laquelle des permis de recherche pour les hydrocarbures peuvent être émis, comporte, en annexe, la description technique du territoire concerné : il est déclaré s'étendre vers l'est jusqu'aux lignes d'équidistance des côtes. Même si cette délimitation sert aux fins particulières de l'application de la Loi sur les mines, il s'agit ici d'un acte d'intervention mettant en œuvre la position du Québec.

La question des frontières maritimes du Québec est donc, au sujet du golfe, comme d'ailleurs à l'ouest et au nord de la péninsule Québec-Labrador, l'objet d'une controverse à laquelle les réponses claires manquent toujours, d'autant plus qu'il ne semble pas, du moins à notre connaissance, que des négociations récentes aient eu lieu pour trouver une réponse satisfaisante à cette question que les projets d'exploration et d'exploitation des hydrocarbures dans le golfe ramènent à la surface. Il appert même que la situation devient plus embrouillée au niveau des provinces elles-mêmes puisque le premier ministre de Terre-Neuve-et-Labrador a déclaré à plusieurs reprises en 2010 que sa province ne reconnaissait plus la délimitation interprovinciale de 1964. Et il se trouve qu'un gisement d'hydrocarbures désigné sous le nom d'Old Harry chevauche l'une des lignes d'équidistance des côtes entre le Québec et Terre-Neuve.

Les deux gouvernements du Canada et du Québec ont émis, au fil des années, des permis de recherches qui se chevauchent, ce qui devient un élément additionnel d'incertitude, dans la mesure où les titulaires sont différents. Par ailleurs, on sait que le gouvernement fédéral a reconnu, en 2002, une frontière maritime entre la Nouvelle-Écosse et Terre-Neuve qui suit en gros la ligne d'équidistance entre les deux provinces. Comme on l'a vu précédemment, cette frontière avait alors été établie par un arbitrage (il y avait, à l'époque, un litige entre les deux provinces au sujet de l'emplacement de la frontière) effectué sous l'égide du gouvernement fédéral de façon à pouvoir mettre en œuvre des accords qu'il avait conclus avec les deux provinces en 1982 et en 1985 aux fins du partage des revenus provenant de l'exploitation des hydrocarbures au large de leurs côtes.

Au total, les jugements des tribunaux, les positions non concordantes des gouvernements fédéral et provinciaux, les initiatives prises par le gouvernement fédéral, notamment quant à l'établissement de «lignes administratives» devant servir de base à la répartition des droits relatifs aux richesses sous-marines, forment un contexte où les incertitudes persistent. Mais il est intéressant de constater que le gouvernement fédéral a su tirer parti de ces incertitudes et procéder à des aménagements inspirés d'une certaine «justice distributive» appliquée en dehors du contexte constitutionnel. Dans la mesure où le Québec est concerné, l'incertitude demeure même si, depuis 1971, la position du gouvernement québécois a toujours été de considérer que le golfe est partagé entre les provinces par des lignes d'équidistance[21]. Il a d'ailleurs appuyé ses déclarations à cet effet en émettant des permis d'exploitation pétrolière pour lesquels il a perçu des droits.

Le statut du golfe du Saint-Laurent demeure une question ouverte, imprécise et non réglée. L'incertitude qu'elle constitue en engendre évidemment d'autres. Ainsi, dans l'hypothèse où le golfe est reconnu territoire fédéral, on peut se demander quel droit s'y appliquera, advenant un litige relevant normalement du droit civil, et quel tribunal pourra entendre une cause au sujet, par exemple, d'un dommage causé à bord d'une embarcation ne jouissant pas de l'extraterritorialité. En fait, cette éventualité a été prévue par l'article 9 de la Loi sur les océans[22] qui prévoit que, sous réserve des lois fédérales, le droit d'une province côtière s'applique aux espaces maritimes extracôtiers faisant partie des eaux intérieures ou de la mer territoriale qui ne sont compris dans le territoire d'aucune province et qui sont désignés par règlement. Dans les cas visés (les ressources minérales sont, entre autres, exceptées), «le droit provincial s'applique comme si l'espace visé était situé à l'intérieur de la province». Ces dispositions ont l'avantage de combler un vide juridique potentiel ; elles ont aussi l'intérêt de souligner, indirectement, le caractère exceptionnel d'une situation où un territoire fédéral est à toutes fins utiles créé, du moins aux yeux de la législation fédérale, à partir d'un silence de la Constitution et de l'interprétation qui en est faite.

Les nombreux aspects qui font du golfe du Saint-Laurent un territoire incertain ont amené Me Jacques-Yvan Morin, au terme d'une étude faite pour le compte de la CEITQ, à formuler ainsi sa conclusion :

> Il est possible que la question du statut des eaux du golfe Saint-Laurent, comme beaucoup d'autres, ne puisse être réglé dans le cadre constitutionnel actuel[23].

Quelques autres incertitudes

LES INCERTITUDES TERRITORIALES qui grèvent l'État québécois se manifestent sur la plus grande partie de son pourtour : au nord-ouest, au nord, à l'est, au sud-est. Nous avons démontré, dans les chapitres précédents, à quoi tiennent ces incertitudes, de nature et d'amplitude différentes. Dans l'unique but de faire un examen exhaustif de l'état des frontières qui délimitent le Québec, jetons un coup d'œil sur trois autres portions de son enveloppe frontalière qui, dans une mesure il est vrai beaucoup moindre, contribuent à l'incertitude territoriale. L'idée n'est pas, comme certains pourraient être tentés de dire, de « fendre les cheveux en quatre », mais de répéter que les imprécisions minimes qui seront ici mentionnées sont du type de celles que la précision avec laquelle, par exemple, les frontières européennes sont définies ne tolère pas.

C'est donc, encore ici, l'occasion de répéter que la délimitation des frontières est un élément fondamental de l'existence des États et que la rigueur que manifestent les États de plein droit au niveau international en matière de délimitation de leurs frontières devrait servir d'exemple aux États membres d'une fédération pour qu'ils y attachent autant d'attention. Force nous est de constater que tel n'est pas le cas au Québec dont les gouvernements, depuis quelques décennies, oscillent entre des positions modérément autonomistes ou nettement souverainistes, mais dont le dénominateur commun a été, au niveau du discours politique, de vouloir garantir l'intégrité territoriale de la province dans ses dimensions horizontales et verticales.

Concrètement, la définition de ses frontières semble pourtant constituer une préoccupation de seconde zone en ce sens qu'au-delà de déclarations générales relatives à l'intégrité territoriale du Québec les aspects techniques de la question sont loin d'avoir été étudiés à fond dans une perspective devant mener à régler les nombreuses questions frontalières non résolues. Il est étonnant que cette relative négligence se manifeste autant chez les tenants du statu quo constitutionnel que dans le cadre de l'option politique qui préconise pour le Québec la création d'un État indépendant hors de la Fédération canadienne.

La frontière entre le Québec et le Nouveau-Brunswick

La frontière qui sépare le Québec du Nouveau-Brunswick a l'avantage d'être bien délimitée et démarquée sur la quasi-totalité de son parcours, constitué de segments terrestres correspondant pour la plupart à des lignes géométriques. Elle soulève peu de problèmes si ce n'est quelques questions au sujet de ses segments liquides situés à l'extrémité orientale de la frontière. Les différents segments de cette frontière ont été définis par une loi impériale de 1851 valant acte de délimitation[1]. Ils se présentent selon la séquence qu'illustre la figure 15.

FIGURE 15

Les segments de la frontière Québec–Nouveau-Brunswick

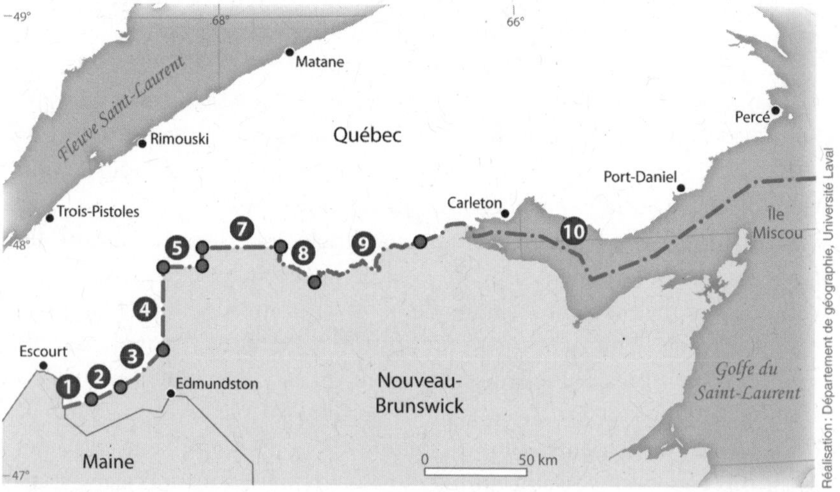

Légendes

1. le segment lac Beau – lac Long
2. les segments des fiefs Madawaska et Témiscouata
3 à 7. cinq segments de méridiens et de parallèles
8. le segment de la rivière Patapédia
9. le segment de la rivière Ristigouche
10. le segment de la baie des Chaleurs.

L'acte de délimitation se réfère surtout, on le voit par la figure 15, à des segments de lignes droites qui ne posent aucun problème de démarcation. Par ailleurs, les segments terminaux à l'ouest (ceux des rivières Patapédia et Ristigouche) offrent certaines légères difficultés potentielles. Pour ces segments, le principe du milieu du chenal de la rivière a été adopté, mais une précision a été ajoutée : les îles furent déclarées comme faisant partie du Nouveau-Brunswick. Cette précision, qui, soit dit en passant, modifiait le principe de délimitation initial et même le contredisait, n'avait cependant pas prévu les conséquences éventuelles de l'évolution morphologique de la Ristigouche. En fait, depuis cette date, au moins une île, qui existait lors de la délimitation de 1851, se rattache aujourd'hui à la terre ferme. À un autre endroit, une nouvelle île s'est formée. Il est également prévisible que d'autres îles puissent éventuellement disparaître. Que peut-on conclure de l'observation de ces changements somme toute minimes ? Une fois de plus, que toutes les éventualités de changement dans les accidents topographiques utilisés comme références dans les termes de délimitation des frontières doivent être précisément prévues, décrites et prises en compte lors de démarcations subséquentes.

Il faut dire que les questions de ce genre peuvent se régler, le plus souvent, par une entente politique plutôt que par une révision formelle de la frontière. Mais encore faut-il le prévoir et en convenir, même s'il existe une règle couramment admise relativement aux changements de l'assiette physique de frontières liquides. Cette règle mentionne que, si le changement dans la configuration des lieux est progressif, la frontière suit cette progression, mais que, si le changement est brusque, la frontière conserve sa localisation primitive. Encore là, si minimes que soient les incertitudes concernant les limites du territoire québécois, il convient de rappeler, on ne le répétera jamais assez, qu'on ne peut jamais être trop précis dans tout texte relatif à la définition d'une frontière.

Du côté est, le dernier vertex de la frontière, défini par la loi comme suivant le milieu de la baie des Chaleurs, se situe donc à la limite entre cette dernière et le golfe du Saint-Laurent. Deux questions se posent alors, puisque le golfe lui-même est l'objet d'une incertitude territoriale. La première est d'ordre géotoponymique : où la baie des Chaleurs devient-elle le golfe du Saint-Laurent ? On peut dire, sans risque de se tromper en s'inspirant des normes généralement admises en droit international, que le dernier vertex de cette frontière, côté est, se situe à la jonction de la ligne médiane de la baie avec une ligne droite reliant les deux pointes qui la ferment, c'est-à-dire depuis le point le plus oriental de la péninsule gaspésienne jusqu'à la pointe orientale de l'île Miscou au Nouveau-Brunswick. La seconde incertitude réside dans le fait que, ainsi défini, cet aboutissant constituera soit un point de trijonction entre le Québec, le Nouveau-Brunswick et un territoire fédéral (ou domaine international), soit un vertex additionnel de la frontière Québec–Nouveau-Brunswick dans le cas où serait reconnue la division du golfe par des lignes équidistantes tirées entre les territoires des provinces riveraines.

Cet exemple illustre le fait que toute définition d'un segment de frontière a un impact direct sur la définition du segment de frontière qui y fait suite car, c'est là une évidence, les segments successifs d'une frontière doivent se réunir en un point unique dont la localisation et le statut ne comportent aucune ambiguïté.

La frontière entre le Québec et les États-Unis

Le secteur québécois de la frontière entre le Canada et les États-Unis met le Québec en contact avec les États américains du Maine, du New Hampshire, du Vermont et de New York. Cette frontière internationale, partout délimitée et précisément démarquée, n'est pas litigieuse. Elle n'est donc pas susceptible de révision non plus que d'abornement plus précis. Cela dit, cette frontière recèle un grand intérêt, à divers égards. Il faut d'abord dire qu'il s'agit de la frontière la mieux définie de toutes les frontières du Québec. Si celles-ci étaient délimitées et démarquées avec autant de précision que la frontière sud du Québec, le présent ouvrage perdrait la moitié de sa raison d'être ; il ne resterait qu'à analyser le *contenu* territorial, son *contenant* étant nettement établi.

La Commission frontalière, autrefois nommée Commission de la frontière internationale, en vertu de sa loi constitutive[2], applique avec efficacité et précision les éléments de son mandat qui est d'entretenir et de gérer l'assiette* de la frontière internationale. L'abornement de la frontière méridionale du Québec a été réalisé avec une précision au décimètre près, notamment lorsque la frontière court à travers des constructions comme des ponts ou des routes et même à l'intérieur de maisons ou d'édifices (les *line houses**).

La partie ouest de cette frontière offre un exemple intéressant d'une frontière de contact*, par opposition aux frontières de séparation*, une distinction qui reflète le degré d'osmose ou d'obstacle que constitue une frontière qui sépare deux pays. Le 45ᵉ parallèle est une frontière ouverte (quoique aujourd'hui soumise à certains contrôles additionnels depuis les événements du 11 septembre 2001 à New York), une frontière qui a eu sur les activités humaines, dans les régions qui la bordent, un effet non pas répulsif, mais au contraire attractif. Pour des raisons surtout économiques et commerciales, nombreuses ont été les implantations de diverses natures à proximité de la frontière pour profiter des avantages de la complémentarité des situations de la part et d'autre de la frontière. C'est ce qu'en limologie* on appelle une frontière de contact*. Les frontières de ce type posent parfois des problèmes d'un ordre bien différent de celui qui est relatif aux procédures de délimitation et de démarcation : il s'agit surtout du contrôle du passage des personnes et des marchandises, aspect qui ne relève pas de notre étude.

Puisqu'on en est à une courte digression faisant appel aux typologies des frontières, mentionnons que, selon qu'une frontière a été officiellement établie, délimitée et démarquée avant ou après que la région frontalière se soit développée et structurée en termes de relations transfrontalières, on parle de frontière antécédente* ou de frontière subséquente*. Autrement dit, une frontière antécédente peut être la cause ou l'occasion directe de l'organisation spatiale ; une frontière subséquente est établie pour se conformer aux éléments de la structure spatiale, à la configuration humaine des lieux. Mais il arrive qu'une frontière soit établie dans une région déjà peuplée et aménagée, sans tenir compte de cette réalité géographique. On parle alors de frontière surimposée*, à l'opposé d'une frontière conséquente*, qui aurait été définie pour se conformer à la réalité géographique. Selon cette typologie, la frontière méridionale du Québec, surtout dans sa partie occidentale, c'est-à-dire dans la plaine du Saint-Laurent où les communications nord-sud sont faciles et nombreuses, est une frontière surimposée et, à certains égards, antécédente. Cette situation particulière a donné lieu à une analyse intéressante, basée sur le fait que la frontière méridionale du Québec, surtout pour son segment du 45e parallèle, est une frontière surimposée[3].

C'est d'abord le traité de Versailles, signé par les États-Unis et la Grande-Bretagne en 1783, qui avait défini la frontière entre les États-Unis d'Amérique et les colonies britanniques en Amérique du Nord, depuis « l'embouchure de la rivière Sainte-Croix dans la baie de Fundy jusqu'au point situé à l'extrême nord-ouest du lac des Bois ». La section centrale de cette ligne se trouvait à constituer, pour la première fois, l'élément de base de la frontière méridionale du Québec. Ce faisant, la *Province de Québec*, telle qu'elle était délimitée en termes larges en 1774 par l'Acte de Québec, se trouvait à perdre une bonne partie de son territoire dans sa partie méridionale.

En décembre 1814, à Gand, ville alors située dans le royaume des Pays-Bas, un traité était signé par les plénipotentiaires états-uniens et britanniques mettant fin à la guerre de 1812. Il convenait que les deux pays abandonnaient les territoires gagnés durant le conflit (dont le Maine, pour le Canada), mais la délimitation précise des deux territoires restait à faire. En fait, les commissaires chargés d'établir le tracé de la frontière en vertu du traité de Gand ne purent s'entendre, la proposition amenée par le roi des Pays-Bas en 1831 à ce sujet ayant été refusée par les États-Unis. Finalement, c'est le traité Webster-Ashburton intervenu en 1842 qui établit de façon définitive la frontière entre la source de la rivière Sainte-Croix et le fleuve Saint-Laurent, la fixant telle qu'elle existe aujourd'hui, clairement démarquée par des bornes en général intervisibles.

La frontière méridionale du Québec est composée de sept segments principaux et de deux courts segments de raccordement qu'il vaut la peine de détailler, ne serait-ce que pour illustrer la variété de ses assises géographiques. Cette frontière recèle l'intérêt d'être constituée de segments définis selon les modes de délimitation les plus courants en matière de frontières internationales. En effet, comme on le voit sur la figure 16, on y retrouve:

a) des segments de frontières liquides:
- le segment 1, situé dans le lac Beau et dans le cours de la rivière Saint-François;
- le segment 4 situé dans le cours de la branche sud-ouest de la rivière Saint-Jean;
- le segment du Halls Stream (n° 6 sur la carte);
- un court segment dit des «rapides internationaux» allant de la rive sud-est du Saint-Laurent jusqu'au point de trijonction entre les territoires du Québec, de l'Ontario et des États-Unis (segment 7a, sur la carte);

b) un segment situé sur la ligne de partage des eaux délimitant les bassins du Saint-Laurent et de l'Atlantique: le segment 5, dit «des Highlands»;

c) des segments constitués de lignes géométriques définies par leurs vertex* respectifs:
- le segment de la ligne du sud-ouest (n° 2);
- le segment de la ligne sud (n° 3);
- le long segment du 45e parallèle (n° 7 sur la carte);
- un court segment de raccordement entre le segment de la rivière Saint-Jean et celui de la hauteur des terres (4a sur la carte).

Même si la frontière entre le Québec et les États-Unis est délimitée et démarquée, donc non susceptible de révision, il reste que certains problèmes d'ordre extra-juridique peuvent se poser au niveau local. Ainsi en est-il du cas des périclaves*, ces portions du territoire du Québec qu'on ne peut atteindre qu'en passant par les États-Unis. La périclave d'Akwesasne en constitue un bon exemple. Le territoire de la réserve mohawk d'Akwesasne est divisé en trois secteurs: québécois, ontarien et new-yorkais. Or, la communauté autochtone qui y réside est administrée par des

FIGURE 16

Les segments de la frontière Québec–États-Unis

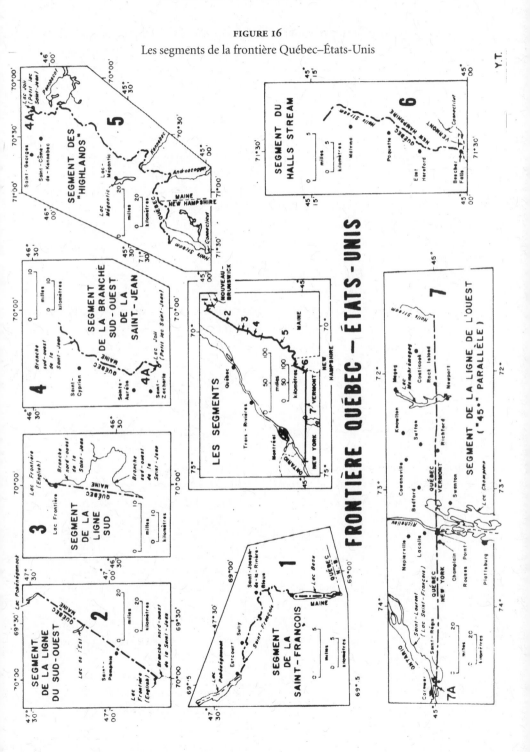

autorités autochtones qui relèvent de centres de décisions « blancs » qui se trouvent en Ontario, au bureau régional de Toronto du ministère des Affaires indiennes, et aux États-Unis. La situation particulière de ce coin de territoire (un espace administratif impliquant cinq autorités gouvernementales : celles de deux gouvernements fédéraux, d'un gouvernement d'État et de deux gouvernements provinciaux) soulève une question d'*intégration* territoriale (au double niveau canadien et québécois) davantage que d'*intégrité* territoriale, d'autant plus que la particularité de ce bout de territoire par rapport à la frontière internationale fait en sorte que la région est soumise à de fréquents problèmes d'ordre douanier (contrôle du commerce de cigarettes, de drogues et même d'armes).

Cette problématique a amené la Commission d'étude sur l'intégrité du territoire à évoquer, en 1970, la possibilité que les autorités envisagent ici un échange de territoires, la périclave d'Akwesasne pouvant être cédée aux États-Unis en contrepartie d'une ou de plusieurs autres périclaves qui ponctuent la frontière entre le Québec et les États-Unis. Il se pose alors le problème de la consultation et du consentement des populations locales concernées et qui seraient alors affectées par une modification de frontière qui, pour elles, entraînerait une nouvelle citoyenneté, comme cela a été fait, il convient de le rappeler, lors de traités frontaliers antérieurs. Il s'agit là de solutions qui paraîtront simples à certains, simplistes à d'aucuns, irréalistes à d'autres.

Sur un autre plan, la géomorphologie très active du lit de certains cours d'eau frontaliers peut occasionner des problèmes d'ordre local. Bien que la frontière ait été délimitée dans des termes relativement clairs et précis, il arrive que, dans ses portions liquides, l'assiette géographique soit instable et soumise à des changements progressifs ou brusques. Il existe une loi géomorphologique qui veut qu'une rivière coulant dans du matériel meuble ait tendance à accentuer constamment le resserrement de ses méandres. Le résultat en est que le lit d'une rivière est toujours susceptible de modifier graduellement et lentement son cours, en se déplaçant de quelques mètres par année, parfois plus, parfois moins. Mais, lorsqu'un méandre a accentué sa courbe au point où la rivière coupe le pédoncule et fait de l'ancien lobe du méandre une île, le cours de la rivière peut alors se modifier en peu de temps (à l'occasion d'une crue importante, par exemple) sur des distances beaucoup plus grandes, plusieurs centaines de mètres et même plus.

Comme on l'a vu précédemment dans ce chapitre, cette situation a été prévue par la coutume internationale en matière de frontières. Lorsque le changement du cours d'une rivière est graduel, la frontière suit la rivière dans sa lente migration. Lorsque le changement est brusque et amène une délocalisation importante d'une partie du cours de la rivière, la frontière conserve son tracé antérieur à ce changement et se trouve, de ce fait, à créer une exclave* à l'intérieur du territoire voisin. Un exemple célèbre de ce genre d'incident a été celui d'importants changements intervenus dans le cours du Rio Grande qui sert de frontière entre le Mexique et les États-Unis ; des échanges de territoires sont intervenus entre les deux pays, après de longues négociations.

Effectivement, la rivière Saint-François et le Hall Stream sont des cours d'eau dont la géomorphologie est très instable et leurs méandres évoluent rapidement. De nombreuses coupures de méandres sont intervenues et ont formé plusieurs têtes de pont de part et d'autre de ces rivières, en application du principe que l'on vient d'évoquer. Ce type de situation, bien connu des géographes mais souvent loin des préoccupations des juristes, a amené les limologues à déplorer que les traceurs de frontières oublient de prévoir le coup lors de la rédaction des textes de délimitation. Stephen B. Jones a été clair là-dessus :

> Generally speaking, if shifting rivers are adopted as boundaries, some provision for shifting the boundary must be made. Otherwise the boundary ultimately becomes an imaginary line cutting back and forth across the actual river – a very difficult situation for border administration[4].

Ce genre de problèmes, en l'absence de prévision pour les résoudre, peut mener le Canada et les États-Unis à envisager de légères révisions à la délimitation de la frontière à la suggestion de la Commission frontalière, chargée de régler ce genre de problèmes qui ne demandent évidemment pas une révision de l'acte de délimitation de la frontière. Une entente de nature locale, entérinée par les gouvernements concernés, suffit. Soulignons ici que le gouvernement du Québec n'est pas représenté au sein de cette commission frontalière. Y a-t-il lieu qu'il le soit ? Comme l'intégrité territoriale du Québec, à ce niveau, se confond avec celle du Canada, il ne serait pas illogique que les gouvernements des États fédérés (provinces au Canada, États aux États-Unis) participent à ces instances.

Ce que nous venons d'évoquer au sujet du dynamisme morphologique des cours d'eau vaut d'ailleurs pour tout segment de frontière délimité par référence à un cours d'eau, quels qu'en soient le niveau et le type de référence au cours de la rivière. C'est ce type de dynamisme géomorphologique qui fait que, par exemple, des îles sont aujourd'hui désignées par des toponymes qui suggèrent qu'elles sont des presqu'îles, et inversement ; le cours du Richelieu et les îles de la Madeleine donnent plusieurs exemples de ce type de situation (sans que, dans ces cas, il s'agisse de frontières).

On a vu que le traité Webster-Ashburton a fixé le segment occidental de la frontière entre le Québec et les États-Unis au 45e parallèle de latitude nord. Or, il suffit de consulter les cartes topographiques à l'échelle de 1 : 50 000 pour réaliser que, sur une bonne partie de son tracé, la frontière internationale s'écarte de cette ligne géodésique. En fait, lors de la démarcation de la frontière à la suite du traité, on a retrouvé les marques placées sur le terrain lors des levés faits en 1771-1774, marques qui, sans doute à cause de l'imprécision des instruments utilisés à l'époque, ont été localisées de façon approximative. Le résultat en fut que la ligne frontière s'écarte jusqu'à environ un kilomètre de la vraie latitude de 45e, parfois au nord, parfois au sud. Il fut alors décidé de ne pas tenir compte de cet écart et de considérer la ligne établie comme « la vraie frontière ». Bien sûr, il n'y a pas lieu d'imaginer quelque rectification que ce soit sur cette base car on peut dire que le fait accompli tient lieu de délimitation valide.

Par ailleurs, un incident original est relié à la démarcation de cette portion de frontière. En 1816, les Américains, ayant en mémoire la bataille de Plattsburgh d'où ils étaient pourtant sortis vainqueurs en 1814, construisirent un fort à la limite septentrionale de leur territoire pour se protéger contre une éventuelle nouvelle attaque du Canada britannique. Ce fort, erronément appelé fort Montgomery (son vrai nom était fort Blunter), se révéla, lors d'un relevé exécuté par la suite, avoir été construit à environ un kilomètre au nord de la frontière. On l'abandonna, mais on le reconstruisit après que les commissaires eurent démarqué la frontière selon les indications du traité Webster-Ashburton. Ce fort est situé sur Island Point, près de la ville frontière de Rouses Point. L'intérêt quasi folklorique de cet incident fait pendant aux critiques qui, sans doute à tort, avaient accusé les commissaires chargés de la démarcation de la frontière de n'avoir pas toujours été (whisky aidant, a-t-on méchamment prétendu) en état de bien calculer la position des points de référence de la frontière.

Au total, la frontière méridionale du Québec est donc à peu près libre d'incertitudes. Il reste que la petite histoire qui a accompagné le parcours historique de cette frontière n'est pas exempte d'anomalies, davantage folkloriques qu'importantes. Certaines constructions sont situées à cheval sur la frontière internationale de sorte qu'elles se trouvent ainsi à être soumises à deux régimes juridiques et administratifs. C'est le cas de la Haskell Free Library et de la maison de l'Opéra à Stanstead. Les livres de la bibliothèque et la scène de l'Opéra étant situés du côté canadien, on a pu dire qu'on trouve là la seule bibliothèque américaine à ne pas avoir de livres et le seul opéra à ne pas avoir de scène. On peut aussi dire que c'est un des seuls endroits au monde où l'on peut lire à l'œil nu un livre situé dans un autre pays.

Dans cette même agglomération frontalière, un bâtiment a, durant un certain temps, servi de bureau de poste desservant les deux pays. L'originalité de ce bureau de poste international était de n'avoir qu'un seul maître de poste, mais deux portes et deux comptoirs postaux, chacun desservant la clientèle du pays où il se trouvait. Près de là, une portion de route est désignée par un odonyme* qui traduit sa position internationale, *Canusa*, les résidants d'un côté étant Américains, ceux de l'autre, Canadiens. Le poste d'essence qui s'y trouvait a constitué une forte tentation pour les locaux durant les périodes où le prix de l'essence variait considérablement d'un côté à l'autre de la frontière et, de ce fait, tenait les contrôleurs de la frontière assez occupés. On peut aussi citer le cas d'un hôtel situé à la fois à Dundee, Québec, et à Fort Covington, État de New York, où les boules d'une table de billard traversent la frontière des centaines de fois par jour. Un côté divertissant d'un problème sérieux.

La frontière entre le Québec et l'Ontario

Là où, à l'extrémité ouest du segment du 45e parallèle entre le Canada et les États-Unis, cette frontière atteint le Saint-Laurent, se situe le point de départ de la frontière entre le Québec et l'Ontario. À partir de ce vertex, cette frontière comprend, du sud au nord, cinq segments qui apparaissent sur la figure 17.

Ces segments offrent des problèmes de nature et d'importance fort différentes. La délimitation du secteur du lac Saint-François et du Saint-Laurent remonte aux xviiie et xixe siècles. Les textes de délimitation établissent la frontière soit le long du thalweg (le chenal principal du cours d'eau), soit à la ligne médiane (milieu) du lac. Il en est résulté que l'appartenance, au Québec ou à l'Ontario, de plusieurs îles était en litige. Cette question a été évoquée au chapitre 2.3 qui aborde la question des tenants et aboutissants des cours d'eau. À la suite des recommandations de la Commission d'étude sur l'intégrité du territoire du Québec en 1970, le Québec et l'Ontario se sont entendus, par la voie d'un projet d'entente pour en arriver à une solution, entente administrative qui reste toutefois bloquée à ce niveau, le gouvernement fédéral ayant refusé d'avaliser ce projet d'entente. Cette éventuelle devrait aussi être officiellement confirmée par un texte de délimitation définitif et une loi.

FIGURE 17
Les segments de la frontière Québec-Ontario

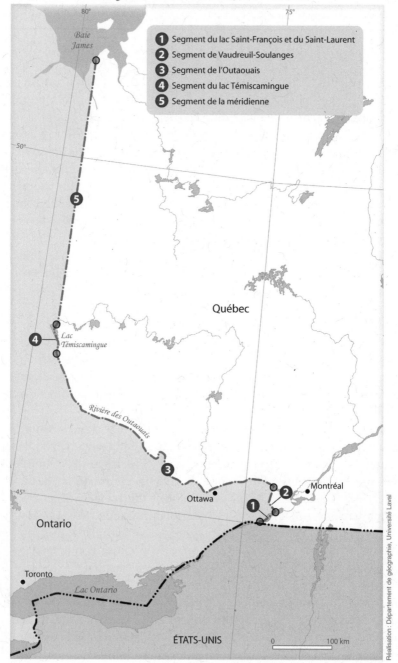

Réalisation : Département de géographie, Université Laval

Au nord du Saint-Laurent, la frontière Québec-Ontario, dans le secteur de Vaudreuil-Soulanges, suit des lignes droites établies par un arrêté en conseil britannique adopté en 1791. Des difficultés d'interprétation sont survenues subséquemment, mais les deux provinces se sont finalement entendues sur un tracé qui n'est plus remis en question.

Le segment de l'Outaouais est délimité et la frontière s'y trouve au milieu du chenal principal de la rivière, mais la frontière n'y est pas démarquée puisqu'il s'agit d'un espace liquide, de sorte qu'on pourrait penser qu'elle se situe nécessairement au milieu des ouvrages interprovinciaux comme les ponts et les barrages. Or, cela n'est pas automatiquement le cas puisque le milieu du chenal principal d'une rivière ne coïncide que rarement avec le milieu de la rivière. Or, il est bien évident, comme on l'a vu précédemment, que les segments successifs d'une frontière doivent se réunir en un point unique. Sinon, une personne pourrait, en tombant d'un pont, se retrouver dans la province voisine. Cela dit, cette situation peut être prévue et se régler facilement par voie d'entente bilatérale.

Quant au segment du lac Témiscamingue, certains textes de délimitation se réfèrent à la ligne médiane du lac, d'autres au chenal principal du lac, sans doute à cause du fait que des îles y sont situées en plein centre. Ce segment commence à l'extrémité sud du lac, d'où émane la rivière des Outaouais; plus précisément, c'est là qu'elle reprend son cours puisqu'elle prend sa source aux lacs Capimitchigama et des Outaouais, situés à près de 300 kilomètres en amont. En direction nord, le segment se termine à la tête du lac, à un point convenu entre les deux provinces comme lui servant d'aboutissant nord et d'où part le dernier segment de cette frontière vers le nord.

Le segment de la méridienne commence à la tête du lac Témiscamingue, s'étire le long de la coordonnée 79°31'W, à une centaine de mètres à l'est, et se termine, si on s'en tient au texte de l'article 2 de l'Acte constitutionnel de 1791, « à la limite de la baie d'Hudson » (alors que, manifestement, on voulait dire « de la baie James »). Cette ligne droite ne pose en soi aucun problème de démarcation puisque, au début des années 1930, elle a été démarquée à partir d'un point, situé à la tête du lac Témiscamingue, qui avait été précisément convenu entre les deux provinces.

Le segment de la méridienne se trouve à aboutir au point de trijonction entre les territoires du Québec, de l'Ontario et du Nunavut, dans la mesure où l'espace maritime que constituent les baies James et d'Hudson fait partie intégrante du territoire du Nunavut. Il s'est donc posé ici la même question que celle qui constituait l'incertitude relative à l'ensemble de la frontière septentrionale du Québec : le point de jonction des segments de la méridienne et de celui de la rive se situe-t-il sur la ligne des basses ou des hautes eaux ? Cette question, comme on l'a vu au chapitre 2.1, a reçu une réponse partielle qui a opté pour la ligne des basses eaux. Appliquée au point terminal du segment de la méridienne, cette question n'a toutefois qu'un impact tout à fait négligeable sur un espace de quelques centaines de mètres carrés seulement.

Tout compte fait, outre la question de la frontière dans le Saint-Laurent, même si les autres segments de la frontière ne sont pas litigieux, on peut quand même noter que des questions très secondaires se posent. Par exemple, comme le volume 2.1 du rapport de la CEITQ l'a illustré[5], la ligne méridienne croise à plusieurs endroits des cours d'eau, créant ici et là des têtes de pont*, des périclaves*, c'est-à-dire de petites portions de territoire qu'il n'est possible d'atteindre qu'en empruntant le territoire voisin, et cela dans les deux sens. Le Québec et l'Ontario pourraient éventuellement envisager la possibilité d'échanger ces petites portions de territoire, si la commodité des communications l'exigeait, dans cette région où, à vrai dire, la faiblesse de la population ne l'exige guère.

2.6.

La toponymie, outil et victime de la géopolitique

Toutes les frontières du monde sont définies, entre autres repères, par des références à des lieux nommés. Les frontières du Québec n'échappent pas à cette règle; les recours à des toponymes dans les différents textes de délimitation des frontières québécoises se comptent par dizaines. Le problème fondamental de cette pratique pourtant inévitable réside dans le fait qu'un toponyme désigne presque toujours un espace, parfois une ligne, presque jamais un point. Or, toute frontière est délimitée par des points (des vertex*) à partir desquels sont tirées des lignes qui constituent les divers segments des frontières. La toponymie est donc une référence à la fois obligée et potentiellement problématique car elle peut, par sa nature même, engendrer des imprécisions que les termes de délimitation doivent nécessairement prévoir et pallier.

Dans le choix des termes de délimitation, les décideurs de frontières sont souvent contraints d'utiliser des références géographiques qui, il faut le dire, ne sont que rarement d'une netteté absolue. Ils sentent souvent le besoin d'y ajouter des précisions qui parfois sont elles-mêmes incomplètes, ambiguës ou problématiques. Par exemple, entre les termes de la délimitation de la côte du Labrador dans l'Acte de 1825 («from the bay or harbour of Ance Sablon inclusive…») et le jugement du Comité judiciaire du Conseil privé («from the eastern boundary of the bay or harbour of Ance Sablon»), la différence apporte une précision additionnelle, mais elle laissait encore à d'autres le soin de déterminer précisément la frontière orientale de la baie de Blanc-Sablon.

Qui peut dire où précisément se situent les limites d'une baie? On l'a fait de façon officieuse lorsque, comme on l'a vu à la fin du chapitre 2.2, le ministère des Terres et Forêts du Québec a apposé une plaque intitulée «borne altimétrique» à quelques centaines de mètres du littoral, à un endroit qui peut être considéré comme étant situé sur la ligne sud-nord formant frontière entre les deux provinces selon la loi de 1825 ou à sa proximité. En l'absence de contestation, cet abornement peut être considéré comme une référence valide, mais sans plus, dans la mesure où l'on considère que l'attitude des gouvernements concernés se trouve à exprimer leur acceptation de cette borne de référence comme la matérialisation indirecte d'une reconnaissance convenue (mais partielle) de la frontière.

Il en va tout autrement pour la frontière septentrionale du Québec qui a été, jusqu'en 1975, soumise à une imprécision d'envergure dont il a été question au chapitre 2.1. On a vu que se référer tout simplement à « la rive » pour fixer une frontière, c'est faire preuve d'une surprenante ignorance du caractère naturellement flou et mouvant de cette réalité géographique, surtout dans des régions où les marées se balancent sur des estrans dont la superficie totalise des centaines de kilomètres carrés. En fait, l'imprécision des termes de délimitation de cette frontière a été partiellement, mais seulement partiellement, résolue par l'option qui fut faite relativement à la référence à la « ligne de basse mer ». Mais, cette précision, comme déjà dit, ne résout absolument pas la question de savoir où précisément sera tirée la ligne frontière entre le Québec et le Nunavut. L'incertitude qui affecte cette zone a une forte incidence sur la gestion toponymique du littoral septentrional du Québec puisque, l'appartenance de centaines d'îles étant incertaine, on ne peut désigner de façon sûre et définitive l'autorité toponymique ayant la compétence pour leur attribuer des noms. Une longue zone d'incertitude toponymique entoure donc le territoire septentrional du Québec.

On a aussi vu que se référer « au milieu du lac Saint-François » et « au milieu du grand chenal du fleuve Saint-Laurent » posait, outre l'identification précise de la ligne médiane, le double problème de l'identification du point où le fleuve devient lac et où celui-ci redevient fleuve. Ce problème tient au fait que les deux segments ainsi définis ne peuvent logiquement coïncider puisque, sauf rarissime exception, le milieu du chenal principal d'un cours d'eau ne coïncide pas avec le milieu du cours d'eau. Heureusement, des négociations ont eu lieu entre les deux gouvernements provinciaux concernés et l'on a pu suppléer aux imprécisions des termes de la délimitation initiale en élaborant une définition détaillée d'un tracé qui pourra, le cas échéant, devenir la délimitation officielle de ce tronçon de frontière[1]. Comme quoi, au-delà des imprécisions des actes de délimitation, des solutions peuvent être apportées si les écarts entre les positions des parties ne sont pas de grande envergure.

Quant à la « source de la rivière Romaine », cette phraséologie met en lumière l'utilité, pour les autorités toponymiques, de définir la localisation des cours d'eau non seulement à partir de leur embouchure, mais aussi jusqu'à leur source. Pratiquement tous les cours d'eau ont plusieurs sources, mais, pour plusieurs raisons, une seule devrait porter le nom désignant l'ensemble du cours d'eau. Or, en réalité, cette précision est rarement établie et consignée, ce qui remet aux autorités politiques le soin de déterminer, aux fins de la démarcation des frontières, à laquelle des sources ont voulu se référer les auteurs de la délimitation frontalière. On sait que, dans le cas de la rivière Romaine, ce sont les autorités fédérales qui ont procédé à ce choix. Il n'est pas fautif, mais mentionnons seulement que le Québec n'a pas été partie à cette décision du fait que le segment de la rivière Romaine, comme celui du 52ᵉ parallèle, n'est pas officiellement reconnu par le Québec comme faisant partie de la frontière interprovinciale.

En fait, la rivière Romaine est liée dans sa totalité à un problème d'incertitude toponymique. Voici comment. Les juges du Comité judiciaire du Conseil privé qui ont entendu la cause de la frontière au Labrador en 1926 se sont retrouvés dans une impasse cartographique qui risquait d'entacher leur conclusion d'illogisme. Ils ont dû recourir à une prétendue erreur toponymique des rédacteurs de la Proclamation royale de 1763 qui avaient fixé la frontière du gouvernement de Québec à la *rivière Saint-Jean*. Pour ramener leur jugement dans le chemin de la logique, ils ont décidé rétroactivement que les rivières Romaine et Saint-Jean avaient alors été confondues. On peut dire que cet élément est le plus fragile de leur chaîne argumentaire, car les absents ont toujours tort et il est facile de leur attribuer des erreurs non vérifiables. C'est ce qui nous a fait dire, en diverses circonstances, que la toponymie est souvent complice involontaire de la politique et du droit.

On peut donc constater, par ces quelques exemples, que la précision toponymique se situe en amont de la délimitation des frontières pour laquelle elle doit servir à localiser précisément les vertex* des différents segments. Mais on a vu que la question toponymique se situe aussi en aval de la délimitation frontalière car la position exacte d'une frontière établit la limite territoriale de la compétence des autorités toponymiques qui doivent baptiser les accidents géographiques qui se trouvent dans les régions concernées. À cet égard, la toponymie se situe sur le même pied que toutes les autres compétences de l'État, à cette différence près que les accidents géographiques sujets à désignation toponymique peuvent se trouver en position transfrontalière, une situation qui ne se retrouve pas dans d'autres champs de compétence.

Les organismes internationaux de normalisation toponymique (dont surtout le Groupe d'experts des Nations Unies pour les noms géographiques et les Conférences des Nations Unies pour la normalisation des noms géographiques) ont proposé des règles qui permettent de résoudre la question que nous venons d'évoquer, dès qu'il s'agit d'accidents géographiques et non de divisions administratives ou de territoires politiques. Il n'y a pas lieu ici d'entrer dans ces détails techniques. Mentionnons seulement, à titre d'exemple, qu'il n'y a aucun problème à ce que le sommet du Québec dans les Torngat, qui se trouve à être aussi le sommet de la province voisine, soit désigné au Québec par le toponyme *mont d'Iberville* et, chez nos voisins, par le toponyme *Mount Caubvik*, ou que la *rivière des Outaouais* soit désignée, en Ontario, par le toponyme *Ottawa River*.

Ce qui importe, c'est de constater que les portions de territoires administratifs faisant l'objet de revendications ou d'incertitudes entre États voisins sont souvent désignées par ceux-ci de façons différentes, ce qui nourrit et entretient ces incertitudes et, parfois même, donne des arguments à l'une ou l'autre des parties. Au niveau international, les cas du Belize (ex-Honduras britannique) et de la Macédoine (que la Grèce a convaincu l'ONU de désigner sous le nom de FYROM, *Former Yugoslav Republic of Macedonia*) en sont des exemples.

Revenons au Québec et citons le cas de la désignation des divisions administratives dont les limites contredisent les positions de l'État voisin. Deux cantons du Québec, Lislois et Normanville (peut-être trois, le canton de Basset se trouvant sur un des tracés possibles de la ligne de partage des eaux), chevauchent la ligne de partage des eaux qui forme la frontière interprovinciale. C'était aussi le cas de la circonscription électorale de Duplessis et de son exclave de Schefferville telles qu'elles avaient été définies en 1960 par la Loi concernant la division territoriale de la province[2] qui créait la circonscription électorale de Duplessis en précisant que ce district comprenait, entre autres, un territoire rectangulaire défini de telle sorte qu'il chevauchait en deux endroits la ligne de partage des eaux qu'une loi québécoise antérieure, la Loi pour faciliter le développement minier et industriel dans le Nouveau-Québec[3], avait pourtant reconnue comme la frontière entre le Québec et la province de Terre-Neuve. Ces contradictions sont évidemment liées à la solution définitive concernant la localisation de la frontière interprovinciale qui se trouvera naturellement à établir en même temps les limites de ces divisions administratives dont il sera alors nécessaire de revoir la définition spatiale.

Plus complexe est la question, déjà évoquée, de la désignation toponymique des îles littorales le long de la frontière septentrionale du Québec. Mais le problème n'est toponymique qu'à travers l'aspect géopolitique de la question. Celui-ci comporte deux volets. Le premier concerne l'incertitude qui règne encore et toujours au sujet de la démarcation de la frontière à partir du principe des lignes de base droites*. Cet aspect a été traité au chapitre 2.1. Selon la manière dont ce principe sera effectivement appliqué, des centaines d'îles pourront se retrouver en deçà ou au-delà des frontières septentrionales du Québec, ce qui permettra d'établir quelle autorité toponymique a la compétence requise pour nommer officiellement les centaines d'îles concernées. En attendant, double incertitude!

En vertu de la philosophie qui inspire les travaux de la Commission de toponymie du Québec, les toponymes doivent refléter l'usage local, dans la mesure où il est cohérent, non contradictoire et qu'il respecte les normes et les critères adoptés par la Commission. Dans ce cas, il restera à vérifier, par un inventaire de terrain, si les Inuits du Nunavik et ceux du Nunavut désignent les îles de la même manière, car il ne faut pas oublier, et c'est là le deuxième volet de l'aspect géopolitique de la question, que la délimitation de cette frontière fait en sorte qu'un grand nombre d'îles fréquentées et utilisées par les Inuits du Nunavik font administrativement partie du Nunavut, une aberration dont il est question au chapitre 2.1 et qui a été récemment confirmée par l'entente intervenue entre le gouvernement fédéral et les Inuits du Nunavik[4] par-dessus la tête du gouvernement québécois sinon dans son dos, mais, peut-on dire aussi, grâce à sa complaisance.

La toponymie constitue à divers égards une référence incontournable en matière de définition des frontières, tant au niveau de la délimitation et de la démarcation des tracés qu'à celui de l'utilisation de l'expression toponymique pour appuyer ou contester des revendications territoriales. La scène internationale nous en fournit une large variété d'exemples. Durant de nombreuses années, il était interdit d'importer en Pologne toute cartographie indiquant les noms allemands des villes des « territoires recouvrés » au lendemain de la Seconde Guerre mondiale; nous l'avons personnellement expérimenté. On a aussi cité le cas de l'interdiction par la Chine d'utiliser sur son territoire un jeu vidéo suédois représentant la Mandchourie et le Tibet comme séparés de la Chine par une frontière. Ce sont là des cas limites peut-être, mais ils illustrent bien le caractère sensible de la toponymie dès qu'elle peut être interprétée comme prenant parti dans un différend territorial. Ces attitudes confirment la portée géopolitique de la toponymie.

On peut se demander comment il se fait que cette sensibilité à l'importance géopolitique de la toponymie soit si absente des préoccupations gouvernementales chez nous. Un exemple flagrant de ce constat se retrouve dans l'acceptation, consciente de la part du gouvernement fédéral et semble-t-il inconsciente de la part de celui du Québec, du changement de nom de la province de Terre-Neuve en celui de « Terre-Neuve-et-Labrador ». Pourtant, cette maldonne constitue une erreur des points de vue historique, géographique, toponymique, juridique et politique.

Il est rare qu'une erreur aussi grossière soit consignée dans une constitution, avec la collusion de tous les gouvernements concernés (y compris, en l'occurrence, celui du Québec!). Et pourtant, c'est le cas. Pour y voir clair, il convient de remonter à l'origine de l'« affaire du Labrador ». Lorsque le Canada et le Québec ont réalisé que les Terre-Neuviens allaient exploiter les richesses forestières du Labrador intérieur, ils réagirent et, après des négociations infructueuses, décidèrent, en accord avec le gouvernement terre-neuvien, de porter la cause au Comité judiciaire du Conseil privé de Londres. Il s'est alors agi de déterminer la frontière intérieure de la *côte du Labrador*, non du *Labrador*, ce que les juges du Conseil privé ont clairement exprimé en précisant que :

> [...] the question to be determined is, not whether Newfoundland possesses territory upon the peninsula of Labrador, but what is the inland boundary of that territory[5],

s'appuyant ainsi sur les termes de référence de l'arbitrage qui étaient tout aussi clairs à cet égard :

> What is the location and definition of the Boundary between Canada and Newfoundland in the Labrador Peninsula under the Statutes, Orders-in-Council and Proclamations?[6]

Finalement, le texte de la sentence arbitrale n'a laissé aucun doute sur le fait qu'elle reconnaissait qu'une partie du Labrador, *sa côte*, relevait de Terre-Neuve :

> [...] the boundary between Canada and Newfoudland in the Labrador Peninsula is a line drawn due north...[7]

On le voit bien, la question n'était pas de définir « la frontière du Labrador », comme le suggère cette expression simplificatrice, mais bien d'établir quelle était la ligne qui séparait la *côte du Labrador* du *Labrador intérieur* dont une portion fait partie du territoire québécois, ce qui est reconnu, comme il est normal, par la Commission de toponymie du Québec qui a officialisé le toponyme *péninsule du Labrador*[8].

La plus grande partie des textes soumis à l'attention des juges a d'ailleurs porté sur la définition du terme *côte*, qui constituait le cœur de la question qui leur était soumise. Le jugement du Comité judiciaire du Conseil privé a donc, selon son mandat, établi la frontière intérieure de la *côte du Labrador* et c'est le nom que ce territoire devrait porter pour respecter le droit, l'histoire, la géographie et la toponymie.

Par glissement de sens progressif, la *côte du Labrador* est devenue *le Labrador*, phénomène qui tient à plusieurs facteurs dont celui que l'on peut appeler «la paresse toponymique» qui consiste à simplifier les toponymes, ce qui est courant au niveau de l'usage populaire. Ainsi, sur la Côte-Nord et au Labrador terre-neuvien, la population se réfère allègrement au «Labrador» pour désigner «la côte du Labrador». Ce qui est intéressant de noter, c'est que les sources toponymiques les plus fiables (atlas, cartes, etc.) font la nette distinction entre *la côte du Labrador* et *le Labrador*, deux réalités géographiques aussi différentes que le sont les *côtes de la Nouvelle-Angleterre* et la *Nouvelle-Angleterre*. La *côte du Maine* n'est quand même pas *le Maine*.

Le changement de nom de la province de *Terre-Neuve* en *Terre-Neuve-et-Labrador* est inepte à plus d'un point de vue. Évacuons d'abord l'argument qui veut que la province voisine ne peut pas utiliser le terme *Labrador* parce que «le Labrador appartient au Québec»; historiquement autant que juridiquement, cet argument n'a aucune valeur. Le problème n'est pas là. Depuis 1949, Terre-Neuve est une province canadienne, un territoire qui comprenait, depuis 1927, une partie du Labrador, à savoir *la côte du Labrador*. Le toponyme *Terre-Neuve* (générique: province) désignait donc dès lors l'ensemble que constituaient l'*île de Terre-Neuve* et la *côte du Labrador*. De ce fait, l'adjonction de «and Labrador / et Labrador» est tout à fait superfétatoire. Ne trouverait-on pas étrange que l'État français change son nom pour *France-et-Corse* ou que le Québec adopte une nouvelle désignation officielle *Québec-et-Anticosti* et, à la limite, *Québec-et-Labrador*, ce qui serait tout aussi justifié que l'appellation *Terre-Neuve-et-Labrador*? À la rigueur, pour calmer les appréhensions de ceux qui craignent que le Québec n'envahisse la «côte du Labrador», la 10e province aurait pu s'appeler *Terre-Neuve et côte du Labrador*, à la manière du *United Kingdom of Great Britain and Northern Ireland*...

On peut comprendre que le gouvernement terre-neuvien ait voulu affirmer au moyen de la toponymie sa souveraineté sur la côte du Labrador, mais il n'était ni nécessaire ni bien indiqué de le faire en contredisant le droit, la géographie, l'histoire et la toponymie. Le plus étonnant est que les trois gouvernements concernés (Ottawa, St. John's et Québec) n'aient rien vu ou n'aient rien voulu voir de cette incohérence.

On peut en conclure que l'incertitude qui grève le territoire québécois a aussi affecté la désignation des territoires qui l'entourent. On le voit, la toponymie, qui constitue un outil indispensable à la gestion du territoire, peut aussi devenir une victime involontaire de la politique, qui ne manque pas de l'utiliser à ses fins dès qu'elle en a l'occasion, ce qui est malheureusement loin d'être rare[9].

FIGURE 18

La maldonne toponymique du Labrador

1. La réalité géographique et toponymique avant le changement de nom

2. L'ambiguïté créée par le changement de nom

3. La désignation normale

Réalisation : Département de géographie, Université Laval

2.7.

Incertitudes potentielles et hypothétiques

AU-DELÀ DE TOUTES LES IMPRÉCISIONS et incertitudes auxquelles se heurte la délimitation des frontières du Québec, il demeure que, pour ce qui est déterminé, la constitution canadienne prévoit que les frontières d'une province ne peuvent être modifiées sans le consentement de celle-ci, comme l'établit l'article 3 de la Loi constitutionnelle de 1871. Toutefois, l'accession éventuelle du Québec à la souveraineté, tout hypothétique qu'elle soit, a suscité des prises de position diverses, voire opposées, à l'égard de la remise en question des frontières d'un Québec souverain. Même située en marge de notre propos, cette « incertitude à deux étages » (puisqu'il s'agit d'une incertitude découlant d'une autre incertitude) mérite quelques réflexions.

Pour illustrer la brume qui enveloppe les propos tenus par des personnes pourtant politiquement très responsables, citons deux déclarations qui en disent long sur le dialogue de sourds qu'inspire cette question. Un ministre québécois, considérant comme non avenue une remise en question des frontières du Québec advenant sécession, signalera au passage, lors d'une déclaration faite à l'Assemblée nationale le 12 novembre 1997, que « le Québec possède un territoire aux frontières précises et délimitées[1] ».

Par ailleurs, au sujet de l'hypothèse souverainiste, le premier ministre du Canada, P. E. Trudeau, émettait le principe suivant : « Si le Canada est divisible, le Québec l'est aussi. » Un tel principe, énoncé sans les nuances et les conditions qui s'imposent, tient du sophisme. Il a pourtant été repris tel quel par son successeur Jean Chrétien et, en écho, par Stéphane Dion. Jean Chrétien écrivait ceci :

> Soyons logiques, si le Québec peut se séparer du Canada, pourquoi les régions anglophones ou les Premières Nations du nord du Québec ne pourraient-elles pas décider de rester dans le Canada[2] ?

Force nous est de constater que la déclaration du ministre québécois est manifestement contraire aux faits, alors que celles des ministres fédéraux ne reposent sur aucune règle clairement consignée dans les annales du droit international, surtout lorsque M. Chrétien utilise un critère linguistique pour justifier une éventuelle sécession. Un exemple récent d'un cas de figure analogue, celui du dépeçage de la Géorgie nouvellement indépendante avec l'appui de l'ancienne métropole, nous a été fourni à l'occasion du récent conflit russo-géorgien. La mission internationale commandée par l'Union européenne pour juger de ce conflit a rejeté dans des termes clairs le raisonnement de MM. Chrétien et Dion :

> According to the overwhelmingly accepted uti possidetis principle, only former constituent republics such as Georgia but not territorial sub-units such as South Ossetia or Abkhazia are granted independence in case of dismemberment of a larger entity such as the former Soviet Union. Hence, South Ossetia did not have a right to secede from Georgia, and the same holds true for Abkhazia for much of the same reasons[3].

C'est toute la question du « partitionnisme » qui est alors soulevée. À vrai dire, le discours « partitionniste » existe depuis longtemps au Canada anglais. Son usage répandu a fait en sorte que cet anglicisme est aussi entré dans le vocabulaire québécois et désigne aujourd'hui « le démembrement du territoire d'une nation engagée dans un processus d'accession à la souveraineté[4] ». La thèse partitionniste veut qu'un Québec éventuellement souverain ne serait plus délimité selon les bases géographiques de ses frontières actuelles mais devrait l'être selon des critères ou, du moins, des considérations d'ordre linguistique, ethnique, économique ou autre. Ainsi, une région ou une division de recensement, à la limite une ville dont la population aurait voté *non* à un référendum sur la souveraineté, pourrait se détacher du territoire du Québec.

Dès lors, c'est ainsi poser la question de la divisibilité ou de l'indivisibilité de l'État du Québec et de son territoire. Bien sûr, on peut toujours dire en toute logique apparente que, si un territoire est divisible, chacune de ses parties l'est aussi, que, si une ville est divisible, chacun de ses quartiers l'est aussi, et ainsi de suite jusqu'à dire l'inverse à savoir que, si un territoire est divisible, un territoire plus vaste qui le contient l'est également. À vrai dire, cette vue simpliste des choses ne s'appuie que sur une logique apparente. Il faut dire que le droit à l'autodétermination est l'apanage des peuples et des nations et non celui d'une fraction de territoire, d'une région administrative ou d'une municipalité. Ces portions de territoire ne constituent que ce que l'on pourrait appeler « l'intermédiaire géographique » entre la nation qui revendique une reconnaissance politique et la reconnaissance effective de son territoire comme réalité politique indépendante. Mais il faut aussi noter que, si la reconnaissance de l'existence d'une *nation québécoise* a quelque contenu, elle pourrait bien constituer le lien autrement manquant avec le droit à l'autodétermination. On pourrait gloser longtemps sur cet aspect de la question. Contentons-nous, puisque c'est la limite que nous nous sommes imposée, de constater l'incertitude qu'elle recèle.

Le discours partitionniste existe et il constitue une incertitude territoriale potentielle. Certaines manifestations de ce discours se logent à l'enseigne de la géopolitique-fiction. Par exemple, l'idée voulant qu'une municipalité ayant voté *non* à un référendum sur la question ne serait pas liée par un résultat général affirmatif frise le ridicule. Cela n'a pas empêché la municipalité de Shawville, dans l'ouest du Québec, et quelques autres d'adopter une résolution en ce sens. La position partitionniste a aussi fait titiller l'imagination d'un auteur qui a proposé divers scénarios qui allaient de la délimitation d'un corridor reliant l'Ontario aux provinces maritimes jusqu'à une réduction du territoire québécois à la plaine du Saint-Laurent, et encore[5]… Il n'y a pas lieu de s'arrêter à ces jeux de géopolitique-fiction, d'autant plus que d'autres situations moins claires constituent des incertitudes qu'il importe d'étudier beaucoup plus sérieusement. On pense à l'adage romain *de minimis non curat pretor* («le préteur ne s'occupe pas de propos insignifiants»).

Regardons quand même l'argument de base de la position partitionniste qui concerne le territoire ajouté au Québec en 1912; nous en avons parlé au chapitre 2.1. Pour les tenants de cette position, ce territoire demeurerait au sein du Canada advenant la sécession du Québec car celui-ci ne le possédait pas lors de son entrée dans la fédération canadienne en 1867[6]. Ils invoquent le fait que ce territoire a été rattaché au Québec en tant que province canadienne en 1912 et que, si le Québec devait quitter le Canada, il devrait abandonner l'idée de conserver celui-ci. Selon le constitutionnaliste José Woerhling[7], les arguments qui sont alors soulevés sont de nature politique et n'ont qu'une valeur bien relative sur le plan juridique. Il faut dire que le partitionnisme est davantage qu'un enjeu, il est aussi une arme de négociation pour ses adeptes, d'une part, et des autochtones, essentiellement cris et inuits, d'autre part, chacun utilisant cette référence à ses propres fins.

La thèse partitionniste soulève une question fondamentalement importante au niveau du droit international qui a édicté un principe aujourd'hui largement reconnu, le principe de l'*uti possidetis*. Élaboré au XIXe siècle lorsque diverses colonies de l'Amérique latine ont accédé à la souveraineté, réaffirmé en 1964 par la Charte de l'Organisation de l'unité africaine, puis de nouveau lors du démembrement de l'ex-Yougoslavie, ce principe veut qu'un territoire nouvellement indépendant conserve les mêmes dimensions et les mêmes frontières qu'avant son indépendance.

D'aucuns estiment cependant que le principe de l'*uti possidetis*, issu de la décolonisation, n'est pas automatiquement applicable aux situations non liées à la décolonisation. Une étude pénétrante de la question a été présentée à un colloque entièrement consacré aux questions de frontières en 1979. Le professeur J. de Pinho Campinos[8] a clairement montré les incertitudes qui affectent ce principe, bien qu'il ait été très largement évoqué et appliqué à l'échelle mondiale, incertitudes qui découlent du fait que ce principe constitue à la fois une théorie juridique et un instrument politique, en plus du fait d'être instrumentalement relié au principe du droit des peuples à disposer d'eux-mêmes et à celui de l'intégrité territoriale.

Cette question est revenue dans l'actualité lors de l'adoption de la loi fédérale dite de la «clarté référendaire» en 2000[9] alors que l'article 3 de cette loi prévoit la négociation du tracé des frontières du Québec advenant un oui «acceptable» à la souveraineté lors d'un référendum. Mais il s'agit là d'une loi adoptée de façon unilatérale par le Parlement fédéral et dont la légitimité est mise en doute par certains, du fait qu'elle ne tient pas compte des dispositions de la constitution canadienne en matière de frontières. Il faut dire que le gouvernement fédéral a dit s'appuyer sur un avis rendu par la Cour suprême du Canada en 1998[10], lequel avait alors évoqué la possibilité que la question des frontières actuelles du Québec soit soulevée mais sans toutefois se prononcer sur cette question qui n'avait d'ailleurs pas été posée clairement en ces termes.

Dans son ouvrage consacré à l'intégrité territoriale, Philippe Chrestia, après avoir illustré les vertus du principe de l'*uti possidetis*, évoque une des faiblesses inhérentes à son application, qui devrait être prise en compte dans l'évaluation des incertitudes affectant l'intégrité territoriale du Québec. Il écrit:

> L'application de l'uti possidetis trahit en revanche ses faiblesses lorsque les anciennes lignes administratives, devenues frontières internationales, étaient mal ou arbitrairement définies. Dans ce cas, l'uti possidetis se heurte à l'efficacité de la possession et risque de cristalliser les tensions davantage qu'il ne les réduit comme c'est sa vocation[11].

À l'initiative de l'Université libre de Bruxelles, un colloque a été organisé sur le thème de l'applicabilité du principe de l'*uti possidetis* dans diverses situations qui ont pu, à l'occasion, être comparées au cas d'une éventuelle sécession du Québec. Ce colloque a donné lieu à un ouvrage fort utile sur la question[12]. Le rapporteur général, le professeur Jean-Pierre Cot, souligne d'entrée de jeu qu' il ne fait aucun doute que les principes juridiques protecteurs de la stabilité territoriale s'appliquent à la délimitation administrative transformée en frontière internationale, ce qui relativise les oppositions sur la nature même du principe[13].

Mais il faut dire que les opinions émises à l'occasion de ce colloque étaient très partagées quant à l'applicabilité universelle du principe de l'*uti possidetis*. La communication qui analysait le cas particulier du Québec, présentée par Mᵉ Carol Hilling concluait :

> Un certain nombre de facteurs juridiques, relevant tant du droit canadien que du droit international, révèlent les difficultés d'application du principe de l'uti possidetis tel que défini dans le cadre de la décolonisation au cas de l'éventuelle accession du Québec à l'indépendance[14].

L'argument principal de cette position repose sur la volonté exprimée par les peuples autochtones de continuer à faire partie du Canada, ce qui ramène le débat à la question de la compatibilité du principe de l'*uti possidetis* avec celui du *droit des peuples à disposer d'eux-mêmes*. Or, cette question n'a pas encore trouvé de réponse applicable uniformément. L'auteure y va d'un conseil dont il y a lieu de ne pas négliger l'importance :

> Si le Québec souhaite conserver l'intégralité de son territoire provincial après l'indépendance, il a tout intérêt à négocier, dès maintenant, avec les peuples autochtones pour obtenir leur accord[15].

Nous ne pouvons ici nous empêcher d'établir un lien entre ce constat et ce que, au chapitre 4.3, nous aurons l'occasion de qualifier d'*occasion manquée*, en nous référant aux négociations tenues entre les Inuits du Nunavik et le gouvernement fédéral concernant l'utilisation des îles littorales relevant du Nunavut. Personne ne peut nier, en effet, que la délimitation des frontières est liée intimement au statut des territoires concernés (sujets de droit international ou non) et à celui des populations qui les habitent (statut de majorité ou de minorité) de même qu'au principe du droit des peuples à disposer d'eux-mêmes. Au terme de son étude sur le principe de l'*uti possidetis*, la juriste Suzanne Lalonde conclut à la non-applicabilité automatique du principe au cas de sécession du Québec, en faisant le lien avec une considération déjà évoquée par Carol Hilling relativement aux droits des autochtones :

> A flexible uti possidetis principle would allow a consideration of alternatives to take into account minorities trapped within the new states and the respect of human rights[16].

Elle ajoute une conclusion générale qui fait de la question un élément additionnel dans la liste des incertitudes qui alourdissent la question territoriale québécoise :

> If the "colonial uti possidetis principle" is to be a guiding principle in resolving current and future territorial disputes, the basis for its application in such situations must be clarified. Uti possidetis represents a valid option, not a binding solution imposed under the mantle of custom.

Le gouvernement du Québec, tous partis politiques confondus, a toujours considéré le territoire québécois comme indivisible, quelle que soit l'évolution de son statut politique. Cette position a été clairement énoncée dans une brochure publiée par le gouvernement du Québec, intitulée *Le Québec et son territoire*[17]. Les argumentations de nombreux juristes, il faut le reconnaître, viennent ébranler la confiance absolue qu'on a, un temps, vouée à la force de ce principe dans le cas d'une éventuelle sécession du Québec. On sait cependant que la politique a parfois raison des raisonnements juridiques confortés par leur propre logique. Serait-ce cynique ou réaliste de dire : *le juridique propose, le politique dispose ?*

Cela dit, les incertitudes qui entourent l'application éventuelle du principe de l'*uti possidetis* en cas de l'hypothétique changement de statut de l'État du Québec recèlent l'intérêt de mettre en lumière la nécessité de s'attaquer aux incertitudes qui grèvent aujourd'hui l'intégrité territoriale du Québec. Nous n'avons aucune prétention à privilégier, ici comme ailleurs dans le présent ouvrage, l'une ou l'autre des solutions possibles pour en finir avec ces incertitudes. Des juristes en ont étudié certains aspects, par exemple la question du statut du golfe du Saint-Laurent, examinée par Jacques Brossard[18]. François Loriot, dans son étude faite pour la CEITQ[19], de même que Georges Labrecque[20] se sont aussi interrogés sur l'éventuel statut du golfe advenant indépendance politique du Québec.

Plus d'une hypothèse se présenterait alors. Comme il s'agit là d'incertitudes hypothétiques, nous n'en discuterons pas ici, en espérant que spécialistes et décideurs y attachent toute l'importance qu'elles méritent et trouvent des avenues réalistes pour parvenir à démêler l'écheveau politico-juridique dans lequel le territoire québécois est embourbé depuis longtemps. En effet, il est bien évident qu'advenant un changement de statut étatique du Québec les questions territoriales traitées dans les autres chapitres de notre ouvrage feraient naturellement l'objet de négociations, sinon de différends ouverts. Des théoriciens de la prospective, en jouant les stratèges, pourraient même voir là l'occasion de forcer le règlement de ces ambiguïtés territoriales. Il ne serait pas très sage d'attendre cette éventualité pour agir.

2.8.

Le bilan des incertitudes horizontales

LES SOCIÉTÉS CONTEMPORAINES se sont dotées de territoires dont elles ont cherché à délimiter l'étendue par l'établissement de limites localisées le plus précisément possible dans leurs assises géographiques. Même les quelques sociétés pratiquant encore le nomadisme dans certaines régions du monde le font d'ailleurs souvent à l'intérieur de territoires délimités par les autorités administratives ou gouvernementales qui les encadrent. La précision avec laquelle ces autorités en sont parvenues à définir spatialement leurs territoires respectifs donne la mesure du contrôle effectif qu'elles peuvent exercer sur ces espaces.

Cette évidence est illustrée à la fois par le nombre astronomique de conflits territoriaux qui ponctuent l'histoire du monde et, par voie de conséquence, par un développement très poussé des études juridiques, géographiques, géopolitiques et géodésiques sur les différents aspects de la délimitation et de la démarcation des frontières. Contrairement à ce que suggère l'expression « la fin des territoires », expression ambiguë et inutile s'il en est une et heureusement vite passée de mode, le constat de la déterritorialisation de plusieurs aspects du monde contemporain n'entame en rien la nécessité de ces études. Leur utilité réside dans la recherche de procédures visant à établir une relation claire et stable entre des communautés et leur territoire, en tenant compte de la même relation qui lie les communautés voisines à leur territoire. En d'autres termes, la limologie est une science utile en ce sens qu'elle permet de comprendre la complexité de ce type de relations, de recenser les facteurs qui interviennent pour affecter l'équilibre recherché et d'utiliser l'information ainsi obtenue pour contribuer à assurer et, le cas échéant, rétablir cet équilibre, indispensable pour le bonheur des sociétés concernées.

Il est donc justifié de mener une réflexion sur les failles susceptibles de menacer cet équilibre car, l'histoire le prouve de façon éclatante, tout conflit territorial pèse lourd sur la qualité de vie des communautés et des peuples concernés. Nous avons tenté, dans les chapitres précédents, de dresser un constat des incertitudes qui ponctuent le territoire québécois, dont certaines représentent des enjeux très importants, dans les domaines politique, économique et social.

Globalement, on peut dire, sans aucun risque d'exagération, qu'au regard de l'état de délimitation et de démarcation des segments de frontières qui entourent le territoire québécois, celui-ci est le plus imparfaitement délimité de tous les territoires nord-américains. Quand on sait que la frontière canado-américaine de même que les frontières entre les États qui forment les États-Unis sont pratiquement toutes définies au mètre près, on peut évaluer le retard que nos territoires accusent sur le plan de leur définition spatiale.

Il convient, à cette étape-ci de notre analyse, de dresser un résumé des incertitudes qui grèvent la définition spatiale du territoire québécois, ce que nous avons convenu d'appeler la dimension horizontale de l'intégrité du territoire québécois. La multiplicité des segments de frontière concernés et la variété des questions qui s'y rapportent suggèrent de présenter cette problématique de façon schématique. Le tableau ci-joint veut en faire la synthèse.

Ce tableau illustre la complexité des incertitudes qui grèvent la définition territoriale du Québec. Les éventuelles études détaillées des questions qui se posent dans ce contexte auront avantage à se référer aux pratiques précises reconnues en matière de frontières internationales selon les types d'assises géographiques des frontières qui peuvent être appliquées *mutatis mutandis* aux frontières internes des États fédérés.

TABLEAU 2

Les incertitudes relatives aux frontières du Québec

Frontière au Labrador

Segment	Délimitation	Démarcation	Incertitude
Blanc-Sablon/52ᵉ parallèle	Établi par la loi de 1825.	Une borne altimétrique a été fixée à proximité de la ligne. Celle-ci n'a pas le statut de borne frontière.	Des cartes officielles du Québec le contredisent en l'écourtant de quelques kilomètres pour faire le joint avec la ligne de partage des eaux.
Le 52ᵉ parallèle	Établi par la décision du Conseil privé. Non accepté par Québec.	Aucune démarcation.	Le Québec s'appuie sur la notion d'*ultra petita* pour ne pas reconnaître ce segment.
La rive orientale de la rivière Romaine jusqu'à sa source	Établi par la décision du Conseil privé. Non accepté par Québec.	Aucune démarcation.	Le Québec s'appuie sur la notion d'*ultra petita* pour ne pas reconnaître ce segment. Si le Québec reconnaissait la validité du jugement de 1927 quant à ce segment, resterait à savoir si la rive est aux hautes eaux ou aux basses eaux; mais la différence est tout à fait minime.
De la source de la rivière Romaine à la ligne de partage des eaux	Établi par la décision du Conseil privé sans toutefois déterminer la source.	Aucune démarcation.	Les services cartographiques fédéraux ont déterminé la source de la rivière Romaine sans préciser les critères qui les ont amenés à cette conclusion.
La ligne de partage des eaux	Défini par le Conseil privé, segment implicitement accepté par le Québec. Cette délimitation ne fixe pas le point terminal nord sur le continent, le point terminal de la délimitation de la côte du Labrador étant sur l'île Killiniq, située hors Québec.	Effectuée localement par des compagnies minières, implicitement acceptée par le Québec. Aucune démarcation gouvernementale.	Incertitude quant à la démarcation, le partage des eaux étant, en divers endroits, non pas une ligne, mais une zone assez large. De plus, certaines zones sont polyréiques*, c'est-à-dire que les eaux se déversent dans des bassins différents. Enfin, l'identification du point terminal nord ne pourra être qu'aléatoire.

Frontière dans le golfe du Saint-Laurent (hypothèse : golfe interprovincial)

Segment	Délimitation	Démarcation	Incertitude
Québec–Terre-Neuve	Aucune délimitation.	Aucune démarcation.	Les représentations cartographiques de cette frontière varient selon les autorités fédérales et provinciales.
Québec–Nouvelle-Écosse	Aucune délimitation.	Aucune démarcation.	Les représentations cartographiques de cette frontière varient selon les autorités fédérales et provinciales.
Québec–Île-du-Prince-Édouard	Aucune délimitation.	Aucune démarcation.	Les représentations cartographiques de cette frontière varient selon les autorités fédérales et provinciales.
Québec–Nouveau-Brunswick	Aucune délimitation.	Aucune démarcation.	Les représentations cartographiques de cette frontière varient selon les autorités fédérales et provinciales.

Frontière dans le golfe du Saint-Laurent (hypothèse : golfe fédéral)

Segment	Délimitation	Démarcation	Incertitude
Québec-Territoire fédéral ; différents segments selon les représentations cartographiques	Aucune délimitation.	Aucune démarcation.	La valeur probante des cartes représentant un golfe « fédéral » n'est pas établie. Ces représentations ne sont d'ailleurs ni précises ni concordantes.

Frontière Québec–Nouveau-Brunswick

Segment	Délimitation	Démarcation	Incertitude
Lac Beau-Lac Long	Fixé par une loi impériale.	Cartographique.	Aucune.
Fiefs Madawaska et Témiscouata	Fixé par une loi impériale.	Abornée.	Aucune.
Méridiens et parallèles	Fixé par une loi impériale.	Abornée.	Aucune.
Rivière Patapédia	Fixé par une loi impériale.	Cartographique.	L'effet de l'évolution morphologique du chenal et des îles sur la localisation de la frontière n'a pas été prévu.
Rivière Ristigouche	Fixé par une loi impériale.	Cartographique.	Même que pour la rivière Patapédia.
Baie des Chaleurs	Fixé par une loi impériale.	Cartographique.	Le point terminal de la frontière à l'est n'est pas le même selon que le golfe est un territoire fédéral ou divisé entre les provinces par des lignes équidistantes.

Frontière Québec–États-Unis d'Amérique

Segment	Délimitation	Démarcation	Incertitude
Rivière Saint-François	Selon le traité d'Ashburton-Webster, en 1842.	Bornes riveraines de référence et consignation cartographique.	Éventuels changements dans le cours de la rivière.
Ligne sud-ouest	*Idem.*	Abornée sur le terrain.	Aucune.
Ligne sud	*Idem.*	Abornée sur le terrain.	Aucune.
Branche sud-ouest de la rivière Saint-Jean	*Idem.*	Bornes riveraines de référence et consignation cartographique.	Éventuels changements dans le cours de la rivière.
La hauteur des terres	*Idem.*	Abornée sur le terrain.	Aucune.
Le Halls Stream	*Idem.*	Bornes riveraines de référence et consignation cartographique.	Éventuels changements dans le cours de la rivière.
Le 45e parallèle	*Idem.*	Abornement effectué erronément sur une partie du parcours, mais accepté par les États-Unis et le Canada.	Aucune.

Frontière Québec-Ontario

Segment	Délimitation	Démarcation	Incertitude
Le Saint-Laurent et le lac Saint-François	Un projet d'entente entre le Québec et l'Ontario (1980) a précisé les termes de la délimitation originelle.	Localisation des vertex proposée.	Suite à donner à une entente administrative, non validée par le gouvernement fédéral ni confirmée par une loi.
Vaudreuil-Soulanges	Selon un arrêté en conseil britannique en 1791.	Abornée.	Aucune, si ce n'est la nécessité de vérifier l'état de l'abornement.
Rivière des Outaouais	*Idem.*	Cartographique.	Aucune, si ce n'est la question de la verticalité de la frontière entre les ponts et la rivière.
Lac Témiscamingue	*Idem.*	Cartographique.	Aucune.
Méridienne	*Idem.*	Abornée sur toute sa longueur.	Aucune quant à la ligne. Quelques têtes de pont le long de cours d'eau transfrontaliers ; problèmes minimes. Le point terminal de ce segment reste à être précisé, une incertitude de peu d'importance.

Frontière Québec-Nunavut

Segment	Délimitation	Démarcation	Incertitude
Littoral de la péninsule Québec-Labrador	Le seul élément de délimitation est la référence à la limite des basses eaux. Aucun protocole d'application du principe des lignes de base droites n'a été convenu.	Aucune.	Il n'y a pas d'entente formelle quant à la référence à la ligne des basses eaux ; seule la Convention de la Baie-James et du Nord québécois en fait mention. Dans le cas où cette précision est acceptée bilatéralement, l'incertitude reste totale quant à la manière de tirer les lignes qui constitueront la frontière. La question du relèvement isostatique constitue une incertitude potentielle additionnelle. Le point terminal sud de ce segment reste à préciser ; une incertitude de peu d'importance.

3.

INCERTITUDES VERTICALES

COMME UNITÉ D'UN ENSEMBLE FÉDÉRAL, le territoire du Québec se trouve à être tout aussi *canadien* que *québécois*. C'est pourquoi le professeur Garant[1] ne considère pas qu'il y a une véritable atteinte à l'intégrité territoriale d'une province lorsque le niveau fédéral empiète sur les compétences de cette dernière :

> Lorsqu'il y a empiétement sur les compétences de l'État fédéré, on parle d'inconstitutionnalité et non d'atteinte à l'intégrité territoriale, cette notion étant habituellement réservée au domaine des relations entre États à souveraineté complète.

Le juriste Louis Delbez va dans le même sens lorsqu'il parle de la coexistence, dans un contexte fédéral, de deux États sur le même territoire et d'une superposition de compétences territoriales[2]. Il ajoute en effet qu'il ne s'agit que d'apparences parce que la compétence territoriale de l'État membre n'est qu'impure.

Par ailleurs, il faut bien reconnaître que la superposition des lois fédérales visant l'exercice des compétences fédérales sur certaines portions du territoire québécois fait en sorte que ces fractions du territoire sont soumises à une compétence fédérale plus large qu'elle ne l'est pour l'ensemble du territoire. Des portions de territoire sont ainsi partiellement soustraites à la compétence de l'État québécois et, de ce fait, selon notre définition de l'intégrité territoriale, sujettes à une interrogation quant à la dimension verticale de cette intégrité. Mais il faut aussi reconnaître que cette situation se justifie soit par la lettre même de la Constitution, soit par une théorie ou un mécanisme constitutionnel qui en interprète la portée. On peut donc dire que la constitution canadienne est respectée, même si la marge de manœuvre de l'État québécois pour agir sur son propre territoire en est alors affectée.

Mais le fait que le territoire sert à déterminer l'étendue géographique de la compétence législative de l'État a une double implication. La première réside dans la juxtaposition des compétences des deux ordres de gouvernement sur l'ensemble du territoire ; elle tire son origine du partage des compétences législatives établi par la constitution canadienne. La seconde, celle de l'évacuation de la compétence du Québec sur des portions de son territoire, provient du fait qu'il existe des emprises fédérales qui diminuent ou enlèvent la possibilité pour le Québec de gérer ces portions selon des politiques qui lui sont propres.

Il arrive que le partage de compétences établi par la Constitution, en des termes qui étaient ceux d'il y a presque un siècle et demi, subisse des modifications par des techniques et des mécanismes constitutionnels dans lesquels il est parfois difficile de faire la part entre le juridique et le politique. L'épaisseur des compétences respectives des niveaux fédéral et provincial est alors modifiée sur des portions de territoire dont le nombre et la superficie ont été en augmentation constante depuis 1867. Aussi, force nous est de constater qu'en général ces modifications se sont réalisées à partir du niveau provincial vers le niveau fédéral.

Faut-il rappeler ici un principe à la base même du fédéralisme : le partage du territoire entre le niveau fédéral et le niveau fédéré ne procède pas de l'essence du fédéralisme. En principe, un État fédéral possède le territoire qui coïncide avec la somme des territoires des États fédérés. De fait, ce n'est qu'à titre d'exceptions que la constitution canadienne attribue des portions de territoire à l'ordre étatique central. Les exceptions y sont d'ailleurs mentionnées. Hormis le cas des territoires non érigés en provinces, il s'agit du territoire de l'île de Sable, que la Constitution place sous la responsabilité du gouvernement fédéral et qui est située dans l'Atlantique à 300 kilomètres au large de la Nouvelle-Écosse dont elle fait administrativement partie, et d'un certain nombre de propriétés énumérées dans l'annexe 3. La Constitution attribue plutôt aux provinces la propriété de principe sur le territoire. Mais, comme on le verra plus loin, le principe a considérablement évolué du fait de l'établissement et de la multiplication d'enclaves fédérales sur le territoire.

Il peut arriver que, par les transferts de compétence sur des parcelles de territoire, les décisions et les interventions du gouvernement fédéral ne coïncident pas avec les priorités québécoises. Une telle situation peut se comprendre et même s'accepter si l'on tient compte de l'intérêt « pancanadien » que peuvent représenter de telles décisions. Il faut d'abord dire que cet « intérêt pancanadien » n'est pas chose facile à définir, notamment lorsqu'il s'agit d'aménagements locaux. Il faut ajouter que la référence à « l'avantage général du Canada » constitue un des mécanismes utilisés par le gouvernement fédéral pour étendre ses compétences dans des domaines où la Constitution était muette ou sujette à interprétation et même, à l'occasion, dans des domaines expressément réservés à la compétence provinciale. On reviendra plus loin sur ce processus.

On se rappellera que les autorités fédérales ont récemment changé le nom de l'aéroport de Dorval, propriété fédérale, en celui de Pierre-Elliott-Trudeau, un nom important, il est vrai, dans l'histoire du Canada. Mais, le moins qu'on puisse dire, c'est qu'il est sujet à une certaine controverse, particulièrement au Québec dont les autorités gouvernementales n'ont d'ailleurs pas été consultées. Cette observation n'est en aucune manière un jugement de valeur sur cet important personnage politique dont la renommée est incontestable. Nous y faisons référence pour illustrer le pouvoir discrétionnaire qu'utilise le gouvernement fédéral pour agir, de façon on ne peut plus visible, dans un domaine habituellement dévolu aux provinces. Rappelons ici que la toponymie est de compétence législative provinciale, sous réserve qu'en vertu de l'article 91, 1A de la Loi constitutionnelle de 1867 l'État fédéral peut désigner des lieux et espaces situés à l'intérieur des terres qui lui appartiennent. Cela dit, on ne peut s'empêcher de noter l'ironie de l'histoire que constitue le fait d'attribuer à l'«aéroport retrouvé» le nom de celui qui, trente ans plus tôt, avait inauguré à Mirabel l'aéroport qui devait déclasser sinon remplacer celui de Dorval. Ce n'est un secret pour personne que la toponymie est toujours exposée à des récupérations politiques qui ont leur propre logique.

S'il est de l'essence du fédéralisme que deux ordres de gouvernement aient, sur le même territoire, des compétences superposées plutôt que juxtaposées, on peut se demander, lorsqu'une emprise en vient à supporter la gamme complète des compétences exercées par l'État fédéral, si une telle situation est «normale» dans le sens de «conforme aux principes de base du fédéralisme». En d'autres termes, on peut se demander si un seul ordre de gouvernement peut, à lui seul, changer l'équilibre du partage des compétences et l'expression territoriale de ce partage et si, en pratique, une telle situation ne s'inscrit pas en marge des principes du fédéralisme. La question est pertinente dès qu'on se place dans une perspective évolutive qui nous révèle que le territoire québécois devient de plus en plus parsemé de parcelles de territoire soustraites en partie ou presque complètement à la compétence législative de l'État «fédéré».

On constate en effet que le nombre et la dimension des parcelles territoriales sur lesquelles le partage originel des compétences entre les deux niveaux de gouvernement a été modifié au profit du gouvernement fédéral sont allés en augmentation progressive depuis un siècle. Cette évolution a engendré une situation de discontinuité territoriale qui en a amené certains à comparer le territoire québécois à un gruyère dont les trous (les

portions de territoire partiellement soustraites aux compétences norma-
les de l'État québécois) sont nombreux et quelquefois forts importants : la
région de la capitale nationale dans l'Outaouais, les zones aéroportuaires,
les ports nationaux, les parcs fédéraux, etc. La situation qui résulte de
cette évolution est que, de ce fait, le partage des compétences est de moins
en moins uniforme sur les différentes régions du territoire du Québec,
puisque le gouvernement fédéral exerce sur ses propriétés une gamme de
compétences plus étendue que sur le reste du territoire.

On voit donc que les incertitudes territoriales débordent, au Québec, la
question de la délimitation du territoire par son pourtour, c'est-à-dire ses
frontières, et que les dimensions internes du territoire québécois se référant au partage des compétences entre les deux niveaux de gouvernement
méritent aussi, à cet égard, une attention toute particulière.

Ces deux dimensions, externe et interne (horizontale et verticale), ne
sont pas de même nature. Alors que la première concerne la délimitation
périphérique de l'espace québécois, la seconde porte sur le contenu territorial résultant d'un partage prévu à la Constitution. Ces deux dimensions sont cependant intimement liées, ce qui nous a amenés à considérer
qu'il s'agit là des deux axes de l'intégrité territoriale. Nonobstant les
observations qui précèdent, nous utilisons, tout au long de notre texte,
l'expression *intégrité territoriale* pour éviter de parler de l'*intégrité du
partage des compétences sur la totalité ou des parcelles du territoire*, qui serait
l'expression conforme aux remarques des spécialistes Brun, Tremblay et
Brouillet[3] et de Me Garant[4], sans doute justifiées sur le plan de la terminologie juridique. Le territoire étant d'abord et avant tout une réalité
géographique, n'est-il pas normal que nous utilisions une terminologie
qui tient également compte de la réalité géographique qui considère le
territoire d'abord comme l'objet de la puissance étatique en même temps
que comme la limite géographique de l'action des gouvernements ? Cette
double approche juridique et géographique, qui est la nôtre et qu'on
pourrait assez justement qualifier de géopolitique, nous justifie, croyons-
nous, de parler d'intégrité territoriale du Québec dans cette optique.

Soulignons enfin que chacun des deux axes de notre analyse est soumis
à des contingences bien différentes. Alors que les frontières des provinces
constituent une matière constitutionnelle, et qu'en conséquence elles ne
peuvent être modifiées que conformément aux règles d'amendement de
la Constitution, ce qui implique la participation obligée des deux ordres
de gouvernement, il n'en va pas de même lorsqu'il s'agit de l'évolution,
dans les faits, du partage des compétences. Voyons maintenant comment
cette évolution se manifeste.

3.1.

La répartition originelle

Q<small>UAND ON PARLE DE LA CONSTITUTION CANADIENNE</small>, on fait
référence à un ensemble d'instruments juridiques qui comprennent
essentiellement les lois constitutionnelles de 1867 et de 1982, les divers
textes législatifs mentionnés dans l'annexe de la loi de 1982 de même
que l'interprétation qu'apporte la Cour suprême du Canada à ces textes.
Dans chaque province ou chaque État fédéré d'un État fédéral comme le
Canada, les deux ordres de gouvernement agissent sur un même territoire
selon les compétences législatives respectives qui ont été attribuées ou
reconnues à chacun. Ces compétences législatives se superposent et sont,
en principe, complémentaires plutôt que concurrentielles, de telle sorte
que le critère territorial, en principe encore, ne devrait pas jouer ou ne
jouer que par exception.

Toutefois, dans les faits, la dimension territoriale est quand même
concernée, en ce sens que, si une emprise fédérale sur le territoire supporte
une gamme très large de compétences législatives fédérales, les compétences du Québec sur cette parcelle du territoire sont réduites d'autant. Cette
situation peut en venir à réduire ou même à annuler son pouvoir réel
d'exercer les compétences qui lui ont été reconnues. Il ne s'agit nullement
de reprocher au gouvernement fédéral canadien de violer la Constitution,
car les décisions par lesquelles il crée ou peut créer la situation que l'on
vient d'évoquer sont permises par ce que dit la constitution canadienne,
mais aussi par ce que celle-ci ne dit pas. En effet, dans les lois constitutionnelles, il y a des silences que les tribunaux judiciaires ont mission de
combler en interprétant la Constitution. Un tel arbitrage constitutionnel
relève, en dernier ressort, de la Cour suprême du Canada depuis 1949.
Celle-ci a également joué ce rôle avant 1949, mais ses arrêts pouvaient
alors faire l'objet d'un appel auprès du Comité judiciaire du Conseil privé
de Londres.

Lorsque les tribunaux interprètent ainsi la Constitution, la décision
judiciaire définitive a la même autorité que la Constitution elle-même,

de telle sorte qu'elle en fait partie intégrante même si cette règle n'a pas été formellement exprimée. Les exemples de telles interventions sont nombreux, comme on le verra plus loin. Pour le moment, mentionnons, à titre d'exemple, que les pouvoirs d'urgence du Parlement fédéral résultent d'une interprétation du paragraphe introductif de l'article 91, mais que la théorie des dimensions nationales a tout simplement été inventée par les tribunaux.

En fait, il y a tellement d'arrêts portant, d'une façon ou d'une autre, sur la répartition des compétences législatives en matière territoriale qu'il serait impensable de songer à y retracer les règles d'application dans les seules lois constitutionnelles. Si, en effet, le partage des compétences législatives sur le territoire entre les deux niveaux étatiques a été déterminé par la Loi constitutionnelle de 1867 et en particulier par ses articles 91 et 92, de nombreuses décisions judiciaires sont venues préciser et interpréter le sens et la portée de ce partage des compétences, qu'on détaillera un peu plus loin.

Une précision s'impose ici : il ne faut pas confondre le partage des compétences législatives relatives à l'espace d'un État fédéré et le partage de la propriété du même territoire. Ce dernier partage avantage le niveau fédéré ou provincial en ce sens que la Constitution attribue aux provinces la propriété de principe du domaine public. Ce n'est que par exception que celui-ci est de propriété fédérale encore que, on le verra plus loin, divers mécanismes permettent au gouvernement fédéral d'accroître le nombre et la superficie de ses propriétés à l'intérieur d'une province.

Cependant, si le *residuum* (ce qui n'est pas attribué par la Constitution) profite à l'État fédéré en matière de propriété du territoire, il avantage plutôt le niveau central en matière de compétences législatives. Il est vrai qu'en vertu du paragraphe 5 de l'article 92 les provinces sont compétentes pour légiférer sur « l'administration et la vente des terres publiques appartenant à la province ». Il est également vrai que l'aménagement du territoire relève, en principe, d'abord des États fédérés à cause de la compétence législative de ceux-ci sur les institutions municipales et sur les matières de nature purement locale. Mais les compétences législatives fédérales sont considérables et souvent déterminantes. L'article 91 permet au Parlement fédéral d'adopter des lois qui touchent à bien des domaines qui affectent le territoire et son aménagement. C'est le cas, par exemple, de la compétence fédérale sur les eaux navigables, sur la défense, sur le commerce interprovincial, sur les terres réservées aux Indiens, etc. Lorsque ces compétences sont exercées, elles constituent autant de limitations aux compétences des États fédérés à cause du principe de la prépondérance législative fédérale : une loi québécoise valide qui serait incompatible avec une loi fédérale valide doit céder le pas à cette dernière.

Qui plus est, le paragraphe 1A de l'article 91 rend l'État fédéral compétent pour légiférer sur ses propriétés, y compris toutes celles qu'il a pu acquérir depuis le partage de 1867. Les compétences provinciales sont à peu près complètement évacuées de ces propriétés fédérales qui ne sont soumises, à la limite, qu'au seul niveau législatif fédéral. Il existe, soit dans le texte même de la constitution canadienne, soit en vertu de son interprétation judiciaire, divers pouvoirs potentiels qui sont susceptibles d'engendrer de nouvelles compétences fédérales par le moyen de différents mécanismes, par l'application de théories constitutionnelles ou même par la simple mise en œuvre de programmes. Ces nouvelles compétences trouvent leur justification dans des principes et des mécanismes tels que les pouvoirs résiduaires, les pouvoirs d'urgence, la théorie des dimensions nationales, le pouvoir déclaratoire, le pouvoir de dépenser, la prépondérance législative, etc. Tout cela fait en sorte que le partage des compétences législatives entre les deux niveaux étatiques constitue une notion essentiellement dynamique et mouvante.

Il convient d'abord de rappeler comment, à l'origine, a été établi le partage constitutionnel initial. Certaines parcelles de territoire ont été nommément désignées comme propriétés fédérales par la Loi constitutionnelle de 1867. C'est donc dire que l'État fédéral a le statut de propriétaire du fait de la Constitution elle-même. D'autres parcelles sont nommément désignées comme étant des objets de compétence législative fédérale. Les unes comme les autres sont ainsi devenues des emprises fédérales au Québec. Enfin, d'autres portions du territoire québécois sont devenues également territoires fédéraux en vertu de l'un ou l'autre des nombreux mécanismes constitutionnels qui ont fait en sorte que la gamme des propriétés et des compétences fédérales se soit considérablement accrue depuis 1867.

Cette évolution a engendré une situation de « discontinuité territoriale » que nous avons déjà évoquée. Ce sont l'article 108 et la troisième annexe de la Loi constitutionnelle de 1867 qui ont déterminé l'aire de départ des propriétés fédérales. Comme le paragraphe 1A de l'article 91 donne compétence au Parlement fédéral sur ces propriétés publiques, celles-ci deviennent aussi, à toutes fins utiles, des enclaves fédérales en territoire québécois. Précisons qu'il ne s'agit ici que des propriétés existantes en 1867.

On peut regrouper celles-ci en quatre catégories. D'abord, les *ports et havres publics* qui avaient cette qualité avant le 1ᵉʳ juillet 1867 ont été reconnus propriétés fédérales. Tel est le cas du port de Montréal, dans ses limites de 1867, lesquelles ont cependant été agrandies depuis. En effet, rien n'empêche le gouvernement fédéral d'agrandir ses propriétés en se portant acquéreur de parcelles limitrophes. Dans les faits, une telle aire de propriété fédérale peut donc devenir très étendue.

Deuxièmement, les *canaux* qui existaient en 1867 sont déclarés, par la troisième annexe, de propriété fédérale. Il s'agit principalement des canaux de Lachine, Beauharnois (devenu Soulanges), Sainte-Anne, Carillon, Blondeau et Grenville dans le système du Saint-Laurent et de Saint-Ours et Chambly sur le Richelieu. Notons que certains canaux ont changé de fonction en devenant des lieux historiques, de propriété fédérale, évidemment ; d'autres sont disparus après la construction de la voie maritime du Saint-Laurent.

Quant aux *voies de communication*, la troisième annexe prévoit que les chemins de fer existant en 1867 devenaient des propriétés fédérales. Ceux qui furent construits après 1867 qui n'étaient pas à l'origine propriété fédérale ont habituellement fait l'objet d'une déclaration en vertu du paragraphe 92, 10C, ce qui les assujettit à la compétence législative fédérale. Il en est de même pour les « routes militaires » qui existaient à l'époque.

Enfin, la troisième annexe traite des *édifices publics* et prévoit que les bureaux de douane, les bureaux de poste et les autres édifices publics, sauf ceux qui sont destinés à l'usage des provinces, sont de propriété fédérale. C'est aussi le cas des installations militaires et des autres terrains réservés à l'époque pour des besoins publics. Il faut interpréter cette dernière expression, à vrai dire bien vague, comme ne désignant que les édifices publics qui existaient en 1867. Il faut ajouter que sont exclus de la propriété fédérale les édifices qui étaient alors requis aux fins des législatures et des gouvernements provinciaux. Rappelons que l'emprise de l'État fédéral sur les aires qui lui sont reconnues est totale car le paragraphe 1A de l'article 91 lui accorde une compétence législative automatique sur ses propriétés.

Cela nous conduit à faire état du fait que la Loi constitutionnelle de 1867 prévoit aussi trois autres types d'emprises territoriales de compétence législative fédérale qui, par divers processus, ont pu être acquis par le gouvernement fédéral ou sont toujours susceptibles de l'être.

1. Les propriétés fédérales

La Constitution prévoit, au paragraphe 1A de l'article 91, une compétence législative directe de l'État fédéral sur les propriétés fédérales. Ainsi, faute de compétence générale directe sur le territoire, il l'acquiert sur certaines parcelles de celui-ci en s'en rendant propriétaire. L'autorité fédérale a souvent eu recours à cette compétence législative ; elle s'en est servie, par exemple, pour légiférer sur le parc des Champs-de-Bataille à Québec, sur l'aménagement du parc de la Gatineau dans la région de la capitale fédérale, sur les camps militaires et sur les parcs nationaux.

Que le simple fait pour le gouvernement fédéral de se porter acquéreur d'une parcelle de territoire suffise à faire complètement basculer en sa faveur le régime des compétences législatives respectives soulève donc, en plus de la question de l'intégrité territoriale du Québec et des provinces, celle de l'équilibre des compétences garanties par le fédéralisme canadien en matière territoriale.

Cela dit, il y a lieu de s'interroger aussi sur l'aspect pratique du mécanisme des transferts d'autorité entre les deux niveaux de gouvernement, car il est important de savoir si, dans les cas où les raisons du transfert cessent d'exister, la situation redevient ce qu'elle était avant le transfert et dans quelles conditions. En fait, il n'arrive que ce qui a été prévu dans les décrets de transfert : s'il n'y a rien de prévu à cet égard, la situation demeure flottante et une incertitude additionnelle s'ajoute au dossier.

Cette pratique s'inscrit dans un contexte de fiction juridique qu'il est intéressant de rappeler : il s'agit du principe de l'indivisibilité de la Couronne. Souvent exprimé par la formule « La Couronne est une à travers l'Empire », ce principe, malgré son archaïsme, est encore utilisé par les tribunaux. Une des conséquences en est que Sa Majesté ne peut vendre sa propriété, terres ou biens, à elle-même. Pourtant, le gouvernement fédéral et les gouvernements provinciaux transigent chaque jour, ont des comptes de banque séparés, se poursuivent même. Il a donc bien fallu que la jurisprudence réconcilie le principe et la réalité.

Dans une cause de faillite[1], où les deux Couronnes (les deux gouvernements) voulaient être payées en priorité, la Cour a utilisé une subtile astuce : d'un point de vue statique, il n'existe effectivement qu'une seule Couronne, mais, d'un point de vue dynamique, c'est-à-dire dans leurs activités, la Couronne avait « deux sacoches ». Ce raisonnement élastique amène à considérer que, si un transfert de propriété entre gouvernements ne peut pas se faire par acte de vente ordinaire, il est acceptable de procéder à un transfert d'autorité sur la parcelle de territoire en question. Le jargon administrativo-constitutionnel parlera alors de « transfert de régie et d'administration de la part de la Couronne du chef du Québec envers la Couronne du chef du Canada » ou vice-versa.

Un tel transfert se fait au moyen de décrets ou d'arrêtés en conseil parallèles ; il peut être assujetti à des conditions, ne durer qu'un certain temps, prévoir un droit de retour si la fin pour laquelle le transfert a lieu ne s'applique plus, etc. Autrement dit, le transfert peut être assorti de conditions comme dans un contrat de vente, une location ou un bail emphytéotique. Tout est affaire de négociation.

En matière de propriétés fédérales au Québec, les incertitudes résident actuellement dans les cas où des transferts ont été conclus sans prévision de retour et, quant à l'avenir, sur l'utilisation par l'autorité fédérale des mécanismes dont il sera question au chapitre 3.2.

2. Les eaux navigables

Le Québec est en principe propriétaire du lit de ses cours d'eau. Mais le paragraphe 10 de l'article 91 de la Loi constitutionnelle de 1867 prévoit que la navigation est de compétence fédérale. Il en résulte que les cours d'eau navigables comme le Saint-Laurent, le Richelieu, le Saguenay et la rivière des Outaouais deviennent des emprises fédérales de taille car l'exercice de la compétence fédérale sur la navigation peut constituer une entrave à l'exercice des compétences québécoises sur ces espaces.

Si l'on ajoute à cela la compétence législative fédérale sur les pêcheries de même que sur les ports et havres publics, les interventions provinciales sur le pilotage, sur la navigation de plaisance, sur les ponts, barrages et autres travaux d'amélioration pouvant être considérés comme des obstacles à la navigation, sont susceptibles d'être bloquées par la prépondérance législative fédérale. En effet, les lois fédérales portant sur la gamme de compétences qui sont de son ressort font en sorte que le Québec est, à toutes fins utiles, relativement absent sur plusieurs des espaces liquides de son territoire, en fait les plus importants car il s'agit d'eaux navigables.

Bien sûr, ce sont là des domaines complémentaires, tant sur le plan juridique que sur le plan géographique, où une collaboration ouverte et généreuse entre les deux niveaux de gouvernement est susceptible d'harmoniser leurs politiques et leurs législations respectives. Mais, s'il arrive que l'affrontement caractérise davantage les relations entre le pouvoir central et celui des provinces que la collaboration, peu de balises permettent d'éviter l'application de la loi du plus fort.

À cet égard, le Saint-Laurent constitue certes une enclave fédérale de taille. En effet, la propriété du lit du fleuve par le Québec est devenue purement théorique car les pouvoirs législatifs fédéraux y sont importants: navigation commerciale, navigation touristique, pêche commerciale, chasse aux oiseaux migrateurs. Le chapitre 3.5 reprend cette question.

3. Les terres réservées aux Indiens

Le paragraphe 24 de l'article 91 de la Loi constitutionnelle de 1867 prévoit que « les terres réservées aux Indiens » sont de compétence législative fédérale. Ces terres comprennent évidemment les réserves indiennes, de superficies généralement petites. Elles comprennent également, selon la jurisprudence constitutionnelle qui fait le droit en la matière, d'autres espaces, beaucoup plus vastes, sur lesquels les peuples autochtones détiennent ou peuvent détenir le titre aborigène ou d'autres droits ancestraux. Cette situation engendre une incertitude territoriale spécifique qui, vu son importance, fait l'objet d'un chapitre particulier (chapitre 3.6).

3.2.
Tache d'huile et peau de chagrin : les mécanismes

L'OBJECTIF DU PRÉSENT CHAPITRE est d'examiner les divers mécanismes qui ont comme dénominateur commun la possibilité de modifier l'équilibre constitutionnel originellement établi relativement au partage des compétences entre les deux niveaux de gouvernement. Les aspects juridiques de cette question pourront paraître arides à certains, mais l'examen de ces mécanismes est important car les changements dans l'équilibre constitutionnel ont un impact direct sur la dimension territoriale, en affectant des espaces spécifiques par le changement de la répartition des compétences. Ces changements constituent un mécanisme que l'on peut exprimer par la boutade *le vertical peut gruger l'horizontal*. Nous voulons dire par là que l'interprétation de la Constitution et de ses silences de même que les incertitudes quant à la dimension verticale de l'intégrité territoriale du Québec se trouvent à se traduire en incertitudes quant à sa dimension horizontale.

Notre propos n'est pas de nier l'opportunité de cette situation que l'on peut, d'un certain point de vue, considérer comme étant dans l'ordre des choses. Ce qui importe, c'est d'être conscient d'une situation qui potentiellement peut évoluer vers une détérioration de l'intégrité territoriale du Québec. Il n'est pas inutile d'envisager cette éventualité, tout hypothétique qu'elle puisse être aux yeux de plusieurs.

Il y a lieu de voir comment le gouvernement fédéral peut, par le jeu de l'expansion de ses compétences législatives et administratives, soustraire des compétences territoriales du Québec pour les soumettre aux siennes. Une telle évolution peut s'expliquer par la lettre même de la Constitution, mais aussi par l'application des divers mécanismes (compétence résiduelle, pouvoirs accessoires, pouvoirs reliés à la théorie des dimensions nationales, pouvoir général de dépenser…) et techniques (déclaration dans une loi que des travaux sont à l'avantage général du Canada, achat de terrains de gré à gré, décisions d'exproprier…) qui sont à la disposition du gouvernement fédéral. Par l'exercice de ces pouvoirs, l'État fédéral peut acquérir des compétences législatives et, par voie de conséquence, des propriétés de très grande étendue.

Il importe de signaler au départ que la Cour suprême du Canada et le Comité judiciaire du Conseil privé, qui était l'instance judiciaire suprême avant 1949, ont, dans leur interprétation des dispositions de la constitution canadienne, énoncé et élaboré diverses théories et doctrines qui ont eu une incidence sur le partage des pouvoirs sur le territoire. Certaines de celles-ci se chevauchent de telle sorte qu'il est parfois difficile d'y retrouver l'étanchéité qui permettrait d'atteindre un degré suffisant de certitude juridique. Il est donc approprié, sans toutefois prétendre être exhaustif à cet égard, d'examiner succinctement le jeu de l'application de ces théories, mécanismes et techniques.

La théorie des dimensions nationales

Le paragraphe introductif de l'article 91 de la Loi constitutionnelle de 1867 contient une clause dite de « paix, ordre et bon gouvernement » qui permet au Parlement fédéral de légiférer dans des matières relevant normalement de la compétence des provinces, sur des questions d'importance « nationale » : il s'agit de la théorie des dimensions nationales.

Cette théorie tire son origine de l'affaire Russell débattue en 1882[1] ; elle consiste à admettre qu'une matière de compétence provinciale peut atteindre des dimensions telles qu'elle puisse placer une partie de sa réglementation sous la compétence législative fédérale. Dans cette affaire, le Conseil privé avait déclaré valide une loi fédérale sur la tempérance parce qu'elle visait l'ordre public et la promotion de la tempérance à travers le pays. La théorie a servi à justifier, à l'occasion de l'affaire Munro[2] en Cour suprême du Canada en 1966, une loi fédérale se rapportant à des matières relevant normalement du Québec dans le parc de la Gatineau. Il s'agissait, dans cette cause, de savoir si certains pouvoirs que donnait une loi fédérale à la Commission fédérale de la capitale nationale en matière d'aménagement du territoire étaient valides. La Cour suprême du Canada a statué que, même si les questions d'aménagement du territoire relevaient du Québec, l'aménagement de la région de la capitale nationale était une matière qui atteignait les dimensions nationales. Plus récemment, la théorie a servi à justifier une intervention fédérale en matière d'immersion des déchets dans les eaux maritimes provinciales[3].

Soupçonnée d'en venir à nier l'existence même du fédéralisme canadien, cette théorie est jugée sévèrement par de nombreux juristes québécois qui l'ont estimée incompatible avec le maintien d'un fédéralisme non centralisateur[4]. Le recours à cette théorie demeure, à leurs yeux, une source potentielle de détérioration de la compétence territoriale du Québec. À ce sujet, on peut citer un texte éclairant de Jean Beetz, devenu plus tard juge de la Cour suprême du Canada, selon lequel la notion de dimensions nationales

> [...] est purement relative et d'application toujours discutable... ; [elle] risque de se solder par une modification permanente, au profit du pouvoir fédéral, de l'aménagement des compétences [car]... les problèmes à résoudre ne cessent de croître en intensité, en complexité et par leurs ramifications[5].

Il n'est pas surprenant de constater qu'en général les juristes du Canada anglais n'ont pas la même aversion pour la théorie des dimensions nationales, tels Monahan[6] et Emond[7]. Cela dit, les exemples que nous citons ne peuvent pas ne pas inspirer la même et constante incertitude territoriale face à la capacité du gouvernement fédéral d'étendre indéfiniment ses compétences et leur application à des territoires de plus en plus étendus.

Le pouvoir déclaratoire

Le pouvoir déclaratoire procède du même esprit que la théorie des dimensions nationales, à cette différence près qu'il est expressément prévu dans la Constitution. La professeure Andrée Lajoie le définit ainsi :

> [...] la faculté que possède le Parlement fédéral de modifier de son propre chef, au détriment des législatures provinciales et sans leur consentement, la sphère de sa compétence relativement aux travaux qu'il déclare être à l'avantage général du Canada ou de deux ou plusieurs provinces[8].

Ce pouvoir est prévu au paragraphe 10c de l'article 92 de la Loi constitutionnelle de 1867. Ce qui le rend à première vue peu menaçant, c'est qu'il s'exprime dans une phrase apparemment anodine (« cet ouvrage est déclaré à l'avantage général du Canada »), mais dont la présence, dans le texte d'une loi, donne ouverture à son application dans des circonstances dont la nature et le nombre n'ont été nulle part précisés. Le pouvoir déclaratoire est discrétionnaire et la loi n'établit aucune limite bien définie aux conditions de son application. Il permet au Parlement fédéral d'augmenter l'objet de ses compétences, ce qui entraîne nécessairement une diminution correspondante de la compétence provinciale. C'est le cas des permis fédéraux requis pour la mise en place d'ouvrages destinés à la production de l'uranium au Québec[9], permis émis par la Commission canadienne de sûreté nucléaire, alors que les ressources naturelles relèvent de la compétence législative normalement dévolue aux provinces.

Précisons que ce pouvoir peut s'exercer à l'égard de toutes sortes de travaux, y inclus des propriétés provinciales comme les ponts, les routes et les barrages. Le fait est que le gouvernement fédéral a largement utilisé cette technique : Andrée Lajoie[10] avait déjà dressé, il y a 40 ans, une liste de 470 instances de l'exercice de ce pouvoir au Canada.

Le Parlement fédéral a utilisé ce pouvoir à de nombreuses reprises dans le passé. Il a ainsi déclaré à l'avantage général du Canada des canaux (notamment ceux qui ponctuent le Richelieu, par une loi de 1898[11]), des barrages (notamment sur la rivière des Outaouais, en 1870[12]), des ponts (ponts des Chênes en 1895[13] et de Québec en 1887[14]) et des chemins de fer (comme deux voies ferrées au nord de Sept-Îles, en 1947[15] et en 1960[16]). On peut ajouter à cette liste le Parc des Champs-de-Bataille de Québec, connu sous le nom des plaines d'Abraham, en 1908[17]. Cela dit, il faut reconnaître que le gouvernement fédéral, par l'entremise du Parlement, utilise de moins en moins ce pouvoir, sans doute pour des raisons politiques. Mais la possibilité de l'utiliser demeure. Incertitude.

Cette façon pour l'État fédéral d'accroître, de son propre chef, sa compétence législative sur le territoire apparaît à plusieurs comme étrangère à un « fédéralisme coopératif ». Andrée Lajoie estime que le pouvoir déclaratoire ne devrait être exercé qu'avec le consentement de la province concernée car le recours à ce procédé met en cause la nature même du fédéralisme[18]. On peut se demander si l'application du pouvoir déclaratoire, comme pour la plupart des autres mécanismes d'ailleurs, n'est pas le signe révélateur d'un « fédéralisme à sens unique », en ce sens que l'extension des pouvoirs et de leur exercice ne peut se faire qu'à l'avantage du gouvernement fédéral. En effet, il est bien évident que les provinces ne peuvent pas avoir recours à ce mécanisme pour étendre leurs propres compétences ou leur exercice.

La prépondérance législative fédérale

Le principe de la prépondérance législative fédérale établit d'abord la suprématie attribuée par les tribunaux à une loi fédérale valide sur une loi provinciale également valide à cause de leur incompatibilité[19]. Ce principe reconnaît aussi la capacité du fédéral d'adopter des lois qui ont pour effet d'écarter une loi provinciale qui, si ce n'était de son incompatibilité avec la nouvelle législation fédérale, serait applicable[20]. Autrement dit, en cas de concurrence entre deux lois valides, l'une du Parlement fédéral et l'autre de l'Assemblée nationale du Québec, la première l'emporte.

Un cas illustre la possibilité de l'application de ce principe. Il mérite d'être cité même s'il ne touche pas directement la dimension territoriale du partage des pouvoirs. En 1981, des dispositions de la Loi sur la protection de la jeunesse[21] du Québec ont été déclarées inopérantes parce qu'elles niaient des droits reconnus par le Code criminel du Canada[22].

Il faut dire que les mécanismes d'interprétation de la Constitution dans le sens de l'extension des compétences fédérales sont partiellement interchangeables en ce sens que plus d'un mécanisme peut justifier une intervention donnée. En 1966, dans l'*Affaire Munro*[23], la Cour suprême du Canada a décidé, qu'était valide une disposition de la Loi sur la Commission de la capitale nationale[24] donnant à cette dernière le pouvoir d'exproprier à ses propres fins une propriété privée dans la région dite de la capitale nationale en invoquant la théorie des dimensions nationales. Si d'aventure une loi québécoise valide donnait un pouvoir d'expropriation analogue à un organisme québécois quelconque dans la même région, la loi québécoise deviendrait inopérante parce que, comme le disent Brun, Tremblay et Brouillet,

> la législation qu'adopte validement le fédéral est prépondérante: elle prime sur toute législation provinciale également valide mais incompatible avec elle[25].

Ce principe de la prépondérance législative fédérale est donc susceptible d'être lourd de conséquences en matière territoriale parce qu'il permet d'accroître la compétence fédérale sur le territoire. Dominique Alhéritière[26] ajoute en effet que, si le principe de la prépondérance est un remède aux maladies du fédéralisme, son utilisation abusive peut avoir raison du système. Deux exemples suffiront pour illustrer la situation. Il est arrivé qu'une banque à charte ne soit pas tenue de respecter une loi provinciale valide lorsqu'elle agissait conformément à la Loi (fédérale) sur les banques[27]. Aussi, la Loi (fédérale) sur l'endettement agricole[28] a été jugée prépondérante par rapport à une loi manitobaine se rapportant à la protection des exploitations agricoles familiales[29]. Nous faisons grâce au lecteur des nombreuses références allant dans le même sens que nous pourrions ajouter ici.

Alhéritière résumait bien, en cette matière, comment le vertical peut gruger l'horizontal:

> une loi provinciale peut empiéter sur des compétences réservées exclusivement à l'État fédéral et porter ainsi le germe de son inconstitutionnalité…, être incompatible avec une loi fédérale et contenir ainsi le ferment de son inopérabilité…, gêner les activités d'une entreprise fédérale et avoir ainsi un levain d'inapplicabilité[30].

La règle de l'exclusivité des compétences

Une des règles que les tribunaux ont développées pour interpréter le partage des compétences législatives est celle de l'exclusivité des compétences. Cette règle signifie que :

> [...] même si un ordre législatif n'a pas légiféré sur une matière donnée, l'autre ne pourrait pas adopter des lois ayant des effets... sur ce qu'il est convenu d'appeler le « contenu essentiel » de la compétence[31].

La professeure Duplé[32] signale à ce sujet que « l'incurie d'un législateur ne permet pas au législateur de l'autre ordre de gouvernement de légiférer à sa place ». C'est que, comme le soulignent Brun, Tremblay et Brouillet[33], il s'agit ici d'une « absence de pouvoir et non d'une simple incompatibilité de lois validée ».

La règle de l'exclusivité des compétences a été appliquée en matière de droits territoriaux fédéraux au cas des plaines d'Abraham à Québec en 1990[34]. La Commission des champs de bataille nationaux offrait un service de transport par autobus sur le territoire du parc des Champs-de-Bataille qu'elle administrait en vertu d'une loi fédérale sans toutefois s'être soumise à l'obtention d'un permis en vertu de la Loi sur les transports du Québec[35]. Comme le parc était de propriété fédérale, les activités exercées étaient de compétence fédérale et la Cour suprême du Canada a décidé que la loi québécoise ne s'appliquait pas à la Commission en vertu de la règle de l'exclusivité des compétences.

Divers arrêts de la Cour suprême du Canada ont interprété la règle à l'occasion d'affaires se rapportant à l'applicabilité de lois provinciales sur les « terres réservées aux Indiens », lesquelles, on le sait, sont de compétence exclusive fédérale. Ainsi, dans l'affaire *Derrickson*[36], la Cour suprême du Canada a décidé qu'une loi provinciale sur le partage des biens familiaux ne pouvait pas s'appliquer sur les terres réservées aux Indiens. Dans l'affaire *Paul*[37], la même Cour a déclaré que le droit familial provincial ne pouvait pas régir le droit d'occuper une résidence familiale située sur une réserve.

Le juge en chef Lamer a signalé, au sujet de la compétence législative fédérale sur les Indiens et les terres réservées aux Indiens, que

> [...] le par. 91(24) protège l'essentiel de la compétence du fédéral, même contre les lois provinciales d'application générale, par l'application du principe de l'exclusivité des compétences[38].

Il précisait, dans le même jugement, que cette règle de l'exclusivité des compétences donnait à l'essentiel de la compétence fédérale sur les terres réservées aux Indiens une protection complète contre les empiétements provinciaux. C'est pourquoi il ajoutait qu'il était interdit aux provinces de passer des lois portant sur les droits ancestraux existant sur ces mêmes terres. Brun, Tremblay et Brouillet[39] s'expriment ainsi à ce sujet : « Les droits ancestraux procèdent par nature de l'essentiel de l'indianité. » Ajoutons que les propos du juge Lamer doivent toutefois être tempérés par son affirmation, ailleurs dans l'arrêt *Delgamuukw*[40], voulant que les provinces pouvaient, à des fins de développement économique et sous certaines conditions, porter atteinte au titre aborigène, ce sur quoi nous reviendrons au chapitre 3.6.

Par ailleurs, la jurisprudence constitutionnelle en la matière a évolué récemment et, dans deux arrêts[41], la Cour suprême du Canada a signalé qu'il ne fallait pas accorder trop d'importance à cette règle parce que son application pouvait engendrer une grande incertitude non seulement du fait que le « contenu essentiel » d'un chef de compétence était difficile à définir, mais aussi parce qu'elle était susceptible de créer des « vides juridiques[42] ».

En conséquence, la Cour considère maintenant que l'exclusivité des compétences ne devrait avoir qu'une application restreinte[43], compte tenu d'une autre règle voulant que les législateurs de chacun des ordres de gouvernement peuvent adopter des lois sur un même objet en visant chacun un aspect différent de cet objet. Il s'agit tout simplement, pour un ordre de gouvernement, d'éviter de le faire sur l'essentiel du chef de compétence visé. Il paraît dès lors évident, par exemple, qu'une loi provinciale pourrait viser la collecte des ordures ménagères sur une terre de compétence fédérale.

Dans le cas de l'affaire *Lafarge*[44], la Cour suprême a refusé d'appliquer la règle de l'exclusivité des compétences à l'occasion d'un litige faisant suite à un règlement municipal de zonage et d'aménagement adopté en vertu d'une loi provinciale et visant l'Administration portuaire de Vancouver, une entreprise fédérale constituée en vertu de la Loi maritime du Canada[45]. Elle a souligné qu'il valait mieux faire appel à d'autres règles constitutionnelles. Elle a plutôt disposé du litige en faisant appel à la théorie de la prépondérance législative fédérale. Le fait qu'il existait ici une loi fédérale valide a évidemment facilité la tâche aux juges. Il n'en demeure pas moins que, si une loi provinciale se rapporte à une matière qui ne relève pas de sa compétence, les tribunaux peuvent statuer qu'elle ne s'applique pas à cette matière[46].

Force nous est donc de constater que, même si une bonne partie des règles du droit constitutionnel est régie (établie ou interprétée) par des décisions de cour, la jurisprudence elle-même contribue, dans bien des cas, à entretenir, sur le partage des compétences et quant à leur exercice, d'importantes incertitudes et même, éventuellement, à en créer de nouvelles.

Le pouvoir d'expropriation

Le Parlement fédéral possède déjà, en vertu de l'article 117 de la Loi constitutionnelle de 1867, le pouvoir de procéder à l'expropriation de toute parcelle du territoire, y compris les terres publiques des gouvernements provinciaux, aux fins de la défense du pays. De plus, le Parlement canadien peut, en vertu de sa compétence implicite, donner au gouvernement fédéral le pouvoir d'exproprier les terres nécessaires pour rendre efficaces les lois qu'il a la compétence d'adopter[47]. C'est d'ailleurs ce qu'il a fait en procédant à une expropriation massive de terres, à partir de 1969, aux environs de l'aéroport de Mirabel.

Cet épisode avait animé bien des débats qui, d'ailleurs, ne touchaient pas que l'aspect juridique de la question. On n'a pu s'empêcher de considérer que le choix d'un emplacement plus près d'Ottawa que de Québec pour l'aéroport de Montréal, le plus important du Québec, soulevait la question de l'importance relative accordée aux populations éventuellement desservies et, partant, celle de la divergence d'intérêts entre les deux ordres de gouvernement. Les aspects géographiques, socioéconomiques et politiques de ce dossier se sont trouvés à instrumentaliser les techniques d'extension des pouvoirs fédéraux, tout particulièrement par le recours au pouvoir d'expropriation.

Ajoutons que, si le gouvernement fédéral peut exproprier des terres appartenant au gouvernement du Québec, l'inverse n'est pas vrai[48]. Il faut ajouter que, lorsque le gouvernement fédéral acquiert une propriété, le Parlement fédéral obtient quant à celle-ci une compétence législative exclusive. Cette remarque vaut aussi pour les autres mécanismes mentionnés dans ce chapitre. C'est ce qui fait qu'on ait pu parler d'un *fédéralisme à sens unique*.

Des incertitudes subsistent. Ainsi, le Conseil privé[49] a décidé que le gouvernement fédéral ne pouvait pas se servir de sa compétence législative sur les terres réservées aux Indiens pour exproprier des terres lui permettant d'agrandir une réserve indienne ou d'en créer une nouvelle. Mais il s'agit d'une très vieille affaire et Andrée Lajoie croit que la Cour suprême du Canada serait probablement disposée aujourd'hui à dire qu'il existe une compétence fédérale implicite lui permettant de procéder à une telle expropriation, parce d'autres arrêts sont venus préciser la portée des compétences implicites[50].

Madame Lajoie signale par ailleurs que certains pouvoirs d'expropriation accordés par des lois fédérales paraissent constitutionnellement douteux parce qu'ils sont «difficiles à rattacher à quelque fondement constitutionnel que ce soit». Elle donne comme exemples la Loi sur les parcs nationaux[51], la Loi sur les lieux et monuments historiques[52] et la Loi sur les champs de bataille nationaux de Québec[53].

Les pouvoirs résiduels

Le fondement des pouvoirs résiduels du Parlement fédéral repose sur le paragraphe 29 de l'article 91 de la Loi constitutionnelle de 1867 qui attribue à celui-ci la compétence sur les domaines qui ne sont pas énumérés dans la liste des compétences législatives provinciales (sauf les matières purement locales où les provinces détiennent les pouvoirs résiduels en vertu du paragraphe 16 de l'article 92).

L'attribution de pouvoirs résiduels dans une constitution se justifie et s'explique par le fait qu'un document de cette nature ne peut être écrit pour l'éternité. De nouveaux sujets de droit et de nouvelles matières sujettes à des dispositions législatives apparaissent avec la modernité, de sorte que les instruments constitutionnels de partage des compétences entre les divers ordres de gouvernement doivent pouvoir s'adapter aux nouvelles circonstances. Cette adaptation peut se faire par la révision des textes constitutionnels par voie d'amendements ou de nouvelles rédactions des textes originels. Elle peut aussi se faire par la voie d'interprétations successives qui doivent cependant être balisées par des principes et des mécanismes permettant d'étendre la portée des textes constitutionnels d'origine. C'est exactement ce dont il est question ici. Parmi ces mécanismes, il en est un qui répond directement à la question de l'attribution d'une compétence se référant spécifiquement à une matière que la constitution originelle ne pouvait prévoir.

La constitution canadienne en a décidé ainsi : le Parlement du Canada peut «faire des lois pour la paix, l'ordre et le bon gouvernement du Canada, relativement à toutes les matières ne tombant pas dans les catégories de sujets... exclusivement assignés aux législatures des provinces...» À cet égard, il est intéressant de constater que l'attribution du résidu de la compétence législative (c'est-à-dire ce qui n'est pas expressément attribué par la Constitution) au niveau fédéral est un trait qui distingue la constitution canadienne de la majorité des fédérations, où les pouvoirs résiduels appartiennent aux États fédérés. C'est le cas des États-Unis, de la Suisse, de l'Autriche et de l'Australie. Parmi les pays dont les pouvoirs résiduels sont entre les mains de l'État fédéral, le Canada se retrouve aux côtés de l'Inde et du Nigeria, anciennes colonies de la Couronne britannique, comme le Canada.

Il faut dire que la reconnaissance systématique de ce pouvoir au gouvernement fédéral constituait, à l'origine, une disposition fort centralisatrice de la constitution canadienne, mais qui a été par la suite réduite dans son application par une philosophie qu'on peut qualifier d' « autonomiste » de la part du Conseil privé de Londres, le tribunal constitutionnel suprême de l'époque. Cela dit, le principe des pouvoirs résiduels se manifeste à travers d'autres mécanismes comme le recours à la théorie des dimensions nationales ou au pouvoir d'urgence.

Parmi les domaines où la théorie des pouvoirs résiduels a pu justifier une intervention des tribunaux favorables à la compétence législative fédérale, on peut mentionner l'aéronautique, les télécommunications, l'énergie nucléaire, la capitale fédérale et les droits miniers sous-marins.

Le pouvoir d'urgence

Selon le constitutionnaliste Gérald A. Beaudoin,

> la théorie de l'urgence veut que, dans des circonstances exceptionnelles et transitoires, le Parlement fédéral soit autorisé à légiférer pour faire face à la crise et à intervenir dans des secteurs qui, en temps normal, sont de la compétence exclusive des législatures provinciales[54].

Pendant ce temps, ajoute l'auteur, il y a effacement « de la dimension fédérale de la Constitution » en ce sens que la répartition habituelle des compétences est temporairement mise entre parenthèses. Le concept de l'urgence n'apparaît pas dans la Loi constitutionnelle de 1867. Il semble, selon André Tremblay, avoir été inventé par le Conseil privé notamment

> [...] pour permettre au Dominion d'adopter durant la guerre des mesures rendues nécessaires par une situation exceptionnelle[55].

L'exercice des pouvoirs d'urgence peut se faire par voie de loi particulière ou simplement par voie de déclaration d'un état d'urgence faite en vertu de la Loi sur les mesures d'urgence. Cette loi, adoptée en 1988, succédait à l'ancienne Loi sur les mesures de guerre[56] qui prévoyait une déclaration du même genre. Une fois que l'état d'urgence est déclaré, le gouvernement fédéral peut agir dans divers domaines relevant normalement de la compétence provinciale. La résultante en est, comme le souligne le professeur Tremblay, que

> [...] quand l'urgence existe et que le Parlement canadien légifère à son sujet, c'est le fédéralisme qui s'éclipse, c'est la division des pouvoirs qui cède devant l'état de nécessité, c'est la propriété et les droits civils qui sont sujets à l'empiétement et qui tombent sous l'article 91[57].

Malgré le fait qu'en principe de tels pouvoirs ne durent que le temps de l'urgence, ils peuvent engendrer des conséquences permanentes. En effet, si, à l'occasion de telles circonstances, le pouvoir fédéral use de son pouvoir déclaratoire puis de son pouvoir d'expropriation sur des parcelles de territoire, la perte de compétence territoriale du Québec passe du provisoire au permanent sur les parcelles de territoire en question.

Les pouvoirs accessoires ou implicites

Le Parlement fédéral, nous dit le professeur André Tremblay, a la compétence implicite de

> [...] statuer sur des matières qui normalement ressortissent aux compétences législatives provinciales, mais qui sont nécessaires comme accessoires à une législation efficace du fédéral[58].

Ce pouvoir n'est pas prévu dans la Constitution. Il s'agit plutôt d'une théorie qui tire son origine d'une affaire impliquant les procureurs généraux de l'Ontario et du Canada en 1894[59]. Comme le signale Gérald A. Beaudoin[60], il est loisible au Parlement fédéral de décréter toutes les dispositions accessoires ou auxiliaires nécessaires pour rendre sa législation efficace et complète, même si de telles dispositions concernent un domaine relevant de la province. La différence entre cette théorie et celle de la prépondérance législative fédérale provient du fait qu'ici le Parlement fédéral peut adopter une loi portant sur une matière de compétence législative provinciale exclusive, rendant alors valide une loi qui autrement ne le serait pas. Combinée avec la théorie de la prépondérance législative, l'existence de tels pouvoirs permettrait dès lors à la Cour suprême du Canada de décider qu'une loi québécoise se rapportant à son propre territoire ne s'appliquerait pas du seul fait qu'elle serait en conflit avec une disposition fédérale adoptée en vertu de cette théorie du pouvoir accessoire. Ainsi, une disposition d'une loi fédérale peut empiéter sur les compétences provinciales exclusives du seul fait que celle-ci est l'accessoire d'une disposition principale, confirmant ainsi la validité de la première.

D'ailleurs, la Cour suprême du Canada a décidé, dans l'affaire *Friends of the Oldman River* en 1992[61], que le Parlement fédéral peut prévoir un processus d'évaluation environnementale lorsqu'il lui est possible de rattacher le projet à l'une ou l'autre de ses compétences législatives. Une telle loi aurait alors prépondérance sur une loi provinciale incompatible à cause de la théorie de la prépondérance législative fédérale.

Par ailleurs, pour que la théorie de la prépondérance joue, il faut qu'il y ait deux lois qui existent, toutes deux originellement valides. Pour que l'on se réfère à la compétence implicite, il n'est pas nécessaire qu'il y ait une loi provinciale.

Le pouvoir fédéral de dépenser

Le pouvoir fédéral de dépenser se comprend comme la possibilité pour le gouvernement fédéral d'exercer une influence déterminante dans des domaines relevant de la compétence législative provinciale, au moyen de pressions financières. Il est, en pratique, une conséquence du déséquilibre fiscal qui existe entre les ressources fiscales et les responsabilités attribuées aux deux niveaux étatiques.

D'après une définition donnée par le gouvernement fédéral lui-même, le pouvoir fédéral de dépenser consiste en un pouvoir

> [...] de verser des sommes... à des fins au sujet desquelles le Parlement canadien n'a pas nécessairement le pouvoir de légiférer[62].

Ce pouvoir fédéral de dépenser s'exerce au moyen de dons, prêts, subventions et commandites et est utilisé à de nombreuses occasions. D'un point de vue politique, il est difficile, pour les provinces, de refuser la manne fédérale dans la mesure où elles n'ont pas, elles-mêmes, les fonds requis. On peut penser ici aux subventions versées aux universités ou à celles qui sont prévues pour des programmes conjoints dans les domaines de la santé et du bien-être, clairement de compétence provinciale.

Le Parlement fédéral peut alors fixer les conditions de son aide financière : il peut, par exemple, exiger que le titre de propriété lui soit transféré (dans le cas de l'établissement d'un parc) ou encore qu'un plan d'aménagement du territoire soit soumis à son droit de veto. L'intervention fédérale en matière territoriale, par la voie de la mise sur pied de programmes à frais partagés et pour la construction de routes ou d'infrastructures municipales, est alors reliée au pouvoir de dépenser.

Cela dit, il y a lieu d'ajouter que, selon la professeure Andrée Lajoie[63], « le droit n'est pas encore fixé sur la constitutionnalité du pouvoir fédéral de dépenser ». Madame Lajoie est même d'avis qu'il s'agit là d'une pratique inconstitutionnelle[64].

Il faut ajouter que les mécanismes permettant l'extension des compétences fédérales se prêtent à un genre d'effet multiplicateur qui permet à l'un ou l'autre de ces mécanismes de servir de base pour permettre au gouvernement fédéral d'avoir recours à un autre mécanisme d'extension des compétences. Ainsi, le recours au pouvoir déclaratoire pour obtenir une compétence législative sur un ouvrage donné permet par la suite au gouvernement fédéral d'exercer plus facilement son pouvoir d'expropriation sur l'ouvrage en question pour en faire une propriété fédérale... et la roue de tourner.

Nous répétons que les mécanismes décrits dans ce chapitre peuvent tout aussi bien être considérés comme autant d'épées de Damoclès suspendues sur la tête des provinces que comme des moyens pour assurer l'efficacité d'une politique de développement visant « l'avantage général du Canada ». Il importe seulement d'être conscient de la situation qui donne ouverture à ces deux interprétations.

Tache d'huile et peau de chagrin : un système

L A LOI CONSTITUTIONNELLE DE 1867 contenait, à vrai dire, le germe permettant la multiplication et l'accroissement des emprises fédérales sur le territoire du Québec. Malgré la propriété de principe du gouvernement québécois sur le territoire, le gouvernement fédéral a vu ses propriétés au Québec s'accroître de façon considérable par le jeu des diverses dispositions et théories constitutionnelles que nous avons mentionnées. De plus, il a pu acquérir des compétences législatives particulières sur de nombreuses autres portions du territoire du Québec, en s'en portant acquéreur.

Depuis 1867, l'accroissement et l'élargissement des compétences fédérales sur le territoire québécois se sont concrétisés par une grande variété d'emprises, à partir des établissements militaires jusqu'aux installations littorales. Certaines sont vastes et importantes comme les parcs nationaux, d'autres sont linéaires comme diverses voies de communication, d'autres, enfin, se limitent à un seul terrain. Il y a environ quarante ans, plusieurs juristes ont effectué des recherches importantes sur la question, soit au sein du Centre de recherche en droit public de l'Université de Montréal[1] soit pour le compte de la Commission d'étude sur l'intégrité du territoire du Québec[2]. Nos propres recherches nous ont permis d'actualiser la situation.

Le commun dénominateur de toutes ces recherches est certes le fait que le gouvernement fédéral exerce aujourd'hui ses pouvoirs sur de nombreuses parcelles de territoire grâce aux dispositions mêmes de la Constitution et grâce aussi aux mécanismes et aux techniques que nous avons évoqués. Bien que la nomenclature et les brèves analyses qui suivent ne se veulent pas exhaustives, elles donnent une bonne idée des principaux types d'emprises fédérales.

Les réserves indiennes

La compétence législative fédérale sur les « terres réservées aux Indiens », prévue au paragraphe 24 de l'article 91, lui a permis de voir à l'établissement de réserves indiennes. Une réserve est définie, dans la Loi sur les Indiens[3], comme une «parcelle de terrain dont Sa Majesté a la propriété... mise de côté à l'usage et au profit d'une bande». Mais la loi prévoit aussi une catégorie de «réserves spéciales», qui se trouvent sur des terres qui n'appartiennent pas au gouvernement fédéral mais sur lesquelles la loi s'applique comme s'il s'agissait de réserves.

Il n'y a pas de mode fixe de création d'une réserve indienne, la loi étant muette quant à la manière dont une terre peut être «mise de côté», ce qui signifie que le pouvoir d'établir une réserve relève de la prérogative royale[4]. Celles-ci sont notamment établies au moyen de l'adoption de décrets par le gouvernement fédéral.

En fait, la plupart des réserves indiennes au Québec ne sont pas de propriété fédérale bien que le gouvernement fédéral les détienne pour l'usage des Indiens. C'est que le mode principal utilisé au Québec pour la création des réserves indiennes consiste en un transfert de régie et d'administration par le Québec au profit du Canada. Il s'agit du transfert de l'usufruit et non de la propriété des terres concernées, celles-ci devant revenir au Québec si les territoires concernés cessent de constituer l'assiette d'une réserve. Cette éventualité ne change strictement rien au fait qu'il s'agisse ici d'emprises fédérales car le gouvernement fédéral y exerce une compétence législative exclusive de toute façon, qu'il y soit propriétaire ou non. Par ailleurs, certaines réserves indiennes sont de propriété fédérale pour la simple raison que le gouvernement central s'est antérieurement porté acquéreur des terrains requis auprès du secteur privé.

Un relevé préparé par la Commission d'étude sur l'intégrité du territoire du Québec[5] montre qu'il y avait, à l'époque, 43 réserves au Québec. Compte tenu de la compétence législative sur les Indiens et les réserves indiennes, les lois québécoises ne s'y appliquent qu'exceptionnellement.

Les établissements et camps militaires

Le paragraphe 7 de l'article 91 de la Loi constitutionnelle de 1867 accorde au Parlement fédéral une compétence législative exclusive sur «la milice, le service militaire et le service naval, ainsi que la défense», alors que l'article 117 donne au gouvernement fédéral le droit «de prendre les terres ou les propriétés publiques dont il aura besoin pour les fortifications ou la défense du pays».

C'est en vertu de ce chef de compétence législative que l'autorité fédérale a établi des camps et des établissements militaires comme ceux de La Macaza, Bagotville et Valcartier. En pratique cependant, le gouvernement fédéral se porte acquéreur, de manière amiable, des terrains dont il a besoin pour y aménager des bases ou camps militaires, arsenaux, champs de tir ou autres établissements du genre. Il y a toutefois lieu de signaler que la Loi sur les mesures d'urgence[6] prévoit divers pouvoirs de réquisition de propriétés. Le gouvernement fédéral peut alors, sur déclaration de sa part qu'il y a sinistre, état de crise internationale ou état de guerre, prendre les mesures nécessaires pour acquérir des propriétés, sous réserve de l'obligation de payer une indemnité. Il y a lieu de signaler ici que, s'il peut y avoir consultation des autorités provinciales, une telle déclaration reste un acte unilatéral et discrétionnaire de la part du gouvernement fédéral.

Les terrains des anciens combattants

La compétence fédérale exclusive en matière de défense a permis au Parlement fédéral d'adopter la Loi sur les terres destinées aux anciens combattants[7], laquelle donne à ces derniers la possibilité de s'établir sur des terres mises à leur disposition par le gouvernement fédéral qu'il aura auparavant achetées.

Mais cette loi prévoit (article 15) que la propriété du terrain vendu à un ancien combattant reste entre les mains du directeur des Terres des anciens combattants jusqu'au paiement entier du prix de vente. Ce dernier étant un agent du gouvernement fédéral, les terrains en question continuent d'appartenir à celui-ci jusqu'à parfait paiement du prix et les anciens combattants eux-mêmes ne sont alors que de simples occupants. Cette situation, qui a largement perdu de son actualité, est, dans la mesure où elle perdure, de nature à engendrer des difficultés d'application des lois provinciales.

Les parcs fédéraux

En superficie, la plus grande part des emprises fédérales au Québec est constituée de l'ensemble des parcs fédéraux. Tel n'était pas le cas il y a quelque trente-cinq ans. Existaient déjà le parc de la Gatineau, des parcs et sites historiques de même que des cas particuliers comme le parc des Champs-de-Bataille de Québec, mais aucune parcelle du territoire du Québec n'était régie par la Loi fédérale sur les parcs nationaux[8]. Depuis 1970, le parc national de Forillon en Gaspésie et le parc national de la Mauricie ont été créés, de même que la « Réserve de Parc national de l'Archipel-de-Mingan ». Cette dernière expression traduit le fait que les droits territoriaux des autochtones pouvant affecter ce territoire n'ont pas encore fait l'objet d'un règlement, notamment quant à la gestion du territoire concerné. Depuis ce temps également, les citoyens de divers coins du Québec réclament, de temps à autre, l'établissement d'un parc national dans leur région : ce fut le cas, notamment, au Témiscamingue et dans le Bas-Saint-Laurent.

Or, le gouvernement fédéral exige habituellement que le titre de propriété soit entre ses mains avant de créer un « parc national », ce qui ne peut se faire que par l'achat de terrains privés de gré à gré ou par expropriation ou encore par transfert de terrains du Québec au Canada (ou par bail emphytéotique à long terme, ce qui revient au même). L'enjeu est important, tant à cause des grandes superficies affectées qu'à cause de l'ampleur des pouvoirs fédéraux qui s'y exercent. La conséquence de cette attitude du gouvernement fédéral qui réclame le titre de propriété sur les terrains devant faire l'objet de « parcs nationaux » équivaut évidemment à soustraire ces espaces à l'exercice des compétences du Québec.

En effet, une fois que le « parc national » est créé, celui-ci devient une enclave fédérale où le Québec ne conserve qu'une compétence législative supplétive. Comme le signale Jacques Brossard, les provinces ont alors

> [...] le pouvoir d'y légiférer de façon supplétive dans les domaines qui leur sont propres (par exemple en matière de sécurité routière), aussi longtemps que l'État fédéral ne l'a pas fait lui-même. Il demeure que l'État fédéral possède ainsi de vastes portions de territoire situées dans les limites des États provinciaux et qu'il peut y légiférer de façon prioritaire dans plusieurs domaines de compétence provinciale[9].

La très volumineuse réglementation fédérale se rapportant aux parcs fédéraux en témoigne d'ailleurs. Des règlements ont en effet été adoptés sur des questions aussi diverses que la coupe de bois, le lotissement, le camping et l'enlèvement des ordures ménagères. De plus, même si les tribunaux ont toujours affirmé que les parcs fédéraux ne cessaient pas de faire partie des provinces et d'être régis par les lois provinciales, il reste que, là comme ailleurs sur les propriétés fédérales, le principe de l'immunité législative s'applique en faveur du niveau fédéral. En effet, les lois provinciales ne s'appliquent pas à la Couronne fédérale[10].

D'aucuns se demandent quelle est la constitutionnalité de la Loi sur les parcs nationaux du Canada[11], d'autant plus que ceux-ci ne sont pas mentionnés dans les catégories de sujets qui sont de la compétence législative du Parlement fédéral en vertu de la Loi constitutionnelle de 1867. Comme l'administration des terres publiques relève des provinces, on peut se demander sur quelle base constitutionnelle s'appuie cette loi sur les parcs nationaux du Canada.

Bien sûr, le Parlement fédéral peut légiférer sur les propriétés fédérales. De plus, la loi sur les parcs nous éclaire quelque peu en exprimant ainsi, à l'article 4, sa justification d'occuper le champ des parcs :

> les parcs sont créés à l'intention du peuple canadien… pour son agrément et l'enrichissement de ses connaissances[12]

et, à l'article 9, au sujet des sites historiques : le gouvernement

> […] peut ériger en parc historique national toute terre… afin de… commémorer un événement historique d'importance nationale.

Ce serait donc la théorie des dimensions nationales qui constitue la première justification de l'intervention fédérale. Mais celle-ci peut aussi se défendre à plusieurs autres titres : le pouvoir illimité de dépenser, le pouvoir résiduaire, la prépondérance législative et, comme nous venons de le mentionner, la compétence sur les propriétés fédérales. On peut se demander si on ne s'éloigne pas, en ce faisant, du principe fondamental du fédéralisme en ce qu'il a pour résultat que l'État central exerce toute la gamme des compétences sur ces parcelles importantes du territoire québécois que sont les « parcs nationaux » et non pas seulement celles qui lui ont été dévolues par la Loi constitutionnelle de 1867. L'existence même de parcs nationaux (fédéraux) au Québec a paru anormale et même inacceptable à certains, dans une perspective d'intégrité territoriale.

À cet égard, le jugement du professeur Patrice Garant est sévère :

> Le parc national constitue probablement le plus bel exemple d'atteinte à l'intégrité territoriale des provinces ; il constitue une « province » dans la province. La plupart de celles-ci ont consenti à une telle quasi-cession de territoire pour bénéficier des largesses du Gouvernement fédéral ; mais, dès que l'une ou l'autre d'entre elles ne veut pas entrer dans ce jeu de ruse avec la Constitution qu'on appelle proprement le « fédéralisme coopératif », elle en devient la victime perdante[13].

L'augmentation potentiellement illimitée du nombre et de la superficie des « parcs nationaux » ouvre la porte à l'exercice par l'État central de la quasi-totalité des compétences sur une proportion de plus en plus grande du territoire d'un État fédéré. Une telle situation est-elle compatible avec les principes de base du fédéralisme et de la notion de territoire dans les États fédérés ? La réponse à cette pertinente question est toujours la même : oui et non, selon la conception qu'on a du fonctionnement du fédéralisme; autrement dit, la réponse se situe sans doute davantage au niveau des attitudes politiques qu'à celui du droit.

Les stations agricoles expérimentales

La Loi sur les stations agronomiques[14] autorise le gouvernement fédéral à établir des fermes expérimentales. Son fondement constitutionnel réside dans l'article 95 de la Loi constitutionnelle de 1867 qui prévoit que les niveaux fédéral et provinciaux ont une compétence concurrente en matière d'agriculture. Il en résulte que, si deux dispositions respectives valides sont incompatibles, la disposition fédérale aura prépondérance. La loi prévoit de plus (article 6) que le gouvernement fédéral peut exproprier aux fins de l'établissement de stations agronomiques.

Petites en superficie et peu nombreuses au Québec, ces fermes ou stations doivent néanmoins être envisagées comme les autres propriétés fédérales en ce sens que l'ensemble de leur gestion et de leur exploitation relève de la compétence législative fédérale à cause du paragraphe 1A de l'article 91.

Dans un domaine connexe, la Loi sur le développement des forêts et la recherche sylvicole[15] prévoit que le gouvernement peut établir une « région d'expérimentation forestière » et y construire les ouvrages nécessaires à la recherche forestière ainsi qu'à la plantation d'arbres et à la gestion des forêts.

Les ports et havres publics

La plupart des installations portuaires du Québec s'échelonnent le long du Saint-Laurent. Nous avons mentionné plus haut que les havres publics qui existaient en 1867 étaient de propriété fédérale. Aujourd'hui, le nombre de ceux-ci est bien plus élevé et leur superficie est considérable.

Les sources constitutionnelles et législatives qui assurent au gouvernement fédéral une emprise sur les ports et havres publics sont nombreuses. À part la troisième annexe de la Loi constitutionnelle de 1867 déjà mentionnée et les diverses dispositions des articles 91 et 92 dont la compétence fédérale en matière de navigation, on peut se référer à la Loi sur les ports et installations portuaires publics[16]. L'application des diverses dispositions de cette loi et des nombreux textes réglementaires adoptés en vertu de celle-ci quant aux activités portuaires fait en sorte que la fraction du territoire affectée par ces activités est soumise à une compétence fédérale beaucoup plus importante que sur les territoires avoisinants.

Cette situation se justifie par la lettre de la Constitution et par les mécanismes et les théories mentionnées au chapitre 3.2. Cela dit, reste à voir si cette situation est susceptible de limiter l'action effective et efficace du gouvernement québécois sur des activités dont l'importance économique dépasse largement les limites des ports et des havres publics eux-mêmes. Dans le cas du port de Québec, cet espace est depuis quelques années géré par une agence fédérale dont le conseil d'administration est composé de sept membres : trois membres sont respectivement nommés par le fédéral, le provincial et le municipal alors que les quatre autres représentent les usagers.

Les quais et autres installations littorales

Les paragraphes 3 et 5 de la troisième annexe de la Loi constitutionnelle de 1867 avaient attribué au gouvernement fédéral certaines propriétés reliées à la navigation : il s'agissait des quais, phares et améliorations sur les lacs et rivières qui existaient alors. Et, compte tenu du fait que la compétence législative fédérale s'étend à la navigation, aux phares, à la quarantaine et aux pêcheries, le gouvernement fédéral a, depuis ce temps, acquis de nombreux espaces sur le littoral du Saint-Laurent dans ce contexte.

L'ampleur de ces acquisitions fédérales est indéfiniment extensible dans la mesure où le gouvernement fédéral considère que de telles parcelles de territoire sont nécessaires pour l'exercice de ses compétences législatives à cet égard. La question est de savoir dans quelle mesure de telles appropriations se font avec ou sans le consentement du Québec, sinon à son insu.

On peut ajouter ici que la compétence législative fédérale en matière de pêche et aussi en matière de chasse aux oiseaux migrateurs lui permet de décider, de façon unilatérale, d'acheter des terrains pour l'aménagement à cette fin de débarcadères ou d'autres installations littorales le long du Saint-Laurent.

Les canaux

Lorsqu'on se réfère aux canaux, on pense souvent à des canalisations comme celles du Richelieu ou de Lachine. Mais il y a aussi et surtout la voie maritime du Saint-Laurent, cette canalisation gigantesque qui touche aux territoires du Québec, de l'Ontario et des régions limitrophes des États-Unis.

Les canaux sont de compétente fédérale à la fois à cause du paragraphe 10 de l'article 91 de la Loi constitutionnelle de 1867 qui attribue la compétence sur la navigation au niveau fédéral et du paragraphe 10 de l'article 92 qui fait de même à l'égard des canaux qui excèdent les limites d'une province. Même si le lit du fleuve appartient au Québec, la compétence législative fédérale est ici incontestable. Cette compétence sur les canaux, s'ajoutant à la compétence fédérale sur la navigation, les pêches commerciales et la chasse aux oiseaux migrateurs, fait en sorte que celle du Québec s'est amoindrie au point d'être passée du théorique à l'illusoire.

Les aérodromes

La compétence législative en matière d'aéronautique a été attribuée au Parlement fédéral par la jurisprudence du Conseil privé en 1932, en interprétant les diverses dispositions des articles 91 et 92 de la Loi constitutionnelle de 1867. Il en résulte que le Parlement fédéral peut adopter des lois pour prévoir l'acquisition de propriétés pour aménager une zone aéroportuaire à l'emplacement que le gouvernement du Canada aura choisi. Ainsi, en 1969, ce dernier a décidé d'exproprier les terrains nécessaires à l'aménagement d'installations aéroportuaires à Mirabel. Le tout s'est déroulé sans le consentement du gouvernement québécois (pourtant responsable, en principe, de l'aménagement du territoire) qui avait proposé des solutions alternatives.

Rien n'empêche qu'un aérodrome soit de propriété provinciale ou municipale, comme rien n'empêche le gouvernement fédéral d'être propriétaire d'un aérodrome. Ce n'est d'ailleurs pas tant le fait que l'aérodrome appartienne ou non au gouvernement fédéral qui importe ici, mais c'est surtout qu'en utilisant sa compétence législative, qui est prépondérante, le gouvernement fédéral peut y appliquer ses propres règlements et ainsi intervenir dans le champ normal des compétences législatives provinciales. C'est le cas des zones aéroportuaires dotées de règlements fédéraux de zonage.

Les routes

Dans les enclaves fédérales que peuvent constituer les parcs fédéraux, les camps militaires ou les fermes et forêts expérimentales fédérales et autres territoires fédéraux, des routes peuvent être de propriété fédérale, provinciale, municipale et même privée. Il importe évidemment d'établir à quelle compétence elles sont soumises.

Il semble bien que les routes qui se retrouvent sur les propriétés fédérales, qu'elles aient ou non été construites par le gouvernement fédéral, soient sujettes à la législation fédérale. Si les lois et réglementations provinciales ou municipales s'y appliquent en vertu de la compétence législative provinciale sur les systèmes routiers, c'est que le législateur fédéral en a décidé ainsi. Le paragraphe 1A de l'article 91, donnant au Parlement fédéral la compétence exclusive sur les routes qui se trouvent sur ses propriétés, le confirme.

De plus, nous dit le juriste Jacques Dupont,

> [...] le jeu combiné du pouvoir déclaratoire, du pouvoir de dépenser du Fédéral et de la théorie des dimensions nationales peut certainement être mis en branle concernant l'aménagement routier, celui des grandes villes en particulier[17].

Les routes visées peuvent en effet se retrouver à l'extérieur des propriétés fédérales. Une telle situation fait en sorte que les routes et les voies de communication en général peuvent aussi devenir un élément important du contentieux territorial fédéral-provincial.

Les chemins de fer

Le paragraphe 10a de l'article 92 de la Loi constitutionnelle de 1867 constitue la base du partage des compétences législatives en matière de chemins de fer. Il y est prévu que les chemins de fer reliant une province à une autre ou s'étendant hors des limites d'une province sont de compétence fédérale.

A contrario, on pourrait donc dire qu'une ligne de chemin de fer entièrement construite à l'intérieur de la province, et dont l'objet n'est pas de relier un point situé dans la province et un autre situé à l'extérieur, serait de compétence provinciale. La situation n'est cependant pas si simple car le paragraphe 10c du même article permet au Parlement fédéral de déclarer qu'un tel chemin de fer est à l'avantage général du Canada, ce qui fait alors basculer la compétence législative du côté du niveau fédéral, ce qui d'ailleurs s'est produit en de nombreuses occasions[18].

Par ailleurs, la jurisprudence constitutionnelle canadienne permet au gouvernement fédéral d'accorder à une société exploitant un chemin de fer le droit d'exproprier des terrains appartenant aux provinces. L'effet combiné de ces sources importantes de compétence législative fédérale peut donc engendrer des extensions d'emprises territoriales elles-mêmes importantes en nombre et en superficie.

Les ponts

Bon nombre de ponts au Québec sont de propriété fédérale : les ponts Jacques-Cartier, Champlain et Victoria dans la région de Montréal en sont des exemples. Dans le cas de ponts intraprovinciaux tout comme ceux que l'on vient de mentionner, le Parlement fédéral y exerce ses compétences législatives lorsqu'il s'agit d'ouvrages érigés sur une propriété publique du Canada. La situation et la même pour les ponts appartenant à une société constituée en vertu d'une loi fédérale. Par ailleurs, le Parlement fédéral est également compétent en matière de ponts interprovinciaux, comme ceux qui enjambent la rivière des Outaouais.

Dans le cas où un pont n'est pas érigé sur une propriété fédérale, le gouvernement du Canada peut aussi y contrôler l'implantation en vertu de la compétence fédérale en matière de navigation. C'est ainsi que le gouvernement du Québec doit obtenir l'autorisation du gouvernement fédéral avant de construire un pont qui traverse une rivière navigable.

Les oléoducs et gazoducs

Les oléoducs et gazoducs appartiennent en général à des intérêts privés. Toutefois, dans la mesure où la compétence législative peut être du ressort fédéral, ceux-ci deviennent des emprises fédérales. Mais il faut distinguer entre les oléoducs et gazoducs interprovinciaux et ceux qui sont intra-provinciaux : seuls les premiers relèvent de la compétence législative fédérale puisque, selon les termes du paragraphe 10a de l'article 91, il s'agit d'ouvrages « reliant une province à une autre, ou s'étendant au-delà des frontières d'une province ».

L'État fédéral possède ici la même compétence exclusive à l'égard de la construction et de la gestion des oléoducs et gazoducs qu'à l'égard des chemins de fer interprovinciaux. Cette compétence s'est exercée notamment par la Loi sur l'Office national de l'énergie[19] qui donne aux entreprises exploitant des oléoducs et gazoducs de vastes pouvoirs d'expropriation sur les terrains privés et même sur les terrains appartenant aux gouvernements des provinces, ce qui ne signifie pas que les pouvoirs en question seront de fait exercés car des raisons politiques peuvent faire en sorte que cela ne se fera pas.

Plusieurs dispositions de cette loi concernent des domaines qui relèvent habituellement des provinces[20]. Les permis de construction accordés en vertu de la loi permettront même au constructeur de traverser des terres provinciales y compris celles qui font déjà l'objet de permis d'utilisation, par exemple pour l'exploitation de la forêt. Cette situation comporte l'incertitude liée au fait que le Parlement fédéral peut toujours exercer son pouvoir déclaratoire pour le cas des oléoducs et des gazoducs intraprovinciaux, et cela en tout temps et de manière unilatérale.

On voit donc que, comme dans le cas de bien d'autres domaines, l'équilibre du contrôle territorial entre les deux ordres de gouvernement ne peut, dans le cadre constitutionnel actuel, évoluer à l'avantage du Québec. Toute évolution des compétences sur le territoire, en matière d'oléoducs et de gazoducs, ne peut aller que dans le sens d'une limitation des pouvoirs du Québec sur son territoire.

Les emprises à des fins de télécommunications

Les télécommunications sont incluses dans la liste des matières qui relèvent de la compétence législative fédérale à cause de la compétence résiduelle qui est entre les mains du Parlement fédéral, à part évidemment le télégraphe au sujet duquel la Loi constitutionnelle de 1867 avait prévu une compétence fédérale. Il en résulte que c'est le fédéral, en bout de ligne, qui a le contrôle de la législation touchant les installations de radio et de télévision. En fait, la compétence législative est fédérale et le Québec y est assujetti s'il veut s'en prévaloir. Ainsi il a fallu, par exemple, que Radio-Québec obtienne une licence du Conseil de la radiodiffusion et des télécommunications canadiennes (CRTC), un organisme fédéral, pour exploiter ses stations de télévision éducatives.

L'utilisation du territoire québécois par le gouvernement fédéral à des fins de télécommunications se fait surtout par l'entremise de la Société Radio-Canada, une société d'État. Les espaces concernés sont petits en superficie. Il reste que, sur ceux-ci, le Parlement fédéral peut exercer toute la gamme des compétences législatives lorsque de tels espaces sont de propriété fédérale à cause du paragraphe 1A de l'article 91. Ce paragraphe lui permet, ici encore, d'exercer sur ces espaces, non seulement sa compétence en matière de télécommunications, mais également sur toute autre matière.

Les édifices publics

Le gouvernement fédéral était devenu, en 1867, propriétaire des bureaux de poste, des postes de douane et des édifices devant servir à l'administration fédérale. De nombreux autres édifices publics de propriété fédérale existent à la suite d'acquisitions et de constructions subséquentes. De tels édifices comprennent tous ceux qui servent aux ministères fédéraux ou à d'autres fins de l'administration fédérale, tels les pénitenciers.

On peut noter ici que le gouvernement fédéral peut non seulement acquérir des propriétés de gré à gré à ses fins administratives mais qu'il pourrait aussi exproprier des terrains, y compris ceux qui appartiennent au gouvernement québécois, pour y construire des édifices publics destinés à l'exercice de ses compétences. Comme dans le cas des propriétés fédérales acquises à des fins de télécommunications, le Parlement fédéral exerce, sur ces terrains dotés d'édifices publics, l'ensemble des compétences législatives, du seul fait qu'il s'agit ici de propriétés fédérales.

Les terres de sociétés d'État

Les sociétés d'État fédérales sont fort nombreuses : Banque du Canada, Commission de la capitale nationale, Société centrale d'hypothèques et de logement, Société Radio-Canada, Banque de développement du Canada, Société canadienne des postes, Corporation de la gestion de la voie maritime du Saint-Laurent, etc.

Ces sociétés ou entreprises acquièrent, dans le cours normal de leurs activités, des propriétés au Québec. Or, tout ce que nous avons dit au sujet de la compétence législative fédérale concernant les propriétés fédérales et du paragraphe 1A de l'article 91 s'applique à celles-ci. La diminution conséquente des compétences législatives québécoises sur ces propriétés s'applique aussi, *mutatis mutandis*, aux terres des sociétés d'État, car celles-ci se confondent avec les terres domaniales fédérales elles-mêmes. L'incertitude réside ici dans l'évolution éventuelle de la situation, non pas quant à sa légalité constitutionnelle, mais plutôt quant à la volonté politique du gouvernement québécois d'en garantir le contrôle.

Les droits territoriaux au large des côtes

La Cour suprême du Canada s'est prononcée à deux reprises sur la question des droits sous-marins, la première fois au sujet de ceux qui sont situés au large de la Colombie-Britannique en 1967[21] et la deuxième fois au sujet de ceux qui sont situés au large de Terre-Neuve en 1984[22]. Chaque fois, elle a reconnu à l'État fédéral les droits de propriété (dans la mesure où le droit international les reconnaît à l'État riverain) et la compétence législative sur leur exploitation. Au sujet de celle-ci, elle s'est fondée sur la théorie des dimensions nationales et aussi sur le paragraphe 1A de l'article 91.

Le cas du golfe du Saint-Laurent n'a pas encore fait l'objet d'un arrêt de la Cour suprême et il serait prématuré d'élaborer sur cette question. Cela dit, le moins que l'on puisse dire, c'est que l'existence d'un territoire maritime fédéral, d'une population zéro, situé entre la Gaspésie et les îles de la Madeleine ne correspond pas à un modèle courant d'agencement territorial en géopolitique.

Autres emprises fédérales

Le relevé qui précède n'est pas exhaustif. Le gouvernement fédéral peut en effet créer d'autres types d'emprises territoriales au Québec. Bien qu'il n'existe pas d'inventaire complet des emprises fédérales au Québec, on peut signaler, à titre d'exemples, les bases de radar où s'exerce la compétence législative fédérale en matière de défense ou encore le lit d'une rivière de propriété fédérale et destinée à l'exploitation de ressources hydrauliques. On peut aussi penser aux nombreux refuges fédéraux d'oiseaux situés sur les îles du Saint-Laurent.

Par ailleurs, le pouvoir déclaratoire du Parlement fédéral, prévu au paragraphe 10C de l'article 92 de la Loi constitutionnelle de 1867, permet au Parlement fédéral d'acquérir une compétence législative sur les ouvrages qu'il déclare à l'avantage de deux ou plusieurs provinces ou à l'avantage général du Canada, de tels ouvrages n'étant pas de propriété fédérale.

Les possibilités sont illimitées à ce sujet car le Parlement fédéral a toute discrétion à cet égard. Il peut, par exemple, exercer de façon unilatérale son pouvoir déclaratoire relativement à un ouvrage situé sur un site patrimonial, à une tour d'observation destinée à la protection des forêts contre les incendies et qui serait en position frontalière, à un barrage, à une mine, à un aménagement situé sur une île où il voudrait exercer ses compétences législatives, à un site d'enfouissement, à une usine, à un hôtel, etc.

L'effet de l'exercice du pouvoir déclaratoire, eu égard aux ouvrages en question, est encore une fois de faire basculer en faveur de la compétence législative fédérale ce qui était auparavant de compétence législative québécoise.

* * *

Nous avons cru utile d'illustrer comment des éléments propres au territoire québécois pouvaient faire tache d'huile, les processus n'étant pas les mêmes pour tous les types d'éléments. Ces processus dont les résultats affectent des territoires plus ou moins importants agissent selon un modèle commun qui illustre de façon schématique les glissements qui s'opèrent d'une compétence à l'autre et qui caractérisent un des aspects de l'évolution territoriale du Québec (figure 19).

FIGURE 19
Le glissement des compétences

A
Répartition des compétences selon les domaines

B
Le résultat d'ensemble

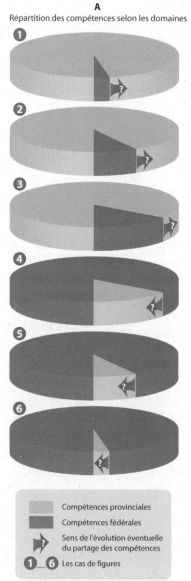

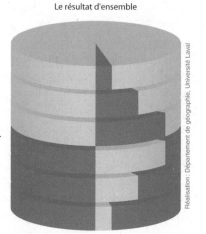

Réalisation : Département de géographie, Université Laval

En A, le graphique illustre six cas de figure correspondant à des situations respectivement représentées par les exemples suivants (3 exemples par cas de figure) :

1. Un campus scolaire
   Un édifice du gouvernement provincial
   Un ouvrage de nature locale, tel une usine

2. Un parc provincial
   Une ligne de transport d'énergie
   Une terre faisant l'objet de zonage agricole

3. Une mine en exploitation
   Un chemin de fer régional
   Une aire protégée

4. Le fleuve Saint-Laurent
   Un aérodrome provincial
   Une exploitation minière d'uranium

5. Une réserve indienne
   Une installation portuaire régionale
   Une ferme expérimentale fédérale

6. Un camp militaire
   Un parc fédéral
   Un port national

En B, le graphique illustre de façon schématique et très simplifiée l'ensemble des répartitions spatio-sectorielles qui composent le territoire québécois au chapitre de la répartition des compétences telles qu'elles sont exercées par les deux ordres de gouvernement.

Compétences provinciales

Compétences fédérales

Sens de l'évolution éventuelle du partage des compétences

①....⑥ Les cas de figures

Le glissement général de compétence de l'État fédéré vers l'État central s'opère d'une double manière. On peut noter, d'une part, une variation verticale dans l'équilibre des compétences lorsque le partage de celles-ci subit des modifications dans le sens d'un gonflement des compétences d'un des deux ordres de gouvernement. On ne peut que constater que l'histoire a démontré que ce déplacement de compétences s'est fait, dans la quasi-totalité des cas, du niveau provincial vers le niveau fédéral. Ce phénomène est à sens unique puisque les pouvoirs résiduels, le pouvoir déclaratoire, les dimensions nationales et autres mécanismes, on l'a vu, jouent uniquement en faveur de l'État central.

Dans la figure 20, le bloc A illustre de façon théorique les épaisseurs relatives des compétences respectives pour l'ensemble du territoire. Les blocs B et C évoquent l'évolution de ces épaisseurs pour des portions particulières du territoire ; cette évolution a lieu dans la direction 1. La proposition exprimée par le bloc D est purement hypothétique, la constitution canadienne, à toutes fins utiles, ne permettant pas une évolution dans ce sens. La modification des « épaisseurs de compétence » sur une portion donnée du territoire peut aussi s'accompagner d'une variation horizontale, puisque les propriétés fédérales ont tendance à s'agrandir, l'assiette géographique affectée évoluant dans la direction 2. Il y a donc accroissement dans les deux dimensions et cette conjonction d'accroissements est, d'une certaine manière, autogénératrice. Là encore, les appropriations, on l'a déjà dit, peuvent dépasser les besoins immédiats reliés à la législation fédérale sur laquelle s'appuient les appropriations territoriales.

La combinaison des deux aspects de l'évolution de la situation territoriale du Québec (quant à l'étendue des compétences et quant aux portions de territoire sur lesquelles elles s'exercent) a pour conséquence d'interpeller la notion d'intégrité territoriale. En effet, la double compression de la compétence législative et de la propriété du Québec sur son territoire limite progressivement la marge de manœuvre de ce dernier et, dans certains cas, peut rendre inopérantes ses propres politiques. À la limite, un scénario pessimiste pourrait prévoir, comme résultat d'une évolution irréversible du glissement de compétences et de territoires vers l'État central, que le Québec, partie constituante d'un État fédéral de droit, finira par n'avoir, à l'intérieur d'un État unitaire de fait, qu'un rôle d'administration régionale. Il n'est pas interdit d'interpréter l'histoire politique des dernières décennies comme la confirmation que c'est là la voie vers laquelle le gouvernement fédéral semble s'être consciemment engagé.

FIGURE 20

Les dimensions internes de l'intégrité territoriale

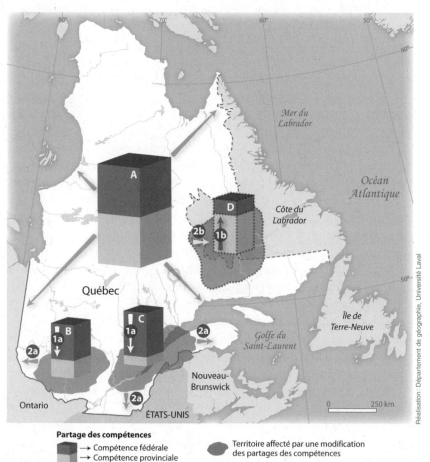

Partage des compétences

→ Compétence fédérale
→ Compétence provinciale

Territoire affecté par une modification
des partages des compétences

Réalisation : Département de géographie, Université Laval

Légende

A :   Répartition générale des compétences à l'origine, sur l'ensemble du territoire.
1 :   modification du partage des compétences :
       a) élargissement des compétences fédérales
       b) élargissement hypothétique des compétences provinciales
2 :   modification ou création de l'assiette territoriale affectée :
       a) en faveur du gouvernement fédéral
       b) en faveur du gouvernement provincial
B, C : Résultat du cas 1a quant à l'élargissement des compétences fédérales et de leur assiette
       territoriale
D :   Cas hypothétique du résultat du cas 1b quant à l'élargissement des compétences
       provinciales sur des portions de territoire

Notre propos n'est pas de dénoncer cette tendance que d'aucuns estiment souhaitable au nom d'une certaine efficacité dont un État central fort peut effectivement être le principal garant. Il est plutôt de faire prendre conscience de cette évolution et du degré de contrôle sur son territoire que cette situation laissera éventuellement au Québec. Il se peut en effet qu'à défaut d'une telle prise de conscience, à tous les échelons du gouvernement du Québec, l'érosion territoriale, dans le sens mentionné plus haut, aille en s'accélérant. Nous parlons de « prise de conscience » pour la raison que cette érosion peut agir sans même que le gouvernement du Québec n'en ait officiellement conscience puisque certains mécanismes constitutionnels permettent, on l'a vu, le passage de territoires vers la compétence législative fédérale sans que le gouvernement du Québec ne soit partie ni même consulté.

Rappelons que l'État central peut exproprier les terres appartenant au Québec alors que l'inverse n'est pas possible. On peut ajouter, au sujet des expropriations fédérales, qu'il arrive que l'État central exproprie des superficies beaucoup plus considérables que ce qu'exige l'exercice de ses compétences ; ce fut le cas à l'occasion de l'expropriation des terrains lors de l'aménagement de l'aéroport de Mirabel. Force nous est donc de constater que l'évolution décrite est à sens unique et que préconiser le statu quo en la matière équivaudrait à confirmer une telle évolution. En effet, dans les circonstances actuelles, le Québec ne possède pas les garanties minimales qu'il pourra toujours exercer sans entraver ses compétences sur son territoire.

Avec un grain de mauvaise volonté, certains verront dans l'analyse qui précède une critique du fédéralisme ou de la constitution canadienne ou encore de l'exercice par l'État fédéral de ses compétences. Répétons-le : tel n'est pas notre propos. Pour peu que l'on croie que la Loi constitutionnelle de 1867 traduisait un réel désir d'instaurer un régime fédératif véritable, il importe de faire le point sur l'évolution récente de la situation territoriale du Québec, ce qui peut déboucher sur une question légitime, celle d'établir si les principes fondamentaux du fédéralisme tels qu'ils sont pris en compte par la Constitution sont encore intégralement respectés et partagés, tout en acceptant l'évidente nécessité que ces principes doivent s'adapter aux nouvelles conjonctures et aux besoins qu'elles engendrent. En effet, la matière de ce chapitre et du précédent n'est en rien un plaidoyer pour la sclérose constitutionnelle, bien au contraire. Nous l'avons colligée, avec les inévitables répétitions que cela implique quant à nos conclusions sur la diminution des pouvoirs du Québec sur son territoire, aux fins de contribuer à définir le *dilemme territorial* du Québec.

Nous ne répondons pas à la question formulée au paragraphe précédent, notre analyse ne se bornant qu'à décrire, d'un point de vue pratique, la situation et le cadre juridique et politique dans lesquels elle a évolué. Ce faisant, les cas de figure évoqués sont tous susceptibles d'être évalués positivement sous l'angle de l'efficience de la gestion pancanadienne du territoire ou négativement sous l'angle spécifique de l'intégrité territoriale du Québec. Nous laissons à d'autres le soin de faire une analyse de la situation décrite sous l'angle de la théorie du fédéralisme. Parler d'incertitudes, c'est poser des questions. À d'autres d'y répondre.

3.4.

Le dilemme territorial

L E FÉDÉRALISME CANADIEN a habilité les deux ordres de gouvernement à administrer le territoire sur la base d'une répartition des
compétences que chacun peut, de ce fait, exercer. Dans une large gamme
de domaines en matière de territoire, la compétence législative de principe
a été attribuée aux provinces. En pratique, et c'est là qu'entrent en jeu les
facteurs économiques et politiques, il est de commune renommée que
les provinces ne disposent pas toujours de ressources fiscales suffisantes
pour exercer cette compétence. C'est alors que le gouvernement fédéral a
la possibilité d'intervenir au moyen de divers programmes, conjoints ou
non, entre autres dans les domaines de l'agriculture, de l'habitation, de
l'environnement, des affaires urbaines. Les fonds fédéraux peuvent alors
servir à financer, en tout ou en partie, des projets relevant au premier chef
de la compétence législative des provinces.

Lorsque le gouvernement fédéral finance un programme, il est naturel
qu'il ait son mot à dire dans l'utilisation du sol et, par voie de conséquence,
sur l'aménagement du territoire. Cela est d'autant plus susceptible de se
produire lorsque l'autorité fédérale, s'appuyant sur le constat que les
compétences que lui a attribuées la Constitution sur le territoire ne sont
que partielles, s'estime justifiée d'étendre la portée de ces compétences
et de s'engager de façon active dans des matières comme la gestion des
eaux ou de l'environnement. Elle pourra alors jouer l'une ou l'autre
des cartes mises à sa disposition par les techniques et les mécanismes
constitutionnels mentionnés.

Il importe de préciser que les accroissements de la compétence territoriale fédérale au Québec se sont déroulés conformément aux pouvoirs
que la Constitution avait effectivement conférés au gouvernement fédéral
de même que par le jeu des mécanismes dont on peut difficilement mettre
en doute la constitutionnalité. Là n'est pas la question que nous soulevons
ici ; elle tient à l'incertitude créée par le recours toujours possible aux
mécanismes évoqués plus haut pour modifier l'équilibre des compétences

entre les deux ordres de gouvernement, avec la conséquence toujours possible que l'intégrité territoriale du Québec en subisse d'importantes érosions. Cette éventualité avait amené le juriste Jacques Brossard à se demander si le Québec possède vraiment « son » territoire[1].

Un exemple hypothétique nous permet de comprendre l'incertitude qui grève tout projet qui, pour se réaliser, doit s'appuyer sur l'un ou l'autre des mécanismes évoqués dans le chapitre précédent. Un projet québécois visant la création d'une réserve écologique pourrait se heurter à un projet fédéral ultérieur d'y aménager un champ de tir. Les lois québécoises ne pourraient s'y appliquer que si elles ne gênent pas les activités militaires. Qui alors évaluerait le degré de nuisance effectif et en vertu de quels critères ? Voilà encore un cas où les tribunaux auraient à suppléer aux lacunes des dispositions constitutionnelles.

Les situations qui se présentent dans ce contexte sont ambivalentes. D'une part, il faut reconnaître que, par le développement de programmes dans des domaines de compétence concurrente et même dans des domaines de compétence provinciale, le gouvernement fédéral a pris, dans différents secteurs reliés à l'aménagement du territoire, des initiatives ayant le plus souvent des conséquences bénéfiques à l'échelon local ou régional. D'autre part, sur le plan du partage des pouvoirs et des responsabilités des deux ordres de gouvernement, ces actions se trouvent à limiter l'exercice par le Québec de ses propres compétences.

Pour illustrer encore l'ambivalence de ces situations, on peut ajouter que les initiatives du gouvernement fédéral sont conçues et réalisées, comme cela est normal, en fonction des besoins et des intérêts de l'ensemble du Canada ou de régions qui ne coïncident pas, dans tous les cas, avec les limites territoriales du Québec. Ces besoins et ces intérêts ne sont pas nécessairement concordants avec ceux du Québec ni nécessairement soumis aux mêmes priorités que celles qu'établirait le gouvernement du Québec.

Cela nous conduit à formuler un constat qui exige une interrogation sérieuse sur un phénomène qui se présente comme un processus susceptible de devenir systémique, d'autant plus que, si le passé est garant de l'avenir, ce processus aura naturellement tendance à aller en s'accélérant. Les éléments principaux de ce constat sont les suivants :

1. Par des amendements successifs, la constitution de 2011 n'est plus « la constitution de 1867 ».
2. L'élargissement progressif des pouvoirs territoriaux fédéraux provient en définitive de l'interprétation de la Constitution.

3. Les techniques d'interprétation de la Constitution deviennent des instruments qui, en pratique, transforment le cadre constitutionnel.
4. Le fédéralisme prévu en 1867 n'est plus le même aujourd'hui.
5. L'acceptation globale d'une telle situation donne au fait accompli une consécration qui, à son tour, pave la voie à la multiplication de l'implantation des emprises fédérales en territoire québécois.

Ce dernier élément se trouve à déplacer cette problématique du niveau juridique vers le niveau politique car les opinions sont partagées à savoir si l'évolution du fédéralisme, compte tenu des différents mécanismes qui en gèrent l'application, doit être acceptée, révisée ou freinée. La question qui se pose aux décideurs politiques est de savoir comment concilier les options issues de principes convenus du fédéralisme et ce qu'on estime relié à l'efficacité du fonctionnement de l'État. La question est controversée et les prises de position à ce sujet peuvent varier de façon importante selon les principes que l'on invoque. Ici comme ailleurs, il arrive souvent que de fortes oppositions se manifestent entre les juristes et les politiques et, surtout, entre les politiques eux-mêmes, qui, à travers les comportements électoraux, reflètent, dans une certaine mesure, les perceptions de la population.

Ce que l'on peut appeler le *dilemme territorial* du Québec est donc relativement complexe et relève autant de la psychologie sociale que du droit et de la politique. En effet, les options et les positions constitutionnelles du Québec en matière territoriale peuvent buter sur des pressions exercées par des éléments régionaux ou sectoriels de la population qui, devant des offres alléchantes formulées par le gouvernement fédéral, tentent de faire assouplir ou abandonner les options qui s'offrent au gouvernement du Québec en matière constitutionnelle et des positions qui en découlent. Le dilemme dans lequel ces pressions placent le gouvernement du Québec est particulièrement difficile.

La querelle qui s'est élevée entre les gouvernements du Québec et du Canada en 1970 au sujet de l'aménagement du parc Forillon offre de cela un net exemple. D'un côté, le gouvernement du Québec tentait de protéger ses prérogatives constitutionnelles, déclarait vouloir participer à la planification du parc et tenait à ce que les lois québécoises continuent de s'appliquer sur le territoire en question, alors que le gouvernement fédéral exigeait que le titre de propriété lui soit reconnu, afin que les lois fédérales puissent s'y appliquer. D'un autre côté, la population locale concernée par le projet souhaitait voir un parc national engendrer chez elle des retombées économiques dont elle avait grandement besoin et se déclarait non préoccupée par les problèmes constitutionnels de partage des compétences.

Il faut reconnaître que la population d'une région qui se voit offrir des investissements considérés comme massifs sur le plan local ou régional est justifiée de faire pression sur le gouvernement du Québec pour que celui-ci accepte ces offres, même au prix de concessions sur le plan constitutionnel affectant le partage des compétences. D'autre part, à moins de considérer la notion d'intégrité territoriale comme vide de sens, il faut aussi reconnaître le bien-fondé des hésitations du gouvernement du Québec à faire d'importantes concessions à cet égard afin de permettre à une portion circonscrite du territoire et à une fraction de la population de bénéficier des « largesses » du gouvernement fédéral. Cette question ne se résume pas à un dilemme entre les aspects pratiques et théoriques car les conséquences d'un glissement dans le partage des compétences, que les esprits pragmatiques considèrent comme étant théoriques, peuvent avoir des conséquences d'ordre pratique car celles-ci peuvent priver le gouvernement du Québec d'une marge de manœuvre lui permettant d'atteindre les objectifs qui lui sont propres en vertu des compétences que lui reconnaît la Constitution.

Il serait naïf de croire que les choix qui s'offrent au gouvernement du Québec sont faciles et ne tiennent qu'au degré plus ou moins important de sa volonté d'autonomie. La réalité est que les conséquences du glissement que nous avons évoquées constituent en elles-mêmes des incertitudes quant à la réversibilité éventuelle de décisions touchant l'applicabilité de ses compétences, cédées à l'occasion de l'application des mécanismes que l'on a évoqués dont, au premier chef, le pouvoir de dépenser. Autrement dit, quelles bonnes raisons, actuelles ou éventuelles, peuvent militer pour le refus de ce que d'aucuns appellent *la manne fédérale* ? Pour éviter d'avoir à se poser cette question en ayant des moyens concrets de résister à la pression des populations concernées par les programmes fédéraux, il faudrait que le gouvernement du Québec puisse en pratique proposer des programmes équivalents. Or, il est bien évident que les disponibilités financières du gouvernement du Québec ne permettent pas, dans l'état actuel des choses, de préparer et de réaliser tous les programmes reliés au dilemme évoqué et d'assurer aux populations locales concernées les mêmes avantages que ceux qui leur sont offerts.

Compte tenu du contexte économique et financier dans lequel se meuvent les gouvernements des deux niveaux, le moindre réalisme nous oblige à voir le gouvernement face à un choix :

- soit collaborer à fond avec les initiatives fédérales en matière d'aménagement régional, particulièrement pour les programmes qui impliquent des cessions territoriales au profit du gouvernement fédéral, en abandonnant les orientations constitutionnelles qui ont longtemps caractérisé les positions du Québec en matière territoriale ;
- soit entreprendre ou entretenir une bataille constitutionnelle, « sur le dos » des populations locales ou régionales qui risqueraient alors d'être privées des apports financiers du gouvernement fédéral, bataille constitutionnelle dont l'issue est loin d'être assurée pour le Québec, étant donné le déséquilibre qui a déjà été noté quant aux moyens constitutionnels des deux ordres de gouvernement. L'on sait, en effet, que la constitution actuelle permet souvent à l'État fédéral d'accroître à son gré ses pouvoirs sur le territoire, ce qui n'est évidemment pas le cas de l'État québécois.

Personne ne contestera le fait que de nombreuses parcelles du territoire du Québec sont susceptibles de lui être soustraites pour devenir soumises à la compétence quasi exclusive du gouvernement fédéral. Le résultat d'une telle évolution est de nature à limiter le droit de regard et de contrôle du gouvernement québécois sur son propre territoire. Est-ce à dire que le Québec n'a pas, en pratique, les moyens constitutionnels et financiers d'assurer l'intégrité de son territoire dans ses dimensions internes ? La réponse à cette question est la même que pour plusieurs questions soulevées dans ce livre, même si, pour plusieurs, il s'agit d'une non-réponse : incertitude ! En effet, qui peut prévoir quelles réponses apporteront à cette question les gouvernements à venir, quelles attitudes ils adopteront et quelles mesures ils prendront face aux différentes incertitudes qui grèvent l'intégrité territoriale du Québec, horizontale comme verticale ?

3.5.

Une enclave de taille : le Saint-Laurent

N ous avons déjà examiné la dimension horizontale de la question territoriale liée au golfe du Saint-Laurent (chapitre 2.4). Nous avons également évoqué la répartition originelle des compétences que peuvent exercer les deux ordres de gouvernement sur les eaux navigables (point 2 du chapitre 3.1). Il importe aussi d'envisager la situation actuelle de l'ensemble du système Saint-Laurent dans une perspective fonctionnelle, c'est-à-dire en tentant de répondre à une question pratique : le Québec est-il en mesure d'exercer, sur ce territoire maritime, dont il réclame la propriété pour partie (en deçà des lignes d'équidistance dans le golfe), un faisceau de compétences suffisamment étendu pour pouvoir considérer qu'est assurée l'intégrité de son territoire, compte tenu que, selon la position qu'il défend, cette portion de territoire fait partie du Québec ?

Le Saint-Laurent, on l'a souvent dit, est l'artère principale du Québec. La question n'est pas de savoir si son lit appartient au Québec. Cela est clair : le lit du Saint-Laurent fait partie du Québec parce que les provinces ont reçu la propriété résiduaire des terres lors du partage constitutionnel de la propriété en 1867[1], c'est-à-dire que tous les biens non attribués au gouvernement fédéral appartiennent aux provinces[2]. Et la jurisprudence constitutionnelle a tôt fait de décréter que l'expression « terres » incluait non seulement les eaux elles-mêmes[3], mais également le lit des cours d'eau navigables.

Cela dit, encore faut-il savoir quelles sont les limites exactes des sections du complexe fluvial (fleuve-estuaire-golfe) qui font partie intégrante du territoire québécois. Cet aspect de la question, on l'a vu au chapitre 2.4, est loin d'être résolu et il est probable que d'éventuels changements dans l'ordre constitutionnel (remaniement en profondeur de l'ordre constitutionnel canadien) ou même international (sortie du Québec de la Confédération canadienne) auraient des conséquences importantes sur le statut du Saint-Laurent, du fleuve au golfe. Mais ce ne sont là que des hypothèses.

On peut aussi se demander, face aux multiples pouvoirs que détient le gouvernement fédéral sur son utilisation, si la position du Québec n'en est pas fragilisée quant à sa possession effective de cette portion de territoire. Force nous est de constater que l'examen des compétences respectives du Québec et du Canada constitue ici un défi juridique de taille car le Saint-Laurent est soumis à un large éparpillement de compétences. Il vaut donc la peine de tenter de brosser un tableau général de la situation de la façon la plus claire possible, ne serait-ce que pour montrer à quel point le contrôle par le Québec de la gestion de son espace fluvial est soumis à de nombreuses incertitudes, et cela dans les deux dimensions de la gestion territoriale, à savoir quant au partage des compétences qui s'exercent sur cet espace géographique dont, par ailleurs, la délimitation est incertaine voire litigieuse.

Il n'est pas inutile en effet de voir comment la gestion des diverses emprises territoriales fédérales et les pouvoirs et mécanismes constitutionnels que nous avons décrits peuvent, en pratique, se conjuguer pour affecter de façon particulièrement complexe un territoire donné. Il y a lieu d'en faire état en se référant au cas du Saint-Laurent qui constitue un enjeu à la hauteur de son importance.

Un fleuve interétatique, vital pour le Québec

On ne peut imaginer le Québec sans le Saint-Laurent. Plus des deux tiers de la population québécoise habitent le long de ses rives ou à proximité et la moitié y puise son eau potable. Son importance politique, économique et géostratégique est d'une évidence absolue[4]. L'histoire du Canada, du Québec en particulier, est liée intimement au rôle qu'a joué le Saint-Laurent comme porte d'entrée du nouveau continent, puis comme axe de départ de différentes routes qui ont emprunté ses affluents : à cette *route des explorateurs* aboutissent la *route de la fourrure* (le haut Saint-Laurent), la *route des «voyageurs»* (la rivière des Outaouais), la *route du bois* (le Saint-Maurice), la *route de l'aluminium* (le Saguenay). Bref, historiquement comme aujourd'hui, l'économie du Québec s'appuie en grande partie sur cette épine dorsale du pays.

Avec le temps, les utilisations du Saint-Laurent se sont multipliées et diversifiées. De la pêche commerciale à l'observation des oiseaux, du loisir au transport des personnes et de l'approvisionnement en eau potable à la pêche commerciale et sportive en passant par la production d'électricité et la disposition de déchets domestiques industriels et agricoles, le fleuve contribue de façon primordiale à la vie de la société québécoise. D'un point de vue économique, c'est à des fins de transport maritime des marchandises que le Saint-Laurent est le plus utilisé et qu'il génère, en conséquence, le plus d'activités économiques, sans oublier toutefois les nombreuses activités touristiques qui lui sont directement reliées.

S'il est vrai qu'on ne peut imaginer le Québec sans le Saint-Laurent, que ce fleuve est à la source de son histoire et que, économiquement comme culturellement, il en constitue à la fois l'épine dorsale et l'artère vitale, il faut aussi voir que ce fleuve est l'objet d'un partage géographique et de compétences qui, à divers égards, en minimise la « québécitude », actuellement et potentiellement. Voyons-y de plus près.

Rappelons d'abord une évidence : le Saint-Laurent n'est pas que québécois ; il n'est d'ailleurs pas que canadien. Seule sa partie avale est québécoise (entendons par là qu'il traverse le territoire québécois sur une partie de son parcours). Il s'agit donc d'un fleuve « partagé », comme il en existe dans toutes les régions du vaste monde.

Les fleuves transfrontaliers sont heureusement soumis au principe de la nécessaire coopération entre les gouvernements des pays riverains, que le caractère de ces cours d'eau soit contigu* (quand le cours d'eau sert d'assiette à la frontière) ou successif* (quand le cours d'eau traverse successivement deux ou plusieurs États). Or, le Saint-Laurent est un fleuve frontière à la fois contigu (ainsi, entre Kingston et Cornwall, le Saint-Laurent sert de frontière entre le Canada et les États-Unis) et successif (plus en aval, il devient un fleuve intérieur, d'abord en servant de frontière entre l'Ontario et le Québec puis situé entièrement à l'intérieur du territoire québécois).

La coopération découlant du caractère multiétatique des cours d'eau est souvent assurée par un organisme international ayant un certain caractère supranational, comme la Commission du Danube, la Commission internationale pour la protection du Danube, la Commission internationale pour la protection du Rhin ou la Commission internationale pour la protection de l'Elbe. Les règles et les principes qui régissent les relations entre les États sujets de droit international sont applicables, *mutatis mutandis*, aux relations entre États de niveau secondaire comme entre les membres d'une fédération. On peut considérer que, dans un État fédéral, il existe déjà une structure étatique munie d'un niveau de gestion qui correspond à cette préoccupation.

Le Saint-Laurent étant un fleuve interétatique à la fois international et interprovincial et, dans ce dernier cas, à la fois successif et contigu, la coopération de gestion constitue une nécessité incontournable. On ne peut donc pas mettre en doute la légitimité de l'intervention du gouvernement fédéral dans plusieurs aspects de la gestion du Saint-Laurent, tout particulièrement dans les matières où l'harmonisation des politiques sub-étatiques (provinciales) constitue une évidente nécessité : pollution, usage des eaux, trafic fluvial, contrôle des débits.

Cela dit, pour assurer une juste gouvernance, l'ordre constitutionnel doit être respecté tout autant que l'ordre international. Or, le Canada est un pays doté d'une constitution qui, en principe du moins (on explique ailleurs ce qui motive cette restriction), garantit le partage des compétences entre les deux ordres de gouvernement. Voilà que l'on débouche, encore une fois, sur l'incertitude qui plane sur une portion vitale du territoire québécois.

Les compétences législatives fédérales

L'importance de l'emprise fédérale sur ce couloir maritime stratégique constitue une situation qui engendre des chevauchements importants entre les compétences fédérales et celles du Québec, les premières étant prépondérantes par rapport aux secondes. Cette situation n'est pas sans conséquences. Ainsi, au sujet de la question de la protection de l'environnement, le juriste Lorne Giroux signalait, il y a quelques années, que

> [...] les usages multiples du Saint-Laurent entrent souvent en conflit les uns avec les autres, tout particulièrement quand il s'agit de préoccupations environnementales... La coexistence de ces multiples usages teste les capacités du droit environnemental déjà affaibli par le fractionnement des compétences[5].

Il faut d'abord signaler que les pouvoirs législatifs fédéraux sont tels, sur le Saint-Laurent, qu'ils relèguent souvent au second plan le droit de propriété théorique du Québec sur le lit du fleuve et sur les eaux elles-mêmes. Comme le signalait le juriste Jacques Brossard en 1970,

> l'État fédéral est le seul compétent à légiférer... en matière de navigation... [et] il peut, en légiférant sur la navigation, affecter de façon radicale l'exercice par les États provinciaux de leur droit de propriété, au point de rendre ceux-ci assez théoriques... En exerçant sa compétence en matière de navigation, l'État fédéral peut entraver sérieusement l'exercice par l'État provincial de ses compétences en plusieurs domaines, depuis l'urbanisme ou l'approvisionnement en eau jusqu'à la planification économique[6].

Ainsi, le Parlement fédéral peut légiférer sur les obstacles (comme des ponts ou barrages) qui nuisent à la navigation[7]. Les règlements municipaux, comme d'ailleurs les lois provinciales, ne s'appliquent pas aux opérations maritimes qui se déroulent dans des eaux navigables[8]. Il a aussi été décidé qu'une province ne pouvait pas permettre la fouille d'un navire pour assurer le respect des lois provinciales sur les alcools[9].

C'est également en vertu de cette compétence législative fédérale sur la navigation que le Québec, par exemple, doit demander l'autorisation au gouvernement fédéral avant de construire un pont sur le Saint-Laurent. Notre propos n'est pas ici de contester la légitimité et le bien-fondé de cette obligation qui, logiquement, devrait exister entre les organismes respectivement concernés par la circulation maritime et la circulation routière, même s'ils relevaient du même gouvernement.

Notons aussi le cas des pêches marines qui, en vertu de la constitution canadienne, relèvent de la compétence législative fédérale. Le Québec a la propriété du lit, mais la pêche en milieu marin relève de la Loi (fédérale) sur les Pêches[10]. Les dispositions sur les permis de pêche ou sur la protection des pêches contre la pollution l'emporteront toujours sur une loi provinciale incompatible. En fait, la gestion des pêches dans le Saint-Laurent, en particulier des pêches commerciales qui sont assez importantes dans le secteur oriental du fleuve, relèvent du ministère fédéral des Pêches et Océans.

C'est aussi en vertu de la compétence législative fédérale sur les pêches que l'Agence canadienne d'évaluation environnementale a participé à l'évaluation des projets d'aménagement hydroélectrique le long des tributaires du Saint-Laurent, comme ce fut le cas du projet d'Hydro-Québec d'aménager la rivière Romaine sur la Côte-Nord. En fait, une entente de collaboration Canada-Québec en matière d'évaluation environnementale a été conclue en 2004 prévoyant, dans ce cas-ci, la mise sur pied d'une commission d'examen conjoint.

En matière de protection environnementale, le Parlement fédéral est intervenu pour protéger le fleuve contre la pollution causée par le transport maritime, pour contrôler le déversement de substances toxiques ainsi que l'immersion des déchets de mer[11]. Le régime général de la Loi (québécoise) sur la qualité de l'environnement[12] s'applique bien sûr au Saint-Laurent mais, en cas d'incompatibilité avec les lois fédérales, ce sont ces dernières qui prévalent en vertu du principe de la prépondérance législative fédérale. Cela veut dire que si, par exemple, le Québec veut édicter des lois plus sévères que les lois fédérales en matière de protection de l'environnement, seules seraient applicables les exigences fédérales. Voilà une situation où le juridisme nuit au politique.

La possibilité de litiges entre les deux ordres de gouvernement concernant l'étendue de leurs compétences respectives n'empêche pas ceux-ci de collaborer entre eux ; on peut même dire que cette incertitude les pousse à le faire. Ainsi, en 1989, les gouvernements du Québec et du Canada ont conclu une « entente d'harmonisation et de concertation pour la dépollution, la protection, la restauration et la conservation du Saint-Laurent ». Cela dit, notre propos vise à faire prendre conscience du fait que, du point de vue juridique, les droits du Québec sur le Saint-Laurent sont souvent plus théoriques que réels et que, dans ce contexte, c'est la volonté politique qui peut harmoniser les positions, avec toute l'incertitude que cette soupape comporte.

Le cas des ports nationaux

On a vu que le gouvernement fédéral était propriétaire des ports et havres publics existants en 1867 et, évidemment, des portions de territoire qu'il a acquises depuis cette date, soit pour l'établissement de nouveaux ports soit pour agrandir la superficie des ports existants. L'étendue exacte des propriétés fédérales à des fins d'activités portuaires n'est pas connue de façon précise. Il faudrait pour cela dresser la liste de tous les arrêtés en conseil ou « ordonnances de port » adoptés par le gouvernement fédéral. Il semble qu'une soixantaine de havres publics existaient au Québec en 1867 alors que plusieurs dizaines d'ordonnances de ports ont été adoptées depuis cette date. Dans le cas du port de Montréal, par exemple, son étendue s'est accrue à plusieurs reprises.

Ajoutons qu'en vertu de la politique maritime du Canada un programme de cession des propriétés fédérales portuaires a fait en sorte que plusieurs installations portuaires de propriété fédérale de moindre importance ont été ou sont en voie d'être cédées à des administrations ou des collectivités locales. Lorsque Transports Canada décide qu'il y a lieu de céder l'administration d'un port, il en fait l'offre aux autres ministères fédéraux et ensuite aux provinces[13]. Sur refus de leur part ou si une entente n'est pas possible, les intérêts locaux sont pris en considération sur un pied d'égalité. Le processus est alors le suivant. Les fonctionnaires ont des entretiens publics avec des organismes locaux (c'est-à-dire des personnes morales en position de négocier le transfert du port) auxquels Transports Canada fournit les données financières et techniques, sur le tonnage, sur le trafic, etc., afin d'entreprendre les négociations et d'en venir à la signature d'un accord de cession. Il appert que, sur les 549 installations portuaires régionales et locales au Canada, 472 avaient été cédées ou démolies à la fin de 2007. Il importe de préciser que, même si la propriété n'est plus fédérale, la compétence législative fédérale sur la navigation demeure sur les propriétés cédées.

La propriété fédérale emportant avec elle la compétence législative fédérale, des fractions plus ou moins importantes du Saint-Laurent et de ses rives sont soumises à une compétence législative fédérale plus grande que ne l'est l'ensemble du Saint-Laurent. Que cette situation soit constitutionnellement justifiée ne change rien au fait qu'elle affecte l'intégrité territoriale du Québec, sous l'angle de l'exercice de ses compétences. Par exemple, quant à la gestion des espaces occupés par les ports nationaux, la police et les relations de travail, pour ne citer que deux exemples, relèvent des autorités fédérales.

Même si, d'un certain point de vue, on peut penser qu'il serait souhaitable que le partage des compétences soit le même dans tout le territoire, on conçoit que l'État fédéral ait des responsabilités particulières sur des parcelles de territoire en vertu des compétences qui lui ont été confiées. Cela dit, il est évident que le fait qu'il soit propriétaire de certaines portions du territoire lui donne potentiellement tous les pouvoirs sur celles-ci. Cette situation accroît les incertitudes quant à la marge de manœuvre du gouvernement du Québec pour le développement d'une politique cohérente de gestion territoriale.

L'ensemble des compétences législatives fédérales et des mécanismes constitutionnels mentionnés précédemment permet au gouvernement fédéral d'élargir à sa discrétion sa gamme de compétences à l'intérieur des zones portuaires désignées et même à l'extérieur des ports en en étendant l'assiette géographique. En effet, la Loi (fédérale) sur les commissions portuaires[14] reconnaît au gouvernement fédéral le pouvoir d'exproprier des terrains pour agrandir ses ports, même si ces terrains appartiennent au gouvernement du Québec.

Les conséquences de cet élargissement géographique de la compétence fédérale sur les espaces portuaires dépassent largement ceux-ci. En effet, l'exercice des pouvoirs du Québec sur l'aménagement des berges, l'accès aux ports, les activités reliées au développement des ports, la sécurité publique et les autres questions pouvant relever de lui dans les régions où les ports sont situés doit tenir compte de l'existence des emprises fédérales à des fins portuaires et s'y adapter

Les aires fédérales de conservation

La Loi (fédérale) sur les aires marines nationales de conservation[15] du Canada a été adoptée en 2002. Cette loi permet au gouvernement fédéral d'implanter des parcs marins sur le Saint-Laurent de façon discrétionnaire. Une des conditions d'établissement d'un parc marin prévoit que la propriété des terres visées soit entre les mains de l'État fédéral. Si celles-ci appartiennent au Québec, la loi exige que le Québec en transfère la gestion et la maîtrise au gouvernement fédéral. L'application de cette loi pourrait avoir pour effet d'évacuer à peu près complètement les compétences législatives québécoises sur ces aires de conservation marine.

Cette approche contraste avec celle qui avait eu cours en 1997 alors que fut créé, en vertu d'un accord entre les deux gouvernements et par l'adoption de lois parallèles, le parc marin Saguenay–Saint-Laurent. Ce parc fut établi sans transfert de terres et les deux gouvernements continuent d'y exercer leurs compétences respectives. Dans le cas des divers refuges d'oiseaux migrateurs qui englobent plusieurs îles du Saint-Laurent, le gouvernement fédéral peut agir sans avoir la propriété des îles qui en font partie tout en y exerçant la compétence législative qu'il possède en matière d'oiseaux migrateurs. Ainsi, un règlement fédéral sur les refuges d'oiseaux migrateurs prévoit qu'il est interdit d'y chasser les oiseaux migrateurs sans l'obtention d'un permis de chasse fédéral émis à cette fin. Par ailleurs, dans le cas de la réserve de parc national du Canada de l'Archipel-de-Mingan, le gouvernement fédéral en a la propriété (15 070 hectares) et il peut y exercer toutes les compétences législatives qu'il souhaite.

Le cas de la Grosse Île, au large de Montmagny, est intéressant. Nonobstant le fait que pour le Québec il s'agit d'une réserve de chasse et de pêche, cette île appartient au gouvernement fédéral depuis 1867. Elle a longtemps été utilisée comme lieu de quarantaine pour le contrôle sanitaire des immigrants et, durant la Seconde Guerre mondiale, elle est devenue un laboratoire militaire ultra-secret d'armes biologiques pour la fabrication de bombes à l'anthrax dont une partie aurait été jetée dans le fleuve, en face de Montmagny. Aujourd'hui, l'île est un lieu historique national relevant de Parcs Canada. En vertu de l'article 91 (1A), le Parlement fédéral peut légiférer sur tout ce qui peut se passer sur l'île. On peut alors se demander si le règlement adopté par Québec en vertu de la Loi sur la conservation de la faune[16] qui y interdit de chasser est valide. Il y a bien des risques qu'advenant litige un tribunal le déclarerait inconstitutionnel. Quoi qu'il en soit, si d'aventure le gouvernement fédéral décidait que la chasse était permise sur l'île (il ne le fera évidemment pas), l'interdiction québécoise ne s'appliquerait pas. Bien qu'elle soit hypothétique, cette situation souligne encore là l'*infériorité décisionnelle* du Québec sur son propre territoire.

L'infériorité décisionnelle du Québec

Les situations évoquées dans les pages qui précèdent se veulent indicatives et non exhaustives. Si l'on cherchait à dresser un portrait complet des propriétés fédérales sur le Saint-Laurent ou le long de ses rives, il faudrait notamment y ajouter les terrains possédés à des fins de feux de navigation maritime, de phares, de stations-radar météorologiques ou de stations au sol pour satellites, les îles de propriété fédérale, les quais, les cales de mise à sec et divers chemins d'accès aux installations littorales. On pourrait aussi y joindre la douzaine de réserves indiennes qui se trouvent le long des rives du Saint-Laurent.

Nous avons dit plus haut que le Saint-Laurent est le cœur du Québec. Mais les diverses compétences législatives fédérales qui peuvent s'y exercer sans égard à des droits de propriété ainsi que celles, plus complètes, sur les propriétés fédérales elles-mêmes font en sorte que le Saint-Laurent échappe peu à peu au Québec. Il est vrai que les ressources financières dont il dispose, plus importantes que celles du Québec, permettent au gouvernement fédéral d'intervenir plus facilement en la matière et de mettre programmes et budgets à la disposition de ses politiques comme il l'a fait lorsqu'il a aménagé la voie maritime du Saint-Laurent. On a argumenté que cet aménagement n'avait pas été dans l'intérêt du Québec[17], controverse qui dépasse les cadres du présent ouvrage. Là n'est cependant pas la question. C'est plutôt que, dans les faits, c'est le gouvernement fédéral et non celui du Québec qui avait le pouvoir décisionnel en la matière.

Comme le signalait Jacques Brossard[18], le Québec peut fort bien adopter des lois et des règlements se rapportant aux eaux navigables comme celles du Saint-Laurent à la condition qu'il n'y ait pas de loi fédérale à l'effet contraire. Voilà une situation qui existe dans nombre d'autres domaines et qui suggère une question: le Saint-Laurent constitue-t-il ou non une réalité géographique que peut valoriser le Québec en fonction de ses intérêts propres? Autre question: la situation actuelle est-elle la traduction concrète d'un *fédéralisme coopératif*, d'un *fédéralisme rentable*, d'un *fédéralisme sui generis* ou d'un *fédéralisme qui finalement n'en est pas un*? Tout dépend des définitions que l'on veut bien donner de l'*intégrité territoriale* et du *fédéralisme*.

3.6.

Une incertitude spécifique, réelle et complexe : la question autochtone

En attribuant la propriété du territoire aux provinces, sous réserve des droits qu'y détiennent les autochtones, tout en donnant au Parlement fédéral la compétence législative sur «les Indiens et les terres réservées aux Indiens», les pères de la Confédération ont, sans doute bien involontairement, été à la source d'une incertitude territoriale particulièrement complexe. Plusieurs arrêts de cour, surtout depuis deux décennies, ont étudié la question et ont contribué à en éclaircir certains aspects, tout en ajoutant de nombreux éléments à la liste déjà longue des incertitudes qui grèvent l'intégrité territoriale du Québec. Il nous est donc paru utile, dans cette partie, d'alimenter notre argumentaire de nombreuses références judiciaires, malgré leur caractère relativement technique, voire austère.

L'article 109 de la Loi constitutionnelle de 1867 prévoit d'abord que :

> Les terres, mines, minéraux et redevances appartenant aux différentes provinces du Canada… lors de l'Union… appartiendront aux différentes provinces… sous réserve des fiducies existantes et de tout intérêt autre que celui de la province à cet égard.

On sait que c'est la jurisprudence constitutionnelle qui fait ici le droit en interprétant la Constitution. Or, celle-ci a statué[1] que le titre aborigène constituait un tel intérêt. Le juge Lamer, dans l'affaire Delgamuukw, a ajouté ceci au sujet de cet article 109, en se référant à l'affaire *St. Catherine's Milling* :

> Même si cette disposition accorde aux couronnes provinciales le titre sous-jacent, elle limite ce droit de propriété provincial en le subordonnant à tout intérêt autre que celui de la province à cet égard[2].

L'article 91 (24) de la Loi constitutionnelle de 1867 prévoit ensuite que sont de compétence législative fédérale «les Indiens et les terres réservées aux Indiens ». Or, la jurisprudence constitutionnelle a donné un sens élargi à l'expression « terres réservées aux Indiens », ce qui fait qu'on est aujourd'hui placé devant une incertitude territoriale d'un autre ordre, une incertitude éminemment complexe, impliquant d'abord les rapports entre les deux ordres de gouvernement, mais aussi les rapports entre le gouvernement du Québec et les peuples autochtones. Il importe de souligner que les questions territoriales qui se posent eu égard aux droits des autochtones ne se limitent pas aux territoires des réserves indiennes proprement dites dont le statut, à vrai dire, est assez simple. Comme on l'a vu, celles-ci relèvent en effet de la compétence législative du Parlement fédéral et les lois provinciales ne s'y appliquent que de façon exceptionnelle.

La question tient plutôt au fait que plusieurs peuples autochtones du Québec détiennent ou sont susceptibles de détenir un titre aborigène et d'autres droits territoriaux ancestraux sur d'importantes parties du territoire du Québec en dehors de ces réserves indiennes. Si le titre aborigène et les autres droits ancestraux des Cris, des Inuits et des Naskapis ont fait l'objet de traités qui leur ont substitué d'autres droits, tel n'est pas le cas des autres groupes comme les Innus, les Algonquins et les Attikameks.

On peut se demander comment il se fait que, au Québec, certaines communautés autochtones puissent détenir un titre aborigène ou d'autres droits ancestraux. D'abord parce qu'il n'y a pas eu de guerre de conquête à l'occasion de laquelle les puissances coloniales auraient pu s'approprier les terres des autochtones. Ensuite parce qu'à l'époque les autorités britanniques considéraient que la conclusion de traités avec les Indiens constituait une façon moins radicale que la guerre pour obtenir les terres requises aux fins de la colonisation et du développement économique[3] et pour éteindre les droits qu'y avaient les autochtones.

Outre les cas où ils ont pu être éteints par voie de traité ou autrement avant 1982, ces droits ancestraux sont reconnus et confirmés par l'article 35 de la Loi constitutionnelle de 1982[4] et subsistent tant qu'il n'existe pas de texte clair prévoyant leur extinction ou en en disposant autrement[5]. Or, sauf dans le cas des Cris, des Inuits et des Naskapis, il n'y a aucun texte semblable au Québec.

Le juge Lamer, alors juge en chef de la Cour suprême du Canada, a précisé, dans l'affaire *Delgamuukw*[6], que le titre aborigène découlait d'abord de la possession antérieure du territoire canadien par les peuples autochtones. Essentiellement, ce titre est un droit ancestral particulier : il s'agit d'un droit d'utilisation exclusive du territoire s'apparentant au droit de propriété qui doit cependant demeurer compatible avec les rapports qui lient le peuple autochtone qui le détient avec ce territoire[7].

De plus, la Cour suprême du Canada a statué[8] que les terres grevées du titre aborigène étaient des « terres réservées aux Indiens », donc de compétence législative fédérale. Il est important de noter que les superficies dont il est question peuvent être très vastes : les terres faisant l'objet du seul territoire traditionnel des Innus, par exemple, recouvrent plus du quart de la superficie du Québec. Le fait que d'immenses portions du territoire québécois soient ainsi susceptibles d'être grevées du titre aborigène ou d'autres droits ancestraux constitue une incertitude de très grande importance. La Cour suprême du Canada n'a pas encore eu l'occasion de se prononcer sur l'existence ou non du titre aborigène sur telle ou telle portion du territoire québécois. Il reste que l'une des hypothèses envisageables si elle était appelée à le faire est celle voulant que le titre existe.

Si la Cour suprême décidait que des terres étaient détenues en vertu du titre aborigène, il faudrait alors se demander si le Québec peut ou non légiférer à leur égard[9], ce qui impliquerait, si la réponse était négative, que les lois québécoises se rapportant aux mines, aux ressources hydrauliques et aux forêts, même en l'absence de législation fédérale, ne s'appliqueraient pas parce qu'elles iraient à l'encontre de la règle de l'exclusivité des compétences. Les lois existantes seraient donc inapplicables parce qu'elle seraient inconstitutionnelles[10]. Mais on a vu précédemment que la Cour suprême du Canada était maintenant réticente à appliquer cette règle, ce qui fait qu'ici on fait également face à une incertitude jurisprudentielle.

Aussi, la Cour suprême du Canada a décrété[11] que le titre aborigène conférait au peuple autochtone qui le détenait un droit au territoire lui-même, sous réserve de quelques limites quant aux modalités de son utilisation. Il en résulte que le Québec n'y aurait qu'un droit s'apparentant à la nue-propriété sur les terres où le titre aborigène existe. Mais des exigences précises doivent être respectées quant à l'occupation du territoire par un groupe autochtone pour que ce dernier puisse en arriver à faire la preuve de l'existence du titre aborigène ; c'est le groupe autochtone en question qui a alors le fardeau de la preuve. Pour peu que le titre existe, ce que les gouvernements ont peine à accepter, le seul fait d'accorder un permis forestier ou minier constituerait donc automatiquement une atteinte au titre aborigène.

À cet égard, on constate cependant que les tribunaux ne sont pas parfaitement cohérents. Ils ont en effet reconnu que lorsque le titre existe, et malgré la règle de l'exclusivité des compétences, les provinces peuvent, dans certains cas, porter atteinte au titre aborigène. Le juge Lamer a alors laissé entendre qu'une province pouvait accorder des permis forestiers et miniers en tenant compte de l'occupation antérieure des autochtones si cela était justifié par un objectif sérieux et réel et si l'atteinte respecte l'obligation de fiduciaire de la Couronne voulant que les intérêts des autochtones aient préséance[12].

Le juge Lamer a traité de l'obligation de consultation qu'ont les provinces lorsqu'elles veulent ainsi porter atteinte au titre aborigène et a élaboré certaines règles à cet égard[13]. Dans de tels cas, il y a lieu de respecter certains critères de justification, de procéder aux consultations appropriées et éventuellement de payer une compensation. Mais, malgré des arrêts subséquents de la Cour suprême du Canada au sujet de cette obligation de consultation[14], on n'est pas encore fixé sur les limites de cet encadrement du pouvoir décisionnel d'une province. La difficulté d'y voir clair au sujet des possibles atteintes au titre aborigène est bien illustrée par des propos à première vue difficilement conciliables du juge Lamer dans l'affaire Delgamuukw[15]. D'une part, le juge Lamer estime[16] que les provinces peuvent porter atteinte au titre aborigène alors que, d'autre part, il rappelle[17] que la compétence fédérale sur les terres réservées aux Indiens est exclusive et que les provinces ne peuvent légiférer à cet égard.

Par ailleurs, le droit canadien ne reconnaît que deux façons d'obliger les gouvernements et les tiers à respecter l'existence du titre aborigène : soit une décision judiciaire définitive à cet égard, soit la conclusion d'un traité qui en prévoit les effets et les modalités. Le fait est que le Québec nie, devant les tribunaux et même parfois lors des négociations territoriales, l'existence même du titre, ce qui engendre, de part et d'autre, différentes prises de position nourrissant l'incertitude qui grève cette question. Que la position du Québec relève d'une stratégie de négociation ou non, il reste que l'on constate ici une rigidité dont, dans d'autres circonstances, il n'a pas vraiment fait preuve dans le passé ; serait-ce le résultat du constat de la détérioration de son intégrité territoriale à la suite des interventions fédérales sur son territoire ?

Cela dit, tant le gouvernement du Québec que celui du Canada sont tout à fait conscients de l'incertitude juridique engendrée par l'existence, même potentielle, des droits ancestraux, y compris du titre aborigène sur le territoire. C'est pourquoi la recherche de la certitude juridique à cet égard, notamment pour régulariser diverses concessions de terres faites dans le passé et pour assurer le développement économique à l'avenir, est devenue si importante pour eux.

C'est d'ailleurs la raison principale de la poursuite par le Québec et le Canada des négociations territoriales avec divers groupes autochtones. Cherchant à obtenir une certitude juridique quant à l'exercice de leurs compétences respectives sur le territoire, ils tentent d'en arriver à une entente, sous forme de traité, qui ferait disparaître le plus possible tout ce qui pourrait entraver leur liberté d'action sur le territoire.

Il faut préciser ici que l'attitude réductrice traditionnelle du gouvernement du Québec face aux droits ancestraux des peuples autochtones lui a coûté très cher dans le passé. Le fait de ne pas reconnaître les droits des Cris, contrairement aux engagements formels qu'il avait pris en 1912 (à l'occasion de lois parallèles, fédérale et québécoise, se rapportant à l'extension des frontières du Québec vers le nord), lui a valu, dans les années 1970, une poursuite en injonction qui a interrompu les travaux d'aménagement hydroélectrique dans le territoire de la Baie-James, un épisode qui a engendré des coûts de plusieurs dizaines de millions de dollars. Aussi, les ententes territoriales avec les Cris et les Inuits en 1975 et avec les Naskapis en 1978 ont coûté beaucoup plus cher que si le gouvernement n'avait pas attendu aussi longtemps avant de respecter ses obligations.

Et l'histoire se répète: la position du Québec, depuis le début des négociations avec les Innus et les Attikameks, soit en 1979, est d'être très prudent dans la reconnaissance des droits territoriaux des autochtones, soit en refusant de reconnaître leur existence soit en voulant limiter les effets d'une telle reconnaissance. Évidemment, reconnaître des droits présuppose qu'ils aient été clairement définis, ce qui n'est pas encore le cas, après des années de négociations. Le Québec a cependant dû ajuster son tir à mesure que la Cour suprême du Canada l'a forcé à le faire par ses arrêts portant sur le titre aborigène et les autres droits ancestraux dans les années 1990. Mais le gouvernement québécois estime de son devoir de faire en sorte que cette reconnaissance, que d'aucuns qualifient de reconnaissance de façade à cause des nombreuses conditions qu'il veut y apporter, ne doit pas l'empêcher de développer le territoire comme il en a le mandat de la part du législateur.

Ce qui est paradoxal, c'est que le Québec, qui a traditionnellement refusé de reconnaître le titre aborigène, le droit inhérent à l'autonomie gouvernementale et les autres droits ancestraux des peuples autochtones, au nom de la certitude juridique tout en invoquant la nécessité de protéger son intégrité territoriale et l'efficacité législative de l'Assemblée nationale, se soit généralement préoccupé avec moins de fermeté et de consistance de l'effet des interventions du gouvernement fédéral sur son territoire, ce sur quoi nous reviendrons.

De tout temps, avant la Loi constitutionnelle de 1982, les gouvernements ont tenté, à l'occasion de négociations territoriales, d'éteindre le titre aborigène et les autres droits ancestraux et de les remplacer par d'autres droits, appelés « droits issus de traités ». En fait, à compter des premiers traités territoriaux au XIXᵉ siècle, le gouvernement du Canada a eu une politique d'extinction des droits des peuples autochtones. Les traités dits « numérotés » en Ontario et dans l'Ouest canadien, comme les conventions signées en 1975 et en 1978 avec les Cris, les Inuits et les Naskapis, contiennent tous un article prévoyant l'extinction du titre aborigène et des autres droits ancestraux.

La plupart des peuples autochtones du Québec résistent depuis long-temps à l'idée d'une extinction de leurs droits sur le territoire. De longues négociations entre quatre communautés innues et les gouvernements du Québec et du Canada ont mené à un compromis en 2002[18] au moyen duquel les droits ancestraux des groupes concernés, y compris le titre aborigène, ont été reconnus et confirmés, mais selon les modalités à prévoir au traité. À cette occasion, les parties ont exprimé leur volonté que les terres visées ne soient plus des « terres réservées aux Indiens » de façon, on le devine bien, à ce que la règle de l'exclusivité des compétences ne puisse s'y appliquer. Il reste à voir si les tribunaux, à qui il incombe d'en décider, adopteront la même attitude.

Il s'agit d'une percée, bien sûr, mais qui comporte des difficultés d'ordre pratique : les négociations menant au traité tardent à aboutir, notamment parce que la partie autochtone cherche à élargir le contenu de l'entente, à préciser les modalités à inscrire au traité, alors que les parties gouver-nementales, à l'inverse, tentent d'en insérer le moins possible. Il faut dire que l'enjeu est important puisque ce qui sera inscrit au traité quant au titre aborigène et aux autres droits ancestraux, une fois protégé par la Constitution, l'emportera sur les lois tant fédérales que provinciales.

L'article 35 de la Loi constitutionnelle de 1982[19] avait reconnu et confirmé le titre aborigène faisant partie de tels droits ancestraux existants. Mais, depuis ce temps, le titre aborigène n'a pas la cote chez les gouvernements provinciaux et fédéral. Tant à l'occasion d'instances judiciaires que lors des négociations territoriales avec les groupes autoch-tones, les gouvernements tentent de minimiser le plus possible la réalité du titre soit en niant son existence devant les tribunaux, ce qu'ils ont fait à plusieurs reprises, particulièrement dans des causes se déroulant dans l'Ouest canadien, soit en ne lui accordant qu'une reconnaissance de façade dans les traités. Même si ceux-ci ont fait l'objet d'une recon-naissance et d'une confirmation constitutionnelle, le Québec n'en a pas encore tiré les conséquences qui s'imposent, tant dans les faits que quant à l'esprit de cet article 35. C'est que, même si le titre aborigène et les droits ancestraux existants ont été reconnus par la Loi constitutionnelle de 1982, les gouvernements ne sont pas obligés d'en tenir compte à moins d'une décision d'un tribunal à cet effet ou encore que de tels droits soient prévus dans un traité.

Or, les recours aux tribunaux par les groupes autochtones visant à faire reconnaître le titre aborigène sont longs et coûteux et, au surplus, susceptibles de produire des résultats fort aléatoires puisque les juges demeurent réticents non seulement à appliquer la règle de l'exclusivité des compétences mais aussi à se prononcer tout court, souhaitant plutôt que les parties en arrivent à une solution négociée. Quant aux négociations territoriales, du fait de l'incertitude qui pèse sur la nature et la portée du titre aborigène, la conciliation devient difficile.

Entretemps, et tant que les parties n'en seront pas arrivées à une entente, cette incertitude territoriale notable persistera. Elle continuera à constituer, pour les gouvernements, un frein au développement et à l'aménagement du territoire. C'est ainsi qu'au début de 2009 le projet fédéral de créer un parc national sur des terrains qui lui appartiennent dans l'archipel de Mingan ne progresse pas parce que la question du titre aborigène et des autres droits ancestraux des Innus de la communauté d'Ekuanitshit n'est pas réglée. Pour la même raison, la mise en œuvre du Plan Nord du gouvernement du Québec est perturbée par le fait que cinq communautés innues y voient une atteinte grave aux mêmes droits.

La multiplication des revendications territoriales des autochtones constitue évidemment une incertitude de taille quant aux dimensions verticales de l'intégrité territoriale du Québec. Mais il faut ajouter que d'autres incertitudes importantes et nombreuses affectent l'intérieur même du domaine autochtone. La mobilité territoriale des chasseurs autochtones aux fins de la pratique d'activités traditionnelles a engendré divers chevauchements territoriaux entre groupes autochtones ainsi qu'entre les différentes composantes de ces groupes, chevauchements qui sont de nature variable et qui perdurent jusqu'à aujourd'hui. Une telle situation n'est pas anormale pour des peuples semi-nomades qui ont une longue tradition de partage du territoire. Mais, dans le contexte où ces groupes ou composantes de groupes négocient avec les gouvernements des ententes et des traités séparés, l'existence de ces chevauchements présente des difficultés particulières.

En effet, de telles ententes ou traités visent à confirmer l'existence de droits ancestraux sur des portions bien précises du territoire pour les groupes signataires tout en leur reconnaissant des compétences législatives sur les mêmes portions du territoire. La figure 21, construite à partir de différentes sources dont une carte fédérale de 2003 et diverses

FIGURE 21

Chevauchements dans les revendications territoriales des Innus

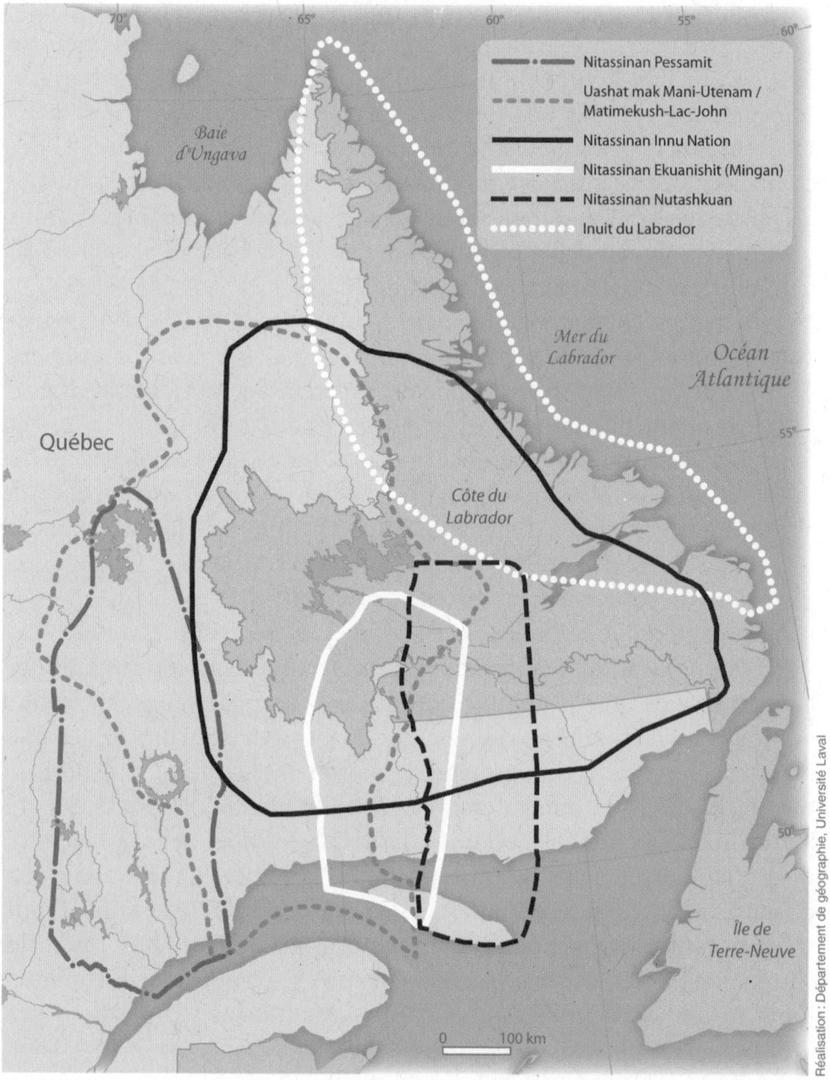

cartes préparées par des organismes autochtones, donne une bonne idée de l'ampleur de la problématique sur le plan horizontal. Cette carte n'a évidemment aucun caractère officiel et n'a qu'une valeur indicative, cela, pour plus d'une raison. D'abord, les cartes à partir desquelles elle est construite ne représentent que de façon partielle et très approximative les limites des territoires revendiqués. Celles-ci ont été tracées sans tenir aucun compte des frontières interprovinciales ou fédérales-provinciales, ce qui est d'ailleurs cohérent avec les conceptions territoriales des autochtones. Précisons que la carte de la figure 21 ignore les limites des territoires reconnus aux Cris par la CBJNQ* auxquelles se réfère une loi fédérale d'ailleurs contestée par des groupes innus. Les importants chevauchements entre les territoires visés par les revendications autochtones constituent à l'évidence une des dimensions importantes de la problématique.

Il serait assez naïf de croire que les techniques, méthodes et références utilisées pour régler des différends territoriaux entre États pourraient être d'un bon secours pour résoudre la question des territoires chevauchants, revendiqués par les communautés autochtones. Quoi qu'il en soit des méthodes utilisées pour résoudre cet aspect de la question, le nœud du problème est en grande partie ailleurs. C'est que, sous l'angle de la nature des relations entre les communautés concernées et leurs territoires respectifs (la dimension verticale), la situation est tout à fait spécifique et mérite, pour clarifier la problématique, que l'on établisse des distinctions entre les différents contextes de ces chevauchements.

Disons d'abord que, sans minimiser l'importance des chevauchements, il ne faut pas non plus exagérer leur portée. S'ils sont considérables sur le plan horizontal, ils peuvent l'être sensiblement moins sur le plan vertical des pouvoirs législatifs auxquels peuvent aspirer les groupes en présence et qui sont susceptibles de leur être reconnus. Précisons que les droits de propriété complets reconnus dans les traités ne visent qu'une petite partie des territoires traditionnels et ne sont l'apanage que d'un seul groupe.

Aussi, l'ampleur des pouvoirs d'autonomie gouvernementale reconnus à l'extérieur de ces parcelles détenues en pleine propriété y est bien moindre que dans ces dernières. Or, c'est dans ces régions «périphériques» qu'intervient le chevauchement des revendications. De plus, là où le titre aborigène peut exister, ce ne le serait généralement qu'au profit d'un seul groupe. Il reste que les chevauchements comportent des aspects économiques importants lorsqu'il s'agit de déterminer lequel des groupes en présence doit donner son consentement et profiter des retombées à l'occasion d'un projet de développement économique majeur.

La Convention de la Baie-James et du Nord québécois de 1975 constitue une bonne illustration de la problématique des chevauchements territoriaux. Cette convention comportait, dans le seul cas des Cris et sans compter les inadéquations territoriales avec des groupes d'Inuits, une quadruple inadéquation territoriale en ce sens que des portions de territoire reconnues aux Cris faisaient partie des terres ancestrales des

Algonquins, des Attikameks, des Innus et des Naskapis. On ne peut que penser que la carte du territoire visé par la convention avait été dressée à l'époque par les Cris et les gouvernements du Canada et du Québec sans que ces autres groupes aient été consultés ou même informés.

Chez les Naskapis, le problème a été réglé par la Convention du Nord-Est québécois en 1978 qui constitue en quelque sorte un complément à la convention de 1975 destinée à reconnaître les droits particuliers des Naskapis sur une partie du territoire visé par cette dernière. Mais, dans les trois autres situations, la ratification de la convention par la Loi sur le règlement des revendications des autochtones de la Baie-James et du Nord québécois[20] a fait en sorte, aux yeux des gouvernements du moins, que les droits ancestraux de tous les groupes autochtones à l'intérieur du territoire visé étaient éteints. Plusieurs de ces groupes contestent actuellement devant les tribunaux la constitutionnalité même de cette extinction faite sans qu'à l'époque ils n'aient été associés à quelque négociation que ce soit.

En réalité, les conditions géo-sociales qui ont de tout temps régi les relations des communautés autochtones avec leurs territoires respectifs pouvaient varier considérablement. Ainsi, il est arrivé, selon les régions et les époques :
- qu'un territoire donné ait toujours été utilisé par plus d'un groupe pour ses ressources fauniques ;
- qu'un territoire ait été l'objet d'une occupation conjointe ;
- que les chevauchements soient le reliquat d'occupations successives par des groupes différents ;
- que des liens familiaux nouveaux, liés à la mobilité des groupes, aient engendré des liens complexes avec les territoires occupés ou fréquentés ;
- que des litiges soient intervenus entre des groupes se disputant un même territoire.

Dans le cas des chevauchements territoriaux chez les Innus de la Côte-Nord, un événement extérieur a rendu le problème encore plus complexe : l'imposition d'une frontière interprovinciale en 1927 entre le Québec et Terre-Neuve, frontière dont les Innus n'ont que faire, eux qui pratiquent leurs activités traditionnelles de part et d'autre de cette ligne depuis des siècles. Or, il arrive que chacune des provinces participe à des tables de négociation distinctes avec les Innus et envisage les négociations territoriales en relation exclusive avec son propre territoire.

Il demeure que la cause première des chevauchements territoriaux est sans doute l'imprécision inhérente des limites entre les groupes de chasse eux-mêmes et, partant, entre les communautés dont ils font partie. José Mailhot écrivait, en 1985 que l'organisation sociale des Innus de l'Est était, jusqu'à 1950 environ,

> [...] caractérisée par une très grande flexibilité et une extrême mobilité. Les frontières du territoire de la bande étaient vagues et son personnel était instable, les individus des deux sexes changeant constamment de bande[21].

Chez les Innus, la notion de frontière correspondait traditionnellement et correspond encore aujourd'hui davantage à une zone qu'à une ligne ; entre les groupes, existaient des *régions frontières* plutôt que des *lignes frontières*. D'ailleurs, les aînés interrogés à ce sujet nous disent qu'autrefois il n'y avait pas de frontières proprement dites entre leurs groupes de chasse. On l'a bien vu dans l'interprétation que la communauté de Nutashkuan a donnée à l'extension de ses limites territoriales, à l'Est comme à l'Ouest, lorsqu'elle a adhéré à l'Entente de principe *Mamuitun mak Nutashkuan* en 2002. Cette situation en rejoint une autre, celle découlant des prétentions d'un groupe sur le territoire d'un autre groupe et dont le fondement est douteux. Ce type de revendications territoriales chevauchantes n'est pas rare.

Enfin, une dernière cause de chevauchements est le fait des traités eux-mêmes qui ont pu reconnaître des droits à un peuple autochtone là où d'autres utilisaient le territoire concerné. Ce fut le cas, on l'a vu, de la Convention de la Baie-James et du Nord québécois en 1975 comme ce fut aussi le cas de la Convention du Nord-Est québécois en 1978. Ces situations nous rappellent que le problème des chevauchements territoriaux devient particulièrement important lorsqu'un groupe est sur le point de conclure une entente de principe ou un traité, car il est indispensable, avant la signature de l'accord, d'avoir :

1. délimité le territoire visé par l'accord ;
2. précisé les activités traditionnelles que pourront exercer de façon exclusive les membres du groupe visé ;
3. conclu ou prévu une entente sur les compétences législatives du futur gouvernement autochtone visé et qui porteront sur un territoire qui devra, de ce fait, être clairement défini.

Dans le cas de l'Entente de principe *Mamuitun mak Nutashkuan* de 2002, il y a un chevauchement entre les terres des Innus de Pessamit et celles qui ont été reconnues aux Cris par la Convention de la Baie-James et du Nord québécois en 1975. Le problème a été reporté à plus tard par l'article 3.4.2 de l'entente qui prévoit que celui-ci devra obligatoirement être réglé avant le traité. En attendant, avec quel groupe une entreprise voulant y exploiter une mine doit-elle faire affaire ?

Dans le contexte de la conclusion de traités de reconnaissance et d'identification de droits, c'est la notion de ligne frontière plutôt que celle de zone frontière qui doit prévaloir parce qu'il faut y préciser les limites exactes de l'application des droits et des responsabilités de chacun dans un territoire donné. Comment ramener une zone frontière reconnue par la pratique à une ligne ? On voit bien, à la lecture de l'Entente de principe *Mamuitun mak Nutashkuan* de 2002, que le problème est réel et il n'est pas simple. Nous avons vu que des chevauchements territoriaux peuvent aussi exister à l'intérieur d'une même nation autochtone. Ce problème a généré, particulièrement du côté gouvernemental, l'idée de conclure un seul traité qui rassemblerait, par exemple, toutes les communautés innues du Québec.

Dans le cas du chevauchement territorial des groupes innus du Québec avec les Innus du Labrador terre-neuvien, le problème devient encore plus complexe du fait que l'on se dirige assurément vers des traités différents à cause du fait que les parties provinciales concernées sont différentes. Or, si les approches sont différentes, par exemple en matière de reconnaissance et de définition des droits ancestraux de part et d'autre de la frontière, l'existence de chevauchements occasionnera des difficultés juridiques considérables. Signalons aussi que les Innus du Labrador terre-neuvien ont eux-mêmes des prétentions sur certaines portions de l'extrémité est de la Basse-Côte-Nord, ce qui complique les choses encore plus.

L'absence de limites précises et convenues entre les diverses revendications territoriales des autochtones constitue un problème sérieux du fait qu'un traité, lorsqu'il est ensuite ratifié par des lois fédérale et provinciale, vient consacrer, officialiser et même constitutionnaliser des droits qui, antérieurement, ne l'étaient pas, ou les éteindre. On peut citer, encore une fois, la Loi fédérale de 1977 qui a éteint (de façon illégale, selon plusieurs) les droits des Innus, des Algonquins et des Attikameks sur certaines portions du territoire visé par la Convention de la Baie-James et du Nord québécois.

On peut dire que les nombreux chevauchements qu'illustrent les revendications territoriales des autochtones traduisent une incertitude générale qu'il peut être utile de caractériser. En effet, on distingue trois types différents de chevauchements :

1. le chevauchement de droits territoriaux d'un seul groupe sur le territoire de deux provinces, par exemple le territoire de la communauté de Nutashkuan qui s'étend aussi au Labrador terre-neuvien : des droits peuvent alors être reconnus ou non de façon différente des deux côtés de la frontière interprovinciale à l'occasion des deux traités éventuels ;
2. le chevauchement de droits territoriaux entre deux communautés d'une même nation à l'intérieur d'une même province, par exemple celui entre les communautés de *Uashat mak Mani Utenam* et de *Pessamit*; ce type de chevauchement pose le problème de savoir avec précision sur quelles terres s'exerceront les pouvoirs de gestion du territoire reconnus à chacune des communautés, y compris leur composante économique ;
3. le chevauchement de deux groupes dont les territoires se retrouvent tous deux dans deux provinces différentes, comme c'est le cas des communautés innues de la Côte-Nord et du Labrador terre-neuvien qui fréquentent ou prétendent fréquenter le territoire des deux provinces : aux problèmes du cas précédent s'ajoute alors le fait que l'on est ici en présence de deux provinces dont les lois, les politiques et les règlements sont différents.

On pourrait poursuivre, dans notre classification, en évoquant le chevauchement territorial entre les Naskapis et les Innus, les prétentions des Inuits du Labrador terre-neuvien sur le territoire visé par la Convention de la Baie-James et du Nord québécois, les droits des Algonquins sur le même territoire, etc. Certaines situations ont été réglées à la faveur de la conclusion de l'Accord sur les revendications territoriales des Inuits du Nunavik en 2006 : les chevauchements entre les Inuits du Nunavik et les Cris, les Inuits du Labrador terre-neuvien et ceux du Nunavut. Dans l'ensemble, cependant, les chevauchements perdurent.

Les incertitudes que représente cette question particulière et complexe liée aux chevauchements qu'illustrent les revendications territoriales des autochtones s'ajoutent à l'incertitude générale qui grève le territoire québécois. La réduction sinon l'élimination de ces chevauchements constitue un objectif prioritaire dans le dossier des revendications territoriales autochtones et, du même coup, dans l'objectif de réduire les incertitudes qui, à divers égards, grèvent le territoire québécois. Dans les cas les plus difficiles, les intéressés pourraient songer à conclure des ententes prévoyant la gestion conjointe de certaines parcelles de territoire.

Pour conclure ce chapitre, nous tenons à préciser que celui-ci n'est pas un plaidoyer pour ou contre la reconnaissance inconditionnelle du titre aborigène et des droits ancestraux. Il vise à attirer l'attention sur les éléments d'incertitude, nombreux et d'ordres variés (juridiques, politiques, sociaux, économiques, culturels même) qui compliquent la question autochtone. Il faut d'ailleurs constater que l'absence de réponses à certaines incertitudes spécifiques, notamment dans le domaine juridique, entretient et même amplifie des incertitudes dans les autres domaines. À différer le règlement de la question autochtone, on contribue à la compliquer. Ici, comme au niveau de la société tout entière, l'incertitude, avec le temps, a quelque chose d'autoreproducteur.

3.7.

Des incertitudes verticales potentielles

ON A VU, aux chapitres 3.2 et 3.3, que toute une série de mécanismes et de théories d'interprétation de la Constitution permettait au niveau fédéral d'accroître ses compétences sur des portions du territoire. On sait aussi que, malgré le silence de la Constitution, l'État fédéral a pu, soit par achat soit par expropriation, augmenter de façon considérable l'étendue de ses propriétés et, partant, de ses compétences législatives sur celles-ci. Mais on connaît mal, dans la pratique, les limites qu'une telle érosion de la compétence territoriale du Québec sur son territoire peut éventuellement atteindre. Si la persistance d'une évolution dans cette direction n'est qu'une hypothèse entre autres éventualités, il reste qu'il en résulte des incertitudes verticales potentielles dont le tableau 3 fait la synthèse. L'image de la tache d'huile et de la peau de chagrin tient dans la mesure où le gouvernement fédéral amplifie son recours aux mécanismes évoqués.

Aussi est-il impossible de dresser une liste complète des incertitudes territoriales verticales concernant l'extension potentielle des pouvoirs fédéraux sur le territoire québécois. En théorie, ceux-ci sont indéfiniment extensibles, comme l'est d'ailleurs l'incertitude elle-même concernant le glissement potentiel de la compétence territoriale du Québec vers l'État central canadien. Certains voient dans cette situation une menace à l'intégrité territoriale du Québec; d'autres considèrent qu'un pouvoir central fort est une garantie de la cohérence des politiques nationales (dans le sens pancanadien). Bien évidemment, ces positions sont directement dépendantes du niveau auquel se situe la conscience territoriale des uns et des autres et de leur conception du fédéralisme. La multiplication des *taches d'huile* des territoires fédéraux sur le territoire québécois ne signifie pas nécessairement qu'il faille considérer le faisceau de compétences qui s'y exercent comme une *peau de chagrin*, puisqu'il est de l'essence du fédéralisme qu'un même territoire soit l'objet de compétences superposées. La question est toujours de savoir si celles-ci sont concurrentes ou complémentaires.

L'enjeu est important et tout à fait d'actualité. On peut évoquer à ce sujet le cas des projets de loi récents concernant la région de la capitale canadienne dont il sera question au chapitre 4.3. On peut se demander, comme nous l'avons évoqué plus haut, si, tout autant que l'intégrité territoriale, ce n'est pas l'équilibre des compétences garanties par le fédéralisme canadien qui est en cause, tout particulièrement si l'on envisage les implications d'un recours systématique aux procédés permettant de modifier l'équilibre constitutionnel originel. Le tableau 3 illustre l'objet des incertitudes verticales potentielles qui, en vertu des mécanismes précités, donnent ouverture à l'extension des compétences et des territoires qui sont affectés à leur exercice. Nous avons mentionné (3ᵉ colonne du tableau) des interventions hypothétiques que, sur le plan juridique, ces mécanismes pourraient justifier.

TABLEAU 3

Quelques incertitudes verticales potentielles

Mécanisme ou théorie interprétative	Nature des incertitudes en découlant	Exemples hypothétiques
Théorie des dimensions nationales	L'identification des domaines d'application de cette théorie est soumise à la décision des tribunaux.	Construction d'une ligne de transport électrique.
Pouvoir déclaratoire	L'exercice de ce pouvoir relève de la discrétion du Parlement fédéral.	Édification d'un monument à la gloire du Canada dans un endroit localement réservé à d'autres fins, par une loi contenant la phrase clé.
Prépondérance législative fédérale	L'imprévisibilité dans le temps et dans l'espace quant à l'application des lois provinciales valides face à l'éventualité de l'adoption d'une loi fédérale valide et incompatible.	Une loi fédérale sur l'éducation des Inuits du Québec.
Règle de l'exclusivité des compétences	Le fait que le niveau fédéral n'a pas légiféré sur une matière relevant de sa compétence ne permet pas à la province de légiférer sur cette matière.	Un tribunal pourrait décréter qu'un terrain est une « terre réservée aux Indiens » sur laquelle les lois provinciales ne s'appliqueront pas.
Pouvoir fédéral d'expropriation	La superficie à exproprier est décidée par le niveau fédéral.	La construction d'un vaste espace urbain destiné au tri postal près d'une gare.
Pouvoirs résiduels	Identification par les tribunaux de nouveaux domaines de législation susceptibles de relever de l'autorité fédérale.	Une réglementation fédérale de l'utilisation d'Internet.

Mécanisme ou théorie interprétative	Nature des incertitudes en découlant	Exemples hypothétiques
Pouvoir d'urgence	Le caractère subjectif de décisions relevant du fédéral, relativement à l'existence de l'urgence.	Limitation des déplacements de la population à la suite d'un séisme.
Pouvoirs accessoires	Possibilité pour le niveau fédéral de légiférer sur une matière relevant de la province si c'est accessoire à la législation fédérale.	Développement d'un programme d'éducation en matière balistique.
Pouvoir fédéral de dépenser	Domaine où l'incertitude est toujours présente. Comment prévoir les projets où le gouvernement fédéral appliquera sa « politique de présence » ?	Refus fédéral d'apporter sa contribution à un projet d'aménagement du territoire auquel il avait contribué auparavant à moins que le titre de propriété ne lui soit transféré.

Répétons que le tableau 3 est basé sur des hypothèses. Sont-elles pré-visibles ? Qui sait ? Sont-elles possibles ? Oui. On aura noté que tous les exemples donnés vont dans le sens d'une augmentation de la compétence territoriale fédérale et, partant, d'une diminution correspondante de celle du Québec sur les parcelles visées. Ces cas de figure ne résultent pas d'un parti pris mais de l'observation des cas qui balisent l'évolution de la pratique des compétences fédérales et provinciales sur le territoire du Québec. Cela dit, il n'est pas interdit d'imaginer qu'une évolution puisse se développer dans le sens inverse. Mais…

D'autres incertitudes verticales, plus hypothétiques, sont liées au changement éventuel du statut politique du Québec. Répétons d'abord que de telles incertitudes se situent en marge de notre propos et découlent elles-mêmes d'une hypothèse. Il s'agit donc d'incertitudes à deux étages. Le fait que l'éventuelle accession du Québec à la souveraineté aurait pour résultat la présence d'un seul ordre de gouvernement ferait en sorte que la plupart des incertitudes territoriales verticales dont nous avons parlé disparaîtraient. Mais des incertitudes d'un autre ordre apparaîtraient. Cette question a retenu l'attention du juriste Jacques Brossard[1] qui a fait état de diverses questions territoriales qui se poseraient en cas d'acces-sion du Québec à la souveraineté. Il s'est demandé, par exemple, quels seraient alors les droits du Canada sur la voie maritime du Saint-Laurent et comment s'effectuerait la succession du Québec aux biens appartenant au Canada.

On peut également envisager les incertitudes territoriales verticales à partir de divers scénarios d'évolution du fédéralisme canadien, chacun pouvant affecter, de façon positive ou négative, l'intégrité territoriale du

Québec. Mentionnons d'abord l'hypothèse du *statu quo*. À la lumière des pages qui précèdent, on ne peut que constater que celui-ci ne peut qu'entretenir les incertitudes existantes tout en en générant d'autres. Le *statu quo*, avec l'érosion progressive actuelle et potentielle des pouvoirs provinciaux sur le territoire, est de nature à entretenir le développement d'un « parc territorial fédéral » au Québec.

Des changements constitutionnels peuvent, de leur côté, réduire les incertitudes en révisant le partage des compétences de manière à rendre plus claire la question de savoir quels gouvernements ont quelle latitude pour entreprendre des actions qui ont un impact sur la gérance du territoire. On pourrait aussi préciser sous quelles conditions les mécanismes modifiant le partage des compétences peuvent s'appliquer ou y intégrer les précisions déjà apportées par les tribunaux. On pourrait enfin encadrer certains pouvoirs législatifs fédéraux comme le pouvoir de dépenser.

Comme le signalait la Commission de l'unité canadienne en 1979[2], l'évolution du fédéralisme canadien peut prendre diverses formes et différents scénarios ont déjà été envisagés :

- une *centralisation majeure* des compétences législatives ;
- une *décentralisation majeure* des compétences législatives ;
- l'institution d'un *fédéralisme asymétrique* au moyen duquel le Québec jouirait d'un statut particulier qui satisferait à la fois les aspirations de celui-ci et celles, souvent différentes, des autres provinces ;
- le développement d'un *fédéralisme renouvelé* (ou *reconstitué*) qui rechercherait un juste milieu entre une centralisation des pouvoirs jugée excessive par les uns et une décentralisation des pouvoirs également jugée excessive par les autres.

Mais, quelle que soit l'option envisagée, les incertitudes territoriales demeureront les mêmes à peu de chose près si l'on ne parvient pas à délimiter clairement le rôle de chacun des niveaux étatiques sur le territoire. En matière territoriale, il ne sert à rien de modifier la Constitution si l'on ne fait pas disparaître les incertitudes qui engendrent des irritants qui deviennent le pain quotidien des relations fédérales-provinciales, tout particulièrement au Québec, à moins que l'on n'accepte que le fédéralisme soit un système indéfiniment négociable et soumis au jeu des poids relatifs des pouvoirs protagonistes.

3.8.

Le bilan des incertitudes verticales

T OUT ESSAI DE SYNTHÈSE à partir du contenu des pages qui précèdent serait nécessairement incomplet car la situation évolue avec le
contexte politique et cette évolution est toujours susceptible de soulever
de nouvelles questions d'ordre juridique. Il nous apparaît néanmoins
utile d'en tracer un constat d'ensemble pour pouvoir ensuite tenter
d'évaluer l'ampleur des incertitudes qui affectent la dimension verticale
de l'intégrité territoriale, même si cet exercice risque d'être perçu comme
subjectif.

a) Le constat

1. Il est de l'essence d'un système fédéral que, sur un même territoire, se
   superposent des compétences complémentaires réparties entre deux
   ordres de gouvernement.
2. Des circonstances particulières peuvent justifier que le partage de
   compétences se double d'un certain partage de territoires, mais ce type
   de partage ne relève de l'essence du fédéralisme qu'à titre d'exception.
3. Selon l'équilibre voulu par la constitution canadienne, les provinces se
   sont vu attribuer un certain nombre de compétences étatiques et aussi
   un droit général de propriété sur leurs territoires respectifs.
4. Des exceptions à ce droit général de propriété des provinces ont été
   explicitement prévues.
5. La reconnaissance dans la Loi constitutionnelle de 1867 de certaines
   parcelles de territoire exceptionnellement désignées comme propriétés
   fédérales met en relief le principe général voulant que, sauf stipulation
   expresse au contraire, la «propriété territoriale» est de priorité provinciale.
6. L'érosion progressive de l'intégrité territoriale des provinces s'est
   produite d'abord sur le plan vertical, c'est-à-dire par le développement
   de compétences exercées par le gouvernement fédéral sur l'ensemble

du territoire des États fédérés de même que sur des parcelles territoriales particulières.

7. Cette érosion progressive s'est aussi produite sur le plan horizontal, par l'extension des parcelles de territoire sur lesquelles le gouvernement fédéral exerce un éventail de compétences plus large que pour l'ensemble du territoire de l'État fédéré provincial.

8. En effet, par un ensemble de techniques et de mécanismes constitutionnels, la gamme des compétences législatives exercées par l'État fédéral s'est progressivement élargie depuis 1867 et a affecté des parcelles de territoire de plus en plus nombreuses et de plus en plus vastes.

9. L'interprétation qu'ont donnée de ces mécanismes et techniques les tribunaux judiciaires suprêmes a contribué à faire potentiellement de la constitution canadienne un instrument législatif à tendance centralisatrice.

b) Les incertitudes

1. Par le processus de gonflement progressif des compétences fédérales, le Québec est soumis à la possibilité de voir l'érosion du contrôle qu'il a sur son territoire, érosion déjà amorcée, se poursuivre et même s'amplifier.

2. Une évolution en ce sens en viendrait à amincir le contenu juridico-politique de la notion de *territoire québécois* et poserait la question de savoir si le cadre territorial servirait encore de support à une gamme suffisante de compétences exercées par le gouvernement du Québec pour pouvoir assumer de façon satisfaisante le projet collectif de la société québécoise (pour peu, évidemment, que ce projet soit clairement défini).

3. L'interprétation qui a été faite de la Constitution par le gouvernement fédéral, le recours à des techniques permettant l'extension de ses pouvoirs, les initiatives politiques qui s'en réclament, la confirmation partielle de la validité de ces actions par les tribunaux créent, au total, un climat d'incertitude. Celui-ci est accentué par le fait qu'on ne peut pas, dans l'état actuel des choses, se référer à des balises claires pour orienter et ne serait-ce que prévoir l'évolution de la situation dans un sens ou dans l'autre.

En matière territoriale, comme dans les autres domaines de l'exercice du pouvoir d'État, on peut se demander si le Canada est régi par un système fédéral où deux niveaux de gouvernement agissent sur le territoire de façon autonome et superposée ou s'il est régi par un système qui a progressivement établi, pour reprendre les mots de la professeure Duplé[1], une « subordination de fait » des gouvernements provinciaux au gouvernement fédéral. Les positions constitutionnelles du gouvernement du Québec sont et seront évidemment dépendantes du constat qu'il fait et qu'il fera de la situation actuelle, sous l'angle des pouvoirs respectifs, réels et potentiels, des deux niveaux de gouvernement. Naturellement, il le fera selon ses intérêts jaugés à l'aune des principes qu'il juge indispensables à sa bonne gérance en même temps qu'à celle des avantages pratiques qu'il peut en retirer, au nom de la population du Québec. La difficulté, on ne le sait que trop, est de concilier, ou au moins de pondérer, ces deux critères.

4.

Que faire ?

En lisant le titre de ce chapitre, certaines pourraient penser que l'utilisation du titre de l'ouvrage de Lénine, publié en 1902, implique une réflexion pour organiser une stratégie pour le renversement de l'ordre politique. Il serait ridicule de le penser. Il n'en est évidemment rien, mais les spécialistes du communisme soviétique savent, détail incident mais intéressant, que Lénine y faisait référence à une mise en garde qu'en 1852 Ferdinand Lassalle faisait à Karl Marx et qui vaut d'être cité : « La preuve la plus grande de la faiblesse du parti, c'est son amorphisme et l'absence de frontières nettement délimitées[1]. »

Cette référence, tout à fait hors contexte, ne constitue en aucune manière, on s'en doute bien, une justification de la position qui sous-tend le présent ouvrage. Nous voulons seulement rappeler qu'en toute matière, et en toutes circonstances, l'incertitude, qu'elle soit de nature spatiale ou relative aux compétences, est souvent mauvaise conseillère et que c'est le devoir de ceux qui en gèrent l'objet de tenter de la dissiper. Il est donc impératif de tenter de définir les différents niveaux des responsabilités territoriales et de déterminer à qui incombent ces responsabilités.

L'objectif premier du présent ouvrage n'est pas d'apporter réponse à toutes les incertitudes évoquées dans ce livre. Nous avons plutôt voulu *mettre sur la table* ces incertitudes pour alimenter les nécessaires réflexions devant mener à des actions concrètes pour les résoudre. Il n'est donc pas inutile d'identifier les acteurs qui, à un niveau ou à un autre, d'une manière ou d'une autre, peuvent observer, influencer et, le cas échéant, infléchir les politiques territoriales du Québec. Serait-ce une attitude provocatrice que de dire que cette question ne peut pas, et ne doit pas, être la seule affaire des gouvernements ?

4.1.
Le territoire, l'affaire de qui ?

Entre la problématique des incertitudes relatives à l'intégrité territoriale du Québec et les éléments de solution qu'on pourrait imaginer, une question s'insinue inévitablement : le territoire, tout compte fait, c'est l'affaire de qui ?

Roger Brunet, dans son ouvrage, *Les mots de la géographie*, illustre bien la polysémie du terme *territoire* et rappelle que, comme notion juridique, celui-ci renvoie à l'existence de l'État « dont la légitimité se mesure en grande partie à sa capacité à garantir l'intégrité territoriale[1] ». Cette remarque donne une réponse à la question en titre : le territoire, c'est d'abord l'affaire de l'État dont il est l'un des éléments constitutifs en même temps que la délimitation spatiale de son action. Réponse pertinente mais incomplète.

D'abord, la notion de territoire n'est pas que juridique et politique ; elle est d'abord et avant tout géographique, mais aussi sociale, économique, culturelle. Même si l'État a aussi un mandat de gérance sociale, économique et culturelle, il n'en est pas l'unique acteur. En effet, le territoire est également l'affaire de divers autres intervenants : politologues, chercheurs et spécialistes de diverses disciplines, gens des médias et même, on le découvre de plus en plus, lobbyistes, accrédités ou pas. Parmi ces groupes, la pureté d'intention varie considérablement, on ne le sait que trop. Cela dit, il est important de reconnaître que chacun de ces groupes a son effet sur la conjoncture générale et que, tout compte fait, les attitudes gouvernementales en sont le reflet, par enjeux électoraux interposés. Ce qui revient à dire que la clé de l'évolution de la situation, quant à l'intégrité du territoire du Québec, est d'abord, mais non uniquement, dans les mains de l'État.

Cette observation se trouve à concilier les deux définitions du territoire que l'on retrouve dans les dictionnaires généraux. Définition 1 : « Étendue de terre occupée par un groupe d'humains. » Définition 2 : « Étendue de terre qui dépend d'un État, d'une autorité, d'une juridiction.» Il est bien évident que, pour répondre à la question «le territoire, l'affaire de qui?», il faut se référer à ces deux aspects d'une même réalité.

La base sur laquelle doit s'élaborer toute action de l'État est d'abord, cela est une évidence, la connaissance de son territoire. Qu'en est-il, à cet égard? Prenons un exemple. On sait que les cessions de terrains du gouvernement québécois au gouvernement fédéral se font, la plupart du temps, par la technique du transfert d'autorité ou de régie et d'administration de la part de la Couronne du chef du Québec auprès de la Couronne du chef du Canada, technique qui permet de passer à côté de la règle voulant que la Couronne ne puisse pas se vendre un terrain à elle-même. Or, les décisions à cet égard touchent des espaces particuliers correspondant à la nature et à la situation géographique des terrains requis (réserve indienne, base de radar, lot de grève, etc.). On peut alors se demander si ces décisions sont, dans chaque cas, cohérentes avec une politique générale de gérance territoriale.

Par ailleurs, tout fragment de territoire peut être à la fois paroissial, municipal, cantonal, partie d'un comté, partie d'une région, tout en étant, en haut de la pyramide administrative, à la fois québécois et canadien. Dans ce contexte, on observe un genre de fractionnement des mécanismes permettant de régir l'exercice des compétences sur ces parcelles de territoire. Il faut ajouter que le recours à ces mécanismes dépend largement de l'attitude des acteurs quant à la portée pratique du concept d'intégrité territoriale. En effet, toute question peut prendre une lueur différente selon la perception que peut avoir de son environnement territorial un individu, un organisme, une collectivité, un gouvernement. Cet aspect perceptuel de la problématique territoriale rejoint la notion de conscience territoriale qui est l'identification consciente et responsable d'un individu, d'un groupe ou d'un gouvernement avec un territoire donné.

Pour plusieurs, dont la conscience territoriale s'identifie davantage au Canada qu'au Québec, la question de l'intégrité territoriale se joue essentiellement au niveau du territoire canadien par rapport à des États étrangers; l'intégrité territoriale du Québec, quant à sa frontière internationale, se confond alors avec celle du Canada. Les désaccords entre les deux niveaux de gouvernement relativement à l'exercice de leurs compétences respectives, ne relevant pas de l'intégrité territoriale entendue en ce sens, doivent, dans ce contexte, se régler à l'amiable dans un esprit de fédéralisme coopératif. Pour d'autres, le problème de l'intégrité territoriale conçue à l'échelle du Québec est à la base de toutes les aspirations de la société québécoise. Dans leur optique, les compétences fédérales sur le territoire sont considérables et constituent autant de limitations actuelles et potentielles aux compétences du Québec.

Au-delà de ces oppositions en apparence irréductibles, il y a sans doute place, à l'intérieur d'un fédéralisme canadien respectueux de la Constitution, pour une intégrité territoriale du Québec en accord avec le partage des compétences prévues et à l'abri de glissements de compétences susceptibles d'affaiblir la cohérence de l'exercice de celles qui lui sont reconnues. C'est dans ce contexte que le gouvernement du Québec, comme tout gouvernement, a le mandat essentiel de promouvoir des politiques territoriales destinées à faire respecter son territoire. Il y donne suite, dans une mesure toutefois limitée par les incertitudes qui les entourent; celles-ci sont nombreuses et importantes. Il y a donc lieu de jeter un coup d'œil sur le fonctionnement de la «préoccupation territoriale» au niveau de l'État québécois, sans cependant porter de jugement à cet égard.

Le domaine dit de l'État sur le territoire du Québec occupe plus de 92 % de celui-ci, ce qui en laisse près de 8 % au domaine privé. D'où l'intérêt de savoir qui, au sein du gouvernement du Québec, s'occupe de l'utilisation du territoire public. Cette utilisation peut faire l'objet de droits émis à des fins aussi diverses que l'agriculture, la villégiature, l'habitation, l'exploration et l'exploitation des ressources naturelles ou l'aménagement d'infrastructures industrielles.

Il y avait autrefois un certain morcellement de structures administratives à cet égard de même qu'un éparpillement des ministères responsables de la gestion du domaine territorial public au Québec. Il fut un temps où la gestion des terres et forêts, des mines, des ressources hydrauliques et de terres agricoles relevait de quatre ministères différents. La gestion de l'ensemble des secteurs liés au territoire et aux ressources naturelles relève aujourd'hui d'un seul ministère, celui des Ressources naturelles et de la Faune.

La mission du ministère, ainsi que celle-ci est indiquée sur son site Internet[2], est de régir l'utilisation et la mise en valeur du territoire et de ses ressources forestières, fauniques, minérales et énergétiques. Dans l'énoncé de mission qui s'y trouve, le ministère:

1. veille au maintien et au respect de l'intégrité territoriale du Québec;
2. est responsable de la connaissance du territoire;
3. assure l'harmonisation des différents usages et le développement optimal de ce territoire; et
4. voit à la gestion et à l'octroi des droits fonciers sur les terres du domaine de l'État.

Le ministre des Ressources naturelles et de la Faune est aussi l'arpenteur général du Québec. À ce titre, il voit à faire effectuer l'arpentage des terres du domaine de l'État et des frontières du Québec et à constituer et tenir à jour le Registre du domaine de l'État[3]. Le ministère dispose aussi d'une direction des politiques et de l'intégrité du territoire, elle-même placée sous l'égide de la direction générale des affaires stratégiques et du territoire. La direction est responsable des aspects politiques se rapportant aux frontières du Québec. Quant au Bureau de l'arpenteur général du Québec, celui-ci s'occupe de la démarcation des frontières interprovinciales et de la conservation des documents officiels relatifs à leur délimitation. Depuis 2005, le Bureau a mis en place le Registre du domaine de l'État[4] où sont entre autres inscrits des informations sur le caractère public ou privé du territoire, les territoires à statut juridique particulier, les transactions se rapportant aux propriétés de l'État ou encore les droits d'intervention accordés par l'État[5]. C'est ainsi qu'y sera consignée l'information appropriée sur les pourvoiries, les aires protégées ou les réserves écologiques.

Le ministère doit aussi relever le défi de mettre en place des mécanismes de concertation destinés à favoriser une gestion intégrée du territoire et des ressources, aux fins d'harmoniser les divers usages du territoire public. Enfin, le ministère gère une diversité de régimes d'attribution de droits fonciers par voie de location, vente, permis ou autres modes de transfert.

La responsabilité et la maîtrise d'œuvre des politiques territoriales et de la philosophie qui les supporte revient donc au premier chef au ministère des Ressources naturelles et de la Faune. Cette première responsabilité est cependant partagée avec d'autres ministères qui, à l'occasion, auront à intervenir lorsque leur compétence est impliquée. C'est le cas du ministère du Développement durable, de l'Environnement et des Parcs pour les interventions en milieu hydrique. C'est également le cas du ministère des Affaires intergouvernementales lorsqu'il s'agira de transférer la maîtrise d'œuvre au gouvernement fédéral sur une parcelle de territoire.

Les politiques territoriales internes

Sous réserve des compétences législatives fédérales et des autres dispositions de la constitution canadienne qui peuvent, on l'a vu, affecter de façon variable les compétences législatives du Québec sur son territoire, le ministère des Ressources naturelles et de la Faune gère l'ensemble des terres publiques dont l'État québécois a la propriété à partir de lois qui prévoient leurs divers modes d'utilisation.

Aux fins de l'élaboration de ses politiques territoriales relatives à l'exercice des compétences législatives du Québec sur son territoire et dont il est, nous l'avons dit, le maître d'œuvre, le ministère s'est doté d'outils de planification comme le Plan d'affectation du domaine public (PATP) et les Plans régionaux de développement du territoire public (PRDTP). Alors que le premier vise à définir les grandes orientations du gouvernement quant à l'utilisation du territoire public, le second vise à déterminer, pour chacune des régions du Québec et en collaboration avec les divers intervenants de ces régions, les types particuliers de droits fonciers qu'il y a lieu d'accorder dans la perspective de son utilisation harmonieuse.

Sur le plan sectoriel, un cadre législatif et réglementaire prévoit les modes d'attribution et de gestion des droits fonciers. C'est ainsi que la Loi sur les terres du domaine de l'État[6] et les règlements adoptés en vertu de celle-ci prévoient les conditions en vertu desquelles le gouvernement peut aliéner des terres du domaine public au moyen de ventes ou de cessions à titre gratuit ou encore louer de telles terres, par exemple à des fins de villégiature. Il en est de même dans le cas de la Loi sur les terres agricoles du domaine de l'État[7] et de ses règlements pour tout ce qui a trait à l'aliénation ou à la location de terres agricoles. Un règlement adopté en vertu de cette loi détermine les conditions d'aliénation des terres aux fins d'une exploitation agricole ou à des fins d'aquaculture alors qu'un autre règlement prévoit l'affectation de terres publiques à des fins de bleuetières.

La nouvelle Loi sur l'aménagement durable du domaine forestier, sanctionnée en avril 2010[8] et destinée à remplacer la Loi sur les forêts[9] vise à instaurer graduellement un nouveau régime forestier au sujet duquel certaines dispositions sont déjà en vigueur alors que d'autres n'entreront en vigueur qu'en avril 2013. Celui-ci prévoit la délimitation des territoires forestiers du domaine de l'État en unités d'aménagement forestier à l'intérieur desquelles des activités d'aménagement comme l'abattage et la récolte du bois sont autorisées au moyen de permis d'intervention et de garanties d'approvisionnement.

La Loi sur le régime des eaux[10] contient des dispositions sur la cession par le ministère des Ressources naturelles et de la Faune de certaines forces hydrauliques alors que le Règlement sur le domaine hydrique de l'État[11] prévoit les modalités de l'aliénation, de la location ou de l'occupation de certains biens du domaine hydrique comme le lit d'un cours d'eau, ces droits étant exceptionnellement consentis par le ministère du Développement durable, de l'Environnement et des Parcs.

Les ressources naturelles non renouvelables sont l'apanage de la Loi sur les mines[12] et de ses règlements. Un régime général de *claims*, de permis, d'autorisations et de baux miniers s'applique aux terrains requis pour l'exploration et l'exploitation de l'ensemble des substances minérales alors que des régimes particuliers de permis de recherche et de baux d'exploitation s'appliquent aux substances minérales de surface ainsi qu'à l'exploration et à l'exploitation des hydrocarbures. L'exploitation et la conservation de la faune ne sont pas en reste avec ces réseaux de zones d'exploitation contrôlée (zec) et de pourvoiries relevant du ministère des Ressources naturelles et de la Faune sans compter les réserves fauniques, refuges d'oiseaux et autres territoires protégés.

Somme toute, on se retrouve, à l'interne, devant une série de systèmes et de régimes sectoriels de gestion et d'attribution de droits sur le territoire qui sont destinés à assurer avec une certaine cohérence l'application des politiques territoriales. Par ailleurs, le secteur de la coordination et des services partagés du ministère comprend trois directions générales dont celle des affaires stratégiques et du territoire. Celle-ci, à son tour, comporte une direction des politiques et de l'intégrité du territoire.

Les politiques d'intégrité territoriale et les frontières

À la suite des recommandations de la Commission d'étude sur l'intégrité du territoire du Québec en 1972, le gouvernement du Québec s'était doté d'un service de l'intégrité du territoire, alors rattaché au ministère des Terres et Forêts. Ce service avait pour mission de veiller au maintien et au respect de l'intégrité territoriale du Québec.

Outre son mandat de tenir un fichier détaillé sur les parcelles fédérales en territoire québécois, ce service a traité de questions se rapportant à la délimitation et à la démarcation des frontières. Il a joué, à cet égard, un rôle important à la fin des années 1970 quant à la solution de problèmes liés à l'appartenance de certaines îles situées aux abords de la frontière Québec-Ontario.

Selon l'énoncé de sa mission, le ministère des Ressources naturelles et de la Faune, on l'a vu, est « responsable de veiller au maintien et au respect de l'intégrité territoriale du Québec ». Aujourd'hui, cette responsabilité est assumée par la Direction des politiques et de l'intégrité du territoire de ce ministère. Mais cette direction, aussi parfois appelée « direction des politiques territoriales », a un mandat qui dépasse cette appellation.

Si le Bureau de l'arpenteur général du Québec agit à titre d'expert foncier de l'État quant à la localisation de la frontière, c'est la Direction des politiques et de l'intégrité du territoire qui s'occupe de l'aspect politique de la question. C'est ainsi que la direction pourra donner son avis quant à la problématique de la frontière du Québec dans le golfe du Saint-Laurent à l'occasion d'une demande de permis de recherche pour les hydrocarbures dans cette région.

Mais la direction assure également, comme le signale le site Internet du ministère, « l'intégrité du domaine de l'État par la délimitation et la démarcation de la limite privée/publique ». Cette opération s'effectue, sous la direction du Bureau de l'arpenteur général du Québec, au moyen de la pose de repères au sol permettant de préciser les limites des propriétés de l'État afin d'assurer « l'intégrité du territoire public ».

Certains pourraient croire que le Québec ne dispose plus d'un service particulier dont la mission spécifique et unique serait de veiller, avec l'autorité requise, à ce qu'il y ait une politique territoriale consciente et organisée en matière d'intégrité territoriale au sens où nous l'entendons. Est-ce le cas ? Au-delà de la compétente expertise de la Direction chargée de cette question au ministère des Ressources naturelles et de la Faune (MRNF), on peut se le demander, à la vue de la brochure publiée en 1997 par le ministère des Relations intergouvernementales intitulée *Le Québec et son territoire*[13], qui se voulait une réponse aux partitionnistes de l'époque qui prétendaient qu'un Québec souverain ne pouvait pas comprendre les portions du territoire qui y avaient été ajoutées après 1867. Le texte de cette brochure gouvernementale se référait alors à une importante portion du territoire qui y aurait été « annexée » en 1898. Le gouvernement du Québec, par cette formulation, semble avoir ignoré que la prépondérance de la preuve documentaire existante reconnaît que les lois de 1898 ne faisaient que confirmer une situation existante, soit la définition du territoire telle qu'elle avait été établie par l'Acte de Québec de 1774.

Quoique cette affirmation, erronée et contraire aux intérêts du Québec dans le contexte de l'argumentation apportée par les partitionnistes, ne comportait pas de véritable conséquence juridique (sauf la possibilité qu'elle soit invoquée un jour à l'occasion d'une contestation judiciaire), elle reste symptomatique d'une situation que pourrait qualifier de gênante pour quiconque possède une conscience territoriale québécoise la moindrement aiguisée.

Même si le cas que nous venons d'évoquer peut paraître à certains comme assez anodin, on serait tenté de dire qu'avec un allié aussi précieux qui donnait des munitions aux partitionnistes, ceux-ci n'avaient plus besoin d'adversaires ! Mais comment en est-on arrivé jusque-là, au plus haut niveau gouvernemental ? Comment se fait-il, dans cet exemple parmi d'autres que nous aurions pu choisir, que la connaissance juridique et technique qu'a ou devrait avoir le gouvernement du Québec de son propre territoire ne se soit pas fait valoir ? En faisant référence à ces autres exemples, on pense à l'intervention d'un ancien ministre des Affaires intergouvernementales qui avait déclaré, devant l'Assemblée nationale, que les frontières du Québec étaient précises et bien délimitées, ce qui est manifestement contraire à la réalité. Nous avons évoqué cette étrange déclaration au début du chapitre 2.7. On peut donc se demander si l'expertise logée aux organismes que nous venons de mentionner est en mesure d'influencer les déclarations ministérielles en matière d'intégrité territoriale. Il faut aussi noter que les publications du MRNF laissent peu entrevoir les politiques territoriales du Québec en matière de frontières.

Nous avons déjà mentionné le fait que le gouvernement du Québec n'est pas représenté au sein de la Commission frontalière qui gère le maintien de l'abornement de la frontière canado-américaine, son inspection et la révision de sa démarcation. Peut-être aurait-il avantage à l'être, non pas pour infléchir le travail qui y est fait, travail dont on se doit de reconnaître la qualité, la précision et l'efficacité, mais pour assurer que les intérêts locaux, comme ceux qui touchent la vie quotidienne des municipalités en position frontalière, soient pris en compte lorsqu'il est question de la frontière Québec–États-Unis. La raison en est que plusieurs ministères québécois peuvent être impliqués dans des questions relatives à la frontière internationale : le ministère des Affaires municipales, des Régions et de l'Occupation du territoire, le ministère du Développement économique, de l'Innovation et de l'Exportation, le ministère des Transports, le ministère des Relations internationales. La concertation entre leurs implications respectives bénéficierait d'un système de monitoring de l'état de la frontière internationale du Québec.

Par ailleurs, n'est-il pas étonnant que le Québec n'ait pas de Loi sur les frontières ? Car il est bien évident que le Québec, en cette matière, doit être nécessairement engagé à toutes les étapes du processus concernant le développement et la vie de ses frontières : de la délimitation et de la démarcation jusqu'à la révision de celles-ci en passant par le contrôle des affectations territoriales aux abords des frontières. Ces questions sont liées intimement à la gérance territoriale. Notons que d'autres provinces, comme le Manitoba et la Saskatchewan, n'ont pas hésité à adopter des lois sur leurs frontières. On peut aussi donner l'exemple de l'Alberta et de la Colombie-Britannique qui ont adopté des lois se rapportant à leur frontière interprovinciale et mis sur pied une commission conjointe de démarcation.

Aussi, nous avons amplement démontré que plusieurs frontières du Québec ne sont pas démarquées ni même délimitées de façon claire. Le Québec doit donc porter un intérêt accru à ses frontières et à la nécessité d'en confirmer la délimitation et la démarcation. Autrement dit, le gouvernement du Québec doit faire face à ses responsabilités étatiques et s'atteler à l'urgente tâche d'entreprendre des négociations avec les gouvernements des autorités étatiques limitrophes au sujet de leurs frontières communes. Il est bien évident que le fait que le territoire d'un État, même fédéré, demeure ainsi dans l'indéfinition est géopolitiquement malsain, d'autant plus que la pratique en matière de frontières, au niveau interne comme au niveau international, est de marquer par des signes visibles leur localisation exacte. L'histoire a clairement démontré qu'il n'est pas sage d'attendre une contestation ou un conflit territorial pour entreprendre la démarcation des limites et des frontières de tous ordres.

Les politiques d'intégrité territoriale face aux droits territoriaux fédéraux

La Commission d'étude sur l'intégrité du territoire du Québec avait également formulé, en 1972, diverses recommandations sur les transferts de régie et d'administration de parcelles de territoire par le Québec au profit du gouvernement fédéral. En réalité, il s'est habituellement agi de transferts d'autorité et de « propriété » au sens large. La Commission avait notamment préconisé le remplacement de tels transferts par la mise à la disposition du gouvernement fédéral des terrains requis par celui-ci pour l'exercice de ses compétences. Pour ce qui avait trait aux transferts de parcelles de territoire effectués dans le passé, elle proposait leur retour au Québec dès que celles-ci ne servaient plus aux fins prévues à l'origine.

Ce mécanisme de transfert d'autorité entre gouvernements avait été mis en place pour tenir compte de cette fiction juridique développée par les tribunaux sur l'indivisibilité de la Couronne et voulant qu'il n'y ait qu'une seule Couronne au Canada. La Couronne ne pouvait donc pas se vendre un terrain à elle-même alors que, on le sait, la Couronne est, dans les faits, divisible puisque les gouvernements transigent continuellement entre eux. Quoi qu'il en soit, les gouvernements ont pris l'habitude de passer à côté de la règle au moyen de décrets parallèles prévoyant un changement dans le contrôle administratif de l'immeuble qui passe du contrôle provincial au contrôle fédéral, la Couronne elle-même demeurant en tant que telle propriétaire du bien en question[14]. En pratique, cependant, de tels décrets sont assimilés à des transferts de propriété avec toutes les conséquences que nous avons constatées quant à l'exercice des compétences législatives fédérales sur les parcelles de territoire ainsi transférées.

Le gouvernement du Québec a décidé, en 1977, que les transferts dits de régie et d'administration consentis par le gouvernement du Québec en faveur du gouvernement du Canada devaient être assortis de certaines conditions: prohibition d'aliéner ou de louer les immeubles visés sans autorisation, droit de retour au Québec à la fin de l'utilisation projetée, exclusion des droits miniers[15].

Depuis 1987, de tels transferts par le gouvernement sont prévus dans la Loi sur les terres du domaine public devenue, par la suite, Loi sur les terres du domaine de l'État[16]. La situation a changé en 1995 à la suite d'une modification à l'article 12 de cette loi qui stipule maintenant qu'

> un ministre qui détient l'autorité sur une terre peut confier l'administration de celle-ci ou consentir d'autres droits au gouvernement du Canada, à l'un de ses ministères ou organismes[17].

Il en résulte que dorénavant c'est le ministre détenant l'autorité sur une parcelle de territoire (et non plus le gouvernement lui-même) qui accorde, par voie d'arrêté ministériel, des droits au gouvernement fédéral. Par ailleurs, un décret du gouvernement du Québec adopté en 1995[18] prévoit que toute demande de transfert d'administration ou d'autres droits consentis par un ministre en faveur du gouvernement du Canada doit être transmise au ministre des Affaires intergouvernementales canadiennes. Le même décret gouvernemental de 1995 prévoit que de tels transferts ne peuvent être consentis qu'à des fins relevant de la compétence législative du Parlement du Canada. Les arrêtés ministériels de transfert d'administration ou d'autres droits doivent aussi comporter une clause de droit de retour au cas d'utilisation non conforme aux fins du transfert.

L'État québécois, on le voit par les références ci-dessus, conscient de la nécessité de protéger ses droits sur son propre territoire, a traduit cette préoccupation dans des lois, des règlements et surtout par une série de réformes récentes touchant autant le domaine public que le domaine privé. Il a rajeuni une infrastructure composée du cadastre, du registre foncier, du greffe de l'arpenteur général du Québec et du Registre du domaine de l'État et, ce faisant, il a procédé, dans la réalisation de ces grandes réformes foncières, à une révision complète de son cadre juridique, administratif, informationnel et financier. La qualité de cette infrastructure foncière, qui recouvre l'ensemble du territoire, a été clairement reconnue.

Cela dit, dans l'état actuel des choses quant au partage des compétences entre les deux niveaux de gouvernement et à leur traduction sur le plan territorial, il n'existe pas, au niveau de la gérance territoriale, de rempart efficace face aux différents mécanismes dont nous avons évoqué les conséquences aux chapitres 3.2 et 3.3. Répétons que nous ne jugeons pas de la pertinence de ces mécanismes qui permettent, il faut le reconnaître, de combler les lacunes d'une constitution plus que centenaire. Ce qui importe de reconnaître, ce sont les incertitudes quant aux éventuelles actions qui peuvent découler de ce système.

4.2.

Au-delà des gouvernements

À L'ÉVIDENCE, L'ÉTAT N'EST PAS le seul acteur territorial. Tous les gouvernements ont leurs conseillers, que les conseils de ceux-ci soient sollicités ou non. On peut penser que les contributions des spécialistes non gouvernementaux apportent une dimension objective aux analyses qu'ils font de la dynamique juridico-politique en matière de territoire. Cela, dans le meilleur des mondes. Il faut bien admettre que les chercheurs ont droit, comme tout être humain, à leurs opinions subjectives et que, malgré l'effort qu'ils peuvent déployer pour ne pas introduire celles-ci dans leurs argumentations, ils auront tendance à privilégier les arguments favorables à leurs opinions. Leur crédibilité sera à la mesure de leur réussite à camoufler cette relation. Nous sommes conscients que d'aucuns pourront prétendre que le présent ouvrage n'a pas complètement évité cet écueil. Peut-être ; mais nous croyons que l'effort nécessaire a été fait en ce sens.

Ajoutons que les spécialistes de toutes disciplines, lorsqu'ils agissent à la solde des positions gouvernementales officielles, ont en général l'habileté requise pour trouver les appuis scientifiques utiles pour conserver leur crédibilité. Ne soyons pas naïfs : c'est ainsi que la science et la politique font bon ménage en précisant leurs intérêts réciproques.

Ce commentaire ne minimise aucunement l'utilité, voire la nécessité de ces études qui nourrissent la réflexion sur les relations entre l'État et le territoire, entre les autorités gouvernementales et l'exercice de leurs compétences respectives, entre celles-ci et le souci d'efficacité, de même qu'entre les deux dimensions de l'intégrité territoriale. C'est la conscience de cette nécessité qui est à l'origine du présent ouvrage. Quant aux études à venir qui pourraient, comme nous le souhaitons, analyser systématiquement les incertitudes qui grèvent la situation territoriale du Québec, il importe de privilégier les analyses qui ne se confineront pas à des approches *unidisciplinaires* car il est évident qu'aucune discipline ne peut apporter seule des réponses à tous égards satisfaisantes à des questions situées à la croisée d'aspects juridiques, politiques, géographiques, géopolitiques, sociaux, géodésiques. La raison en est que, dans tous les cas, la méthode propre à chaque discipline ne prend pas toujours en compte des phénomènes qui débordent cette compétence disciplinaire et qui sont pourtant essentiels à la compréhension, donc à la solution éventuelle des problèmes envisagés. En matière territoriale, l'interdisciplinarité est essentielle, incontournable.

Et la population dans tout cela ? Les propos de Roland Breton que nous avons cités au chapitre 1.1 font référence à la concordance souhaitable entre les intérêts de la population d'un territoire donné et ceux des autorités politiques qui ont eu le mandat de le gérer[1]. Ce vœu pieux se réalise parfois. Jamais complètement cependant, pour la bonne raison que cette concordance est soumise, on ne le sait que trop, à des intérêts d'un autre ordre dont un des plus évidents et universels est, dans les systèmes dits démocratiques, le désir des gouvernements de conserver le pouvoir. Cela n'a rien de malsain en soi, dans la mesure où cet objectif est la réalisation de programmes que la population appuie, ce dont le système électoral est, en pratique, garant. Mais, pour que cette souhaitable relation de contrôle soit efficace, encore faut-il que la population ait conscience et connaissance des enjeux. Or, est-il déplacé de constater que la question de l'intégrité territoriale, par les temps qui courent, n'est peut-être pas la priorité numéro un de la population en général ?

Dans un ouvrage très éclairant sur la portée géographique de la notion de territoire, Jean Gottmann[2], après avoir clairement établi l'étroite liaison entre le territoire et l'exercice du pouvoir, ajoute :

It must never be forgotten that the relationship between sovereignty and territory is built upon a connecting link : the people in the territory or… at least the activities of people within the territory.

Est-il besoin de rappeler que l'intégrité territoriale n'est pas qu'une question de frontières, qu'elle implique le contenu autant que le contenant territorial et que, quant à celui-ci, la population qui y vit est somme toute la principale concernée. Mais qu'en est-il du respect de cette évidence quand des entreprises peuvent exercer, en vertu des lois en vigueur, diverses activités sur le territoire pouvant affecter les droits des citoyens, quand, avec l'appui intéressé, tacite ou inconscient des autorités gouvernementales, elles réussissent à convaincre, ignorer et même soudoyer, parfois aussi par des organismes consultatifs interposés, des individus et des groupes de pression à court de munitions ? Cette question trouve sa légitimité dans le fait que l'intégrité territoriale enfonce ses racines jusque dans la cour des citoyens.

Bien que le présent ouvrage envisage surtout le territoire et l'intégrité territoriale sous l'angle étatique, il reste que les gouvernements ne sont pas les seuls concernés car la gestion même du territoire est susceptible d'affecter les droits des citoyens de façon importante. Cette question revêt plusieurs aspects : le respect des droits des citoyens, la protection de l'environnement, les conflits réels et potentiels entre les diverses utilisations du territoire, la planification de l'aménagement du territoire, l'accomplissement de l'obligation constitutionnelle de consultation et d'accommodement des communautés autochtones, les modalités de l'occupation même du territoire.

En effet, au-delà des incertitudes territoriales relatives aux compéten-ces et à leur exercice sous l'angle des relations intergouvernementales, il y en a d'autres qui affectent la population par le fait que diverses lois québécoises ayant une incidence sur l'occupation et la gestion du terri-toire s'appliquent directement à des propriétés privées. Certaines de ces lois ont été adoptées il y a très longtemps et reflètent des mentalités et des valeurs qui ont évolué par la suite sans que les lois elles-mêmes ne soient changées, rendant alors celles-ci en inadéquation partielle avec les réalités d'aujourd'hui. D'autres lois, toutes récentes, reflètent des valeurs différentes.

On peut se référer, à titre d'exemple, à la Loi sur les mines[3] qui, avec la préséance qu'elle accorde aux titres miniers, fait obstacle à la conciliation entre les diverses utilisations qui ont cours sur le territoire tout en demeu-rant en contradiction avec celles-ci. Mentionnons, au sujet de cette loi, que celle-ci a notamment pour effet :

a) d'empêcher, en pratique, la création d'aires protégées ;
b) de faire obstacle à ce qu'on appelle aujourd'hui l'acceptabilité sociale des projets de développement miniers ;
c) d'être incompatible avec l'obligation constitutionnelle du gouverne-ment du Québec de consulter et d'accommoder les communautés autochtones avant d'autoriser des activités minières ;
d) de pouvoir spolier les droits des propriétaires et des locataires fonciers.

Pourquoi en est-il ainsi ? Simplement parce que le régime minier du Québec est fondé sur le principe de l'appropriation libre et unilatérale du territoire à des fins minières par le premier individu ou entrepreneur intéressé[4]. Contrairement aux autres titres au moyen desquels les indivi-dus peuvent obtenir des droits sur le territoire en vertu d'un permis, bail, concession ou autre droit émis par le gouvernement, le titre minier de base appelé le *claim** s'obtient par jalonnement ou par désignation sur carte de par la seule volonté de la personne intéressée. L'application de ce principe, désigné par l'expression *free mining*, a pour effet de donner alors au titulaire de ce titre les droits suivants:

a) le droit d'effectuer des travaux de prospection sur le territoire;

b) le droit de s'approprier le territoire encore disponible au moyen du *claim*, lequel est un droit distinct de celui que peut détenir le propriétaire ou locataire de la surface;

c) la garantie de pouvoir effectuer des travaux d'exploration minière sur les *claims* qu'il détient;

d) le droit de pouvoir exploiter un gisement rentable découvert sur les *claims* en question;

e) divers droits de préséance sur les autres droits territoriaux pouvant aller jusqu'au droit d'exproprier un propriétaire de surface.

Même les municipalités sont impuissantes à cet égard: aucun schéma d'aménagement ne peut empêcher cette appropriation du territoire à des fins minières alors qu'elles peuvent avec raison souhaiter que le développement minier puisse s'intégrer dans une vision globale qu'elles voudraient se donner des activités qui se déroulent sur leur territoire. Le ministre des Affaires municipales, des Régions et de l'Occupation du territoire s'était engagé, en 2009[5], à présenter et à mettre en œuvre le Plan concerté d'occupation du territoire au printemps 2010. Celui-ci aurait sans doute fait état du problème et proposé des pistes de solutions. Mais, au début de 2011, le plan se faisait toujours attendre.

La préséance des titres miniers peut avoir des répercussions négatives sur l'aménagement du territoire en général comme en font foi les obstacles que celle-ci apporte à la création des aires protégées. Comme le signalait la section québécoise de la Société pour la nature et les parcs du Canada en mai 2010, les projets de création d'aires protégées doivent souvent céder le pas aux activités minières comme si celles-ci constituaient «toujours la meilleure, et la seule, utilisation possible du territoire[6]». Les territoires sont sélectionnés de manière concertée par le ministère du Développement durable, de l'Environnement et des Parcs et par le ministère des Ressources naturelles et de la Faune, mais, en pratique, la présence et la préséance des titres miniers ou de territoires à potentiel minier peuvent faire en sorte qu'un projet d'aire protégée soit refusé ou modifié de façon à le morceler ou en modifier les limites.

Dans certaines régions situées au sud du Saint-Laurent faisant presque entièrement l'objet de permis de recherche pour les hydrocarbures, il est pratiquement impossible de créer une aire protégée. C'est en fait l'ensemble des activités autres que minières sur le territoire qui doit céder le pas : exploitation des eaux souterraines, activités agricoles, exploitation forestière, activités récréotouristiques, du loisir en plein air ou des pourvoiries, etc. Si un propriétaire foncier refuse l'accès à son terrain au détenteur de *claim* à ses fins de recherche, ce dernier peut tout simplement acquérir ce droit par voie d'expropriation.

Au sujet de l'acceptabilité sociale des projets de développements miniers sur le territoire, un concept tout à fait nouveau dans la société québécoise, la Loi sur les mines est tout aussi mal outillée. À la population de Sept-Îles qui, en 2009, a demandé en vain au gouvernement du Québec de décréter un moratoire sur l'exploration de l'uranium, ce dernier n'aurait pu, de toute façon, accéder à la demande même s'il l'avait voulu. En effet, la loi prévoit que les droits que confère le claim, hormis quelques exceptions comme les hydrocarbures, s'étendent à toutes les substances minérales y compris l'uranium. Il faudrait que la loi soit modifiée pour qu'une telle demande soit acceptée.

C'est autour de cette même idée d'acceptabilité sociale qu'est née la controverse autour de l'exploration du gaz de schiste (aussi appelé gaz de shale) en 2010 dont les répercussions environnementales sont incertaines. Cette exploration se fait non pas en vertu du *claim* mais plutôt en vertu de permis de recherche de pétrole et de gaz naturel qui sont émis sur la base du premier arrivé, premier servi, sans égard pour les autres utilisations du territoire alors en cours. Mais la préséance des titres miniers dont nous avons fait état dans le cas du *claim* s'applique ici aussi. Comme l'exploration pour le gaz de schiste se fait dans la région habitée au sud du Saint-Laurent, la cohabitation entre les activités d'exploration et les autres usages du territoire pose de sérieuses questions. Diverses difficultés surgissent en rapport avec la protection des propriétaires privés, la consultation de la population, l'aménagement du territoire, l'approvisionnement en eau potable par les municipalités.

À part la préséance des titres miniers, de moins en moins acceptée par la population, particulièrement dans les régions plus habitées, il n'y a pas de cadre juridique qui permettrait de concilier les différentes utilisations qui ont cours sur le territoire. L'exploration minière, lorsqu'elle se développait dans des régions éloignées des grands centres ou dans des régions moins densément peuplées, soulevait moins d'inquiétudes de la part de la population. Mais la recherche du gaz de schiste se fait dans la région de roches sédimentaires des basses-terres du Saint-Laurent et au sud de celui-ci, là où l'ensemble du territoire fait l'objet d'utilisations autres, notamment à des fins agricoles. La population s'inquiète à bon droit des effets de l'exploration et de l'exploitation des gaz de schiste d'autant plus que, souvent, le propriétaire foncier n'est même pas informé lorsqu'un permis de recherche pour les hydrocarbures est émis sur son terrain. Il est vrai que le détenteur de permis n'a accès au terrain qu'avec la permission du propriétaire mais, comme nous l'avons mentionné plus haut, il peut, en cas de refus, acquérir ce droit d'accès et celui d'effectuer ses travaux par voie d'expropriation. Il faudra, à notre avis, procéder ici à des arbitrages entre les diverses utilisations du territoire.

Dans un autre ordre d'idées, on sait que le développement minier peut affecter de façon importante l'utilisation que font les communautés autochtones du territoire notamment pour la pratique de leurs activités traditionnelles. La question de l'obligation constitutionnelle du gouvernement du Québec de consulter et d'accommoder les communautés autochtones à l'occasion des autorisations devant être données avant la mise en exploitation d'une mine[7] devrait donc être prévue dans la loi. Nous avons très brièvement évoqué cette obligation au chapitre 3.6. Mais le gouvernement ne peut pas convenablement consulter et accommoder les communautés autochtones quand un entrepreneur minier peut acquérir de façon unilatérale des droits miniers à des endroits précis où les droits de la communauté autochtone concernée sont susceptibles d'être affectés par des travaux d'exploration ou d'exploitation minière. Ni la Loi sur les mines ni les modifications proposées en 2009[8] n'y font allusion. Pourtant la nouvelle Loi sur l'aménagement durable du territoire forestier, laquelle relève paradoxalement du même ministère, prévoit une consultation particulière auprès des communautés autochtones afin d'assurer

> une prise en compte de leurs intérêts, de leurs valeurs et de leurs besoins dans l'aménagement durable des forêts et la gestion du milieu forestier et de les accommoder, s'il y a lieu[9].

Dans le cas des mines, c'est un peu comme si le gouvernement du Québec attendait que les tribunaux déclarent que le processus d'acquisition des titres miniers était inconstitutionnel faute par le Québec d'avoir prévu de façon adéquate l'accomplissement de l'obligation constitutionnelle du Québec à cet égard. L'Ontario a vu, en 2009, à ce que sa propre Loi sur les mines[10] soit plus respectueuse de la mise en œuvre de cette obligation constitutionnelle.

Il n'est pas hors de propos d'évoquer brièvement les liens entre le développement minier et la protection de l'environnement, ne serait-ce que pour souligner le désordre relatif qui règne dans ce domaine. Il est vrai que la Loi sur la qualité de l'environnement[11] assujettit certains projets miniers au processus d'évaluation environnementale. Mais il faut savoir que l'un de ses règlements d'application diminue la portée de cette disposition en fixant un seuil de déclenchement du processus d'évaluation à un niveau que n'atteignent que peu de projets miniers au Québec[12], soit une capacité de production de 7 000 tonnes métriques par jour.

Il est vrai que la Stratégie minérale du Québec de 2009 propose de réduire ce seuil à 3 000 tonnes métriques par jour, mais cela apparaît insuffisant quand on constate que des projets ayant des répercussions beaucoup moins importantes sur le plan environnemental y sont assujettis, tels les marinas, les élargissements de route et les parcs éoliens. La Société pour la nature et les parcs du Canada a même qualifié cette situation d'aberrante[13]. Par ailleurs, s'il s'agit d'une mine d'uranium, de compétence fédérale, tous les projets, à compter de l'exploration avancée, sont assujettis au processus fédéral de l'Agence canadienne d'évaluation environnementale. Ajoutons que, dans le cas des projets miniers « importants » situés à l'intérieur du territoire de la Convention de la Baie-James et du Nord québécois, le processus d'évaluation est celui qui est prévu par la convention. Il nous semble qu'une certaine harmonisation s'imposerait en la matière.

Ce seul exemple de la Loi sur les mines montre à quel point des incertitudes territoriales de type « privé » peuvent parfois devenir aussi importantes que les incertitudes territoriales plus « publiques » dont nous avons parlé tout au long de cet ouvrage, à la différence toutefois que celles-là relèvent le plus souvent d'un seul ordre de gouvernement et pourraient trouver leur solution au moyen d'une politique territoriale cohérente et harmonisée.

Il est un autre domaine où la question « le territoire, l'affaire de qui ? » interpelle autant la population que le gouvernement, c'est la toute récente filière éolienne. On sait que la multiplication des parcs éoliens comme source alternative d'énergie hydroélectrique renouvelable est aujourd'hui le sujet de débats passionnés du fait que certaines régions du Québec ont un potentiel éolien substantiel, pouvant se raccorder facilement au réseau d'électricité existant d'Hydro-Québec. Par ailleurs, ces mêmes régions peuvent posséder des potentiels d'un autre ordre, telles que les utilisations du territoire à des fins de tourisme ou de villégiature. Si le développement éolien peut s'harmoniser avec certains paysages, son incompatibilité plus ou moins grande avec d'autres utilisations du territoire a fait naître un vif débat au sein de la population. C'est ainsi que des commentaires négatifs comme les suivants sont formulés à l'égard de l'exploitation de parcs éoliens :

a) les processus d'appels d'offres par le gouvernement en vue de l'implantation de tels parcs feraient en sorte que ce sont souvent les projets les moins coûteux pour le promoteur (parce qu'ils sont plus près des voies de communication et du réseau d'électricité) qui sont choisis, au détriment de l'industrie touristique et des résidents qui, eux, ont à supporter les coûts de la dégradation du paysage ;

b) le gouvernement du Québec n'encadrerait pas de façon suffisante les projets face aux enjeux de l'aménagement du territoire et notamment face à la nécessité de maintenir intacts certains paysages ou encore de prévoir une concertation entre le promoteur et les populations locales ;

c) les redevances payées par les promoteurs aux propriétaires fonciers et aux municipalités seraient trop faibles si l'on compare celles-ci avec celles qui sont payées dans d'autres provinces ou dans d'autres pays ;

d) il s'agit de l'exploitation d'une ressource naturelle renouvelable et collective qui se fait souvent au profit d'intérêts étrangers à la région concernée et qui ne laisse pas suffisamment de retombées économiques dans la région et même dans l'ensemble du Québec.

Bien entendu, les défenseurs de l'énergie éolienne se chargent de répondre du tic au tac à l'argumentation soulevée par ses détracteurs et de vanter les bienfaits des parcs éoliens et l'ampleur de leurs retombées économiques pour le Québec. Nous n'avons pas l'intention de nous immiscer dans le débat si ce n'est qu'il faut souligner qu'il traite d'un enjeu important du fait que ce sont des entreprises, souvent étrangères, qui décident, à toutes fins utiles, par gouvernements, groupes de pression et individus interposés, de l'occupation et de l'aménagement du territoire. Ignacio Ramonet, jusqu'à récemment directeur du *Monde diplomatique*, a, plus d'une fois, bien formulé cette situation, qui n'est d'ailleurs pas propre au Québec : « l'entreprise décide, l'État gère ». Une telle situation ne soulève-t-elle pas la question de l'intégrité de la gérance territoriale ?

Il est bien évident qu'à cet égard la population a des choses à dire. Mais comment peut-elle exercer quelque influence sur les principes généraux qui encadrent la gérance territoriale ? Voilà une question qui, théoriquement, peut trouver réponse dans des systèmes de « démocratie directe », dont des variantes existent en Suisse et au niveau des États américains.

La Suisse a tenu plus de 400 référendums nationaux et les États-Unis, au niveau des États, des milliers. Au Canada, le terme *référendum* a une charge juridique et surtout émotive beaucoup plus grande que dans les deux régions mentionnées, entre autres à cause du fait que deux référendums tenus au Québec dans les dernières décennies portaient sur une question plus générale et beaucoup plus importante que les questions sectorielles et spécifiques soumises aux citoyens suisses et américains. Il faut cependant ajouter que le référendum y est devenu en pratique obligatoire pour les réformes constitutionnelles. Au Québec, la question avait un caractère *essentiel*, puisqu'il s'agissait de la survie des États concernés dans leur forme actuelle.

Il faut dire que la technique du référendum, sauf exception, n'est pas très prisée par les gouvernements, tant s'en faut. Le professeur Marc Chevrier a résumé, dans un article qui ne prend pas de détours, les raisons pour lesquelles les élites politiques n'affectionnent pas particulièrement les référendums. Outre le fait que ce système soustrait les enjeux concernés de l'agenda politique des gouvernants, il mentionne :

> C'est un instrument imprévisible de gouvernement, qui transfère le pouvoir de décision des partis vers le peuple, dépersonnalise les débats et laisse s'exprimer les clivages de l'opinion. Dans un système représentatif, le parti gouvernemental aime disposer de la marge de manœuvre conférée par le mandat populaire, ouvert et imprécis. C'est sous couvert de sa légitimité, reçue par la sanction populaire, que le gouvernement élu prétend gouverner au nom du peuple. Le référendum, en ce sens, conteste cette légitimité. Il procède de l'idée que les gouvernements représentent imparfaitement l'opinion publique, voire qu'ils ont intrinsèquement propension à la trahir[14].

L'auteur note aussi les limites du référendum et ajoute :

> La démocratie directe a ceci de fragile qu'elle fait appel à l'intelligence et à l'instruction moyennes de l'électorat. Elle requiert de chacun qu'il sorte de sa sphère d'intérêt privé pour l'élargir à la société tout entière et qu'il délibère comme s'il était lui-même législateur.

Cette remarque est sans doute aussi justifiée que sévère. Avait-il en tête la référence qu'avait faite le premier ministre Jean Lesage lorsqu'il parlait des 85 % de *non instruits* de la population ? Quoi qu'il en soit, le commentaire de M. Chevrier fait ressortir le fait que, tout compte fait, ce n'est généralement que de façon indirecte que la population peut infléchir le cours des choses en matière de politique territoriale. On doit ajouter que, pour pouvoir avoir cet effet, il faut que les enjeux soient à la fois clairs et ressentis comme importants. On ne peut pas dire que les divers problèmes territoriaux évoqués dans cet ouvrage, à cause des incertitudes qui les constituent et de leur caractère technique donc peu connues par la population dans leurs détails, satisfont cette exigence.

Le territoire, l'affaire de la population ? Oui, mais, tout compte fait, tout autant comme acteur passif que comme partie agissante des processus de décision. On en revient donc à considérer que la conscience territoriale et surtout sa dimension identitaire constituent un ingrédient essentiel au niveau de l'opinion publique pour que s'harmonise le projet collectif de la population avec celui du gouvernement qui, en principe, a mission de le réaliser. Ces remarques s'inspirent d'une définition du territoire aussi laconique que riche de sens : *le territoire, c'est l'espace vécu.*

Il serait intéressant d'analyser le degré de conscience territoriale qui anime les acteurs principaux de la société québécoise. On entend souvent dire, depuis une décennie ou deux, qu'on assiste à une *dépolitisation* des plus jeunes tranches de la population, un phénomène qui se manifeste de différentes façons et qui prend sa source dans divers constats concernant les pratiques politiques à tous les niveaux de gouvernements. Quoi qu'il en soit de ces raisons, une chose est évidente : une gestion territoriale équilibrée et efficace ne s'improvise pas et doit s'appuyer sur une conscience territoriale aiguë, qui fait le lien entre une perception nette du contenu territorial que constituent les éléments physiques et humains de la géographie du pays.

Qu'on nous permette ici une parenthèse inspirée par notre métier de professeur. Il est loin d'être sûr que les programmes actuels d'enseignement de la géographie au Québec soient de nature à préparer la jeune génération à développer cette connaissance géographique à la base d'une conscience territoriale pourtant essentielle au développement d'une société évoluée. Caroline Gwyn-Paquette a clairement démontré, dans un article bien documenté[15], que les aménagements successifs des programmes d'enseignement de la géographie au Québec n'ont fait qu'éroder progressivement le bagage de connaissances, de méthodes et de capacités d'interprétation géographiques. Nous pourrions formuler des commentaires analogues pour ce qui a trait à l'enseignement de l'histoire. Ce constat n'augure pas bien pour le développement d'une conscience territoriale éclairée chez la relève. Il y a risque qu'en matière d'intégrité territoriale celle-ci se contente de *regarder le train passer.*

Il en est de même au niveau gouvernemental où l'intégrité territoriale et l'intégration territoriale sont à la fois cause et effet de la conscience territoriale. Si la conscience territoriale est aiguë chez les organismes

gouvernementaux, une grande importance sera accordée à la connaissance technique du territoire, par exemple en optimisant l'action des
organismes d'information et de contrôle du territoire et de son intégrité. Sinon, les politiques territoriales et, partant, l'évolution du contenu
territorial seront en réalité élaborées à un autre niveau qu'à celui du
gouvernement québécois, plus haut, par le gouvernement fédéral, ou plus
bas, par l'entreprise, nationale ou étrangère[16].

Il n'est pas dit qu'il soit impossible que ces divers intervenants tra-
vaillent en complémentarité ouverte et concertée. Sans doute qu'un
mouvement de décentralisation au niveau du Québec sera nécessaire pour
redonner aux régions un pouvoir de décision et d'intervention. Là réside
en partie la clé pour que prenne tout son sens l'*implication citoyenne* qui
se manifeste de plus en plus face aux défis écologiques auxquels la société
québécoise fait actuellement face. Cette décentralisation pourrait receler
l'avantage de soustraire les régions périphériques aux forces centrifuges
qui, de plusieurs manières, s'exercent sur elles, à condition cependant que
les ressources nécessaires à une action efficace en ce sens leur soient accessibles. Au fait, c'est dans ces régions où les deux dimensions de l'intégrité
territoriale, horizontale et verticale, se conjuguent le plus intimement
et ont le plus d'influences réciproques, pour le mieux comme pour le
moins bien.

4.3.

Regarder le train passer

DEPUIS QUE LE CÉLÈBRE homme politique français Léon Gambetta a résumé sa pensée et son engagement politiques par la formule, cent fois répétée depuis, « la politique est l'art du possible », on a souvent utilisé cette vérité – car c'en est une – pour masquer ou justifier un échec dans des négociations. Ce comportement est bien humain et force nous est de reconnaître qu'il est pratiquement dans l'ordre des choses. Cela dit, il n'est pas interdit de penser qu'en certaines occasions le cours des événements concernant la situation territoriale du Québec aurait pu être différent si les gouvernements avaient su ou pu prendre des positions différentes.

En matière de répartition des compétences (notre *dimension verticale* de l'intégrité territoriale), la Constitution et les mécanismes liés à son interprétation apportent, en principe, réponse aux questions qui se posent lors de différends entre les deux ordres de gouvernement. À défaut, ces questions prennent la voie judiciaire. Par ailleurs, du côté des dimensions horizontales de l'intégrité territoriale du Québec, l'histoire géopolitique du Québec n'est pas exempt d'occasions ratées.

On peut imaginer ce que serait la carte du Canada aujourd'hui si une suite positive avait été donnée à la lettre du gouverneur de Terre-Neuve, Sir William Allardyce, qui, le 18 juillet 1925, offrait la côte du Labrador en vente, au prix de 20 millions de dollars[1], à condition de conserver ses droits de pêche. Cette offre doit être mise en relation avec deux éléments importants de la situation qui prévalait dans ces années précédant l'audition de la cause à Londres. Le premier, relatif à la conjoncture de l'époque, était que la dette de Terre-Neuve s'élevait alors à 16 millions de dollars, situation financière qui, depuis deux décennies, jouait un rôle important dans le projet de la colonie de s'intégrer à la Confédération canadienne. L'autre élément tenait plutôt de la conjecture : plusieurs indices laissent entrevoir que le gouvernement de Terre-Neuve était loin d'être confiant d'obtenir un jugement favorable de la part du Comité judiciaire du Conseil privé.

L'acceptation de cette offre aurait comporté, pour le Canada et le Québec, l'avantage de ne pas avoir à prouver l'acceptabilité d'une solution juridiquement indéfendable (parce qu'elle aurait été contraire à une loi existante, celle de 1825) et géopolitiquement ridicule (un territoire d'un mille de largeur sur mille milles de longueur !), chose qui, on ne le sait que trop, n'a pas pu être faite. Pour Terre-Neuve, elle comportait l'avantage de régler sa situation financière en même temps que le différend frontalier tout en garantissant ses droits de pêche. Bien sûr, Terre-Neuve se départissait d'un vaste territoire, sensiblement le même que celui que la Colonie aurait perdu si le Conseil privé était favorable à la thèse canadienne.

Il n'est pas impossible qu'une offre similaire se soit présentée à une autre occasion. Nous le mentionnons sous toute réserve, l'information nous ayant été communiquée oralement par une personne qui avait des contacts privilégiés avec les premiers ministres du Québec et de Terre-Neuve. Cette personne, acteur important dans le domaine minier, nous a dit avoir assisté à une rencontre à l'occasion de laquelle M. Smalwood aurait abordé la question d'une vente éventuelle de la côte du Labrador ou d'une partie de celle-ci. M. Duplessis aurait par la suite dit à cet interlocuteur : « Je n'achèterai pas ce qui m'appartient. » On ne peut s'empêcher de noter ici que, par ailleurs, le premier ministre Duplessis, tout en ayant lui-même exigé que les cartes gouvernementales portent toujours, le long de la ligne frontière, la note « La frontière Québec–Terre-Neuve n'est pas indiquée sur cette carte, pour cause », avait pourtant fait adopter la Loi pour faciliter le développement minier et industriel dans le Nouveau-Québec qui reconnaissait la présence de la frontière à proximité de Schefferville[2].

Il faut reconnaître que cette ambivalence a aussi caractérisé les positions successivement exprimées par les autorités québécoises dont le discours a souvent été de ne pas reconnaître la décision du Conseil privé mais également de poser des gestes qui constituaient des reconnaissances tacites du tracé de 1927. Le volume 3.7.3 du rapport de la Commission d'étude sur l'intégrité du territoire du Québec en donnait, en 1971, une liste déjà longue ; nombre de cas se sont ajoutés depuis.

Il est cependant un point sur lequel le gouvernement du Québec a eu une position en général plus cohérente : la considération que le jugement de 1927 comporte un cas d'*ultra petita*. Cette question a été évoquée au chapitre 2.2. Nous avons alors eu l'occasion de mentionner qu'il est loin d'être sûr que, devant quelque tribunal susceptible d'entendre une réclamation du Québec en ce sens, celui-ci pourrait avoir gain de cause. L'affaire du Labrador est une chose jugée qui a été confirmée par l'article 2 de l'annexe de la Loi sur Terre-Neuve, qui ratifiait les conditions de l'union de Terre-Neuve au Canada[3]. Cette loi, qui a prévu que les frontières de la nouvelle province étaient celles qui ont été délimitées par le Conseil privé de Londres en 1927, n'a pas été officiellement contestée par le Québec. On peut donc, encore une fois, résumer cet aspect de la question jamais résolue de la frontière entre Québec et Terre-Neuve au Labrador, en disant que le seul argument théoriquement utilisable par le Québec pour revendiquer une portion du territoire labradorien est lui-même chargé d'incertitude.

Il est difficile de dire, entre la voie judiciaire et la négociation politique, laquelle de ces voies a le plus de chance de lever cette incertitude. La première devrait être sérieusement étudiée, afin de sortir de l'ambivalence dans laquelle le Québec est depuis longtemps installé, entre des déclarations (écrites, verbales et cartographiques) de non-reconnaissance du segment du 52e parallèle et l'absence de démarches concrètes pour résoudre définitivement cette question. Cette action serait justifiée du fait que le Québec, après avoir déclaré ne pas reconnaître la validité du jugement de 1927, a exprimé cette position de différentes façons, parfois subtiles mais toujours ambiguës. Dans les années 1930, la seule indication à cet égard était l'inscription de la ligne de la « hauteur des terres ». Puis on a utilisé la formule « La frontière Québec–Terre-Neuve n'est pas indiquée, pour cause », puis par la note « Tracé de 1927 du Conseil privé » à laquelle sont parfois ajoutés les mots « non définitif », ou par la note encore plus laconique et absconse « Tracé de 1927 » à laquelle est parfois ajoutée la parenthèse « Comité judiciaire du Conseil privé ».

Plus récemment, de nombreux documents cartographiques émis par le gouvernement du Québec représentent la frontière comme suivant la ligne de partage des eaux, y compris dans la partie sud jusqu'à l'aboutissement du segment Anse-Sablon-52e (avec une différence de quelques kilomètres), en vertu de l'argument de l'*ultra petita*. Cette position a été exprimée en 1997 par l'établissement de paramètres relatifs à la représentation cartographique des frontières du Québec, paramètres qui, cependant, étaient destinés seulement aux utilisateurs « à l'interne ». L'objectif était d'empêcher que des productions cartographiques officielles ne représentent la frontière de la côte du Labrador de façon identique, pour sa partie sud, à la définition donnée par le Conseil privé de Londres, partie du jugement dont Québec dit ne pas reconnaître la validité.

Cette position, exprimée par une carte illustrant le site du ministère des Ressources naturelles et de la Faune[4], outre de constituer une reconnaissance du tracé de 1927 quant au segment de la ligne de partage des eaux, comporte cependant l'inconvénient d'entretenir plusieurs incertitudes :
a) Certaines cartes émises par le gouvernement du Québec ont représenté la frontière au Labrador telle qu'elle a été définie par le Conseil privé de Londres. Certaines de ces cartes portaient la note « La frontière Québec–

Terre-Neuve n'était pas arpentée ni marquée de bornes frontières à la date de la publication de cette carte », expression qui laisse entendre que l'étape de la délimitation était franchie par une définition valide.

b) Certaines autres cartes représentent la ligne de partage des eaux comme la frontière jusque derrière Blanc-Sablon alors que d'autres encore ignorent complètement la frontière interprovinciale.

c) Tant en ce qui concerne la localisation de la frontière que les notes au sujet du statut du tracé, la cartographie officielle du Québec a considérablement varié au cours des ans.

d) La définition et la représentation cartographique de divisions administratives de la région frontalière ont également varié, certaines se conformant au tracé de 1927, certaines autres le contredisant.

e) Il faut ajouter que la portée des actes de reconnaissance et de non-reconnaissance de la frontière ou d'une partie de la frontière de même que leur force probante au niveau juridique ne sont pas chose claire, tout particulièrement lorsqu'elles sont exprimées par des représentations cartographiques.

f) Une chose est de représenter sur des cartes la localisation préconisée d'une frontière ; autre chose est d'exercer des compétences sur le territoire ainsi revendiqué par des actions concrètes. À cet égard, outre certaines délimitations territoriales qui d'ailleurs demeurent confinées sur les plan virtuel, le gouvernement du Québec a été plus que prudent en évitant, conformément à son attitude générale, de poser crûment et directement le problème de la frontière au Labrador, tout particulièrement en évitant de poser des gestes manifestant clairement la prise en charge de la gestion du territoire attribué à Terre-Neuve.

La reconnaissance partielle du tracé de 1927 par le gouvernement du Québec peut être considérée comme son dernier retranchement face à la frontière reconnue par le Conseil privé. Reste à savoir si ce retranchement est la dernière ou l'avant-dernière concession que le Québec est prêt à faire concernant ce problème, en suspens depuis bientôt un siècle. On est en droit de se demander si l'absence de démarches entreprises par le Québec pour résoudre le problème ne s'explique pas par une évaluation négative des chances de succès d'une quelconque démarche pour récupérer les quelque 30 000 kilomètres carrés que représente la région concernée par l'*ultra petita*. Sinon, pourquoi attendre ?

Pour ses frontières septentrionales, le Québec a carrément raté l'occasion de régler un problème qui avait déjà été ressenti dès 1912, quand il s'est agi d'augmenter le territoire québécois en y incorporant l'ancien district d'Ungava, jusque-là partie des Territoires du Nord-Ouest, mais en en soustrayant les îles périphériques. Les arguments alors avancés par le Québec pour conserver ces îles reposaient essentiellement sur des faits de géographie humaine, à savoir la profonde osmose des territoires continentaux et insulaires sur le plan de l'utilisation par les populations inuites. Le refus du gouvernement canadien s'était basé, comme on l'a vu au chapitre 2.1, sur deux arguments: «la difficulté de donner une description suffisamment définie des îles adjacentes» et les «éventuels besoins du gouvernement fédéral à des fins de navigation et de défense». Nous avons souligné le caractère nullement convaincant de ces arguments que, pourtant, le gouvernement du Québec a acceptés puisque celui-ci a, en 1912, adopté la Loi sur l'agrandissement du territoire du territoire de la province de Québec par l'annexion de l'Ungava[5], analogue à la Loi fédérale sur l'extension des frontières du Québec[6].

Rappelons d'abord qu'il y a une quarantaine d'années des négociations avaient été entreprises en vue d'ajouter aux provinces riveraines (le Québec, l'Ontario et le Manitoba) le territoire des baies James et d'Hudson et, dans le cas du Québec, une partie du détroit d'Hudson et de la baie d'Ungava, en s'inspirant d'un critère largement reconnu en droit international, à savoir le principe des lignes équidistantes. Ces négociations n'avaient pas abouti.

L'occasion s'est présentée de nouveau au début des années 1990, lorsque les Inuits du Nunavik ont demandé au gouvernement fédéral de leur assurer l'usage des îles qui faisaient autrefois partie du district d'Ungava. Pour appuyer leur demande concernant des îles qu'ils fréquentent pour ainsi dire quotidiennement, ils ont invoqué les mêmes arguments qu'invoquait le Québec en 1912 et que la CEITQ a de nouveau évoqués, en présentant une étude fouillée du géographe Benoît Robitaille à ce sujet[7]. Il est assez étrange que les mêmes arguments aient été refusés dans un cas et acceptés dans l'autre, à la suite de négociations tenues à partir de 1993 entre le gouvernement fédéral et les représentants inuits et qui ont abouti à un accord de principe en 2002 et définitivement signé en 2006.

Il est difficile de ne pas conclure que la différence résidait dans l'identité du demandeur qui était le Québec en 1912, mais la communauté inuite presque un siècle plus tard. Ce qui est également difficile à comprendre, c'est la raison pour laquelle le gouvernement du Québec n'a pas fait cause commune avec les Inuits de son territoire pour réclamer une modification de frontières qui aurait corrigé une grimace géopolitique dont il est difficile de trouver, ailleurs sur la planète, d'autres cas d'une frontière aussi illogique et peu défendable tant du point de vue géopolitique

que sur le simple plan socioéconomique. Imaginerait-on que la frontière septentrionale de la Belgique soit située sur le littoral anglais et qu'un citoyen britannique se baignant à Brighton franchisse la frontière belge en mettant le pied dans l'eau ? Transposé au niveau international, le ridicule d'une situation analogue à celle de la frontière entre le Québec et le Nunavut serait d'une criante évidence.

Tout le monde sait que les Inuits, un peuple d'organisation de vie littorale, vivent à la fois sur le continent et sur les îles dans leurs activités quotidiennes. On peut deviner les problèmes d'application des lois qui peuvent se poser. Si une question d'ordre criminel intervient sur une des îles Cape Hope, situées à 10 kilomètres du continent, et en dehors de l'aire de fréquentation des Inuits, elle relèvera d'autorités policières qui se trouvent à Iqaluit, situé à une distance qui est le double de celle qui sépare cette île de la ville de Québec. Sensible amélioration tout de même, car, avant la création du Nunavut, ces îles relevaient de Yellowknife, située à 2 400 kilomètres de là. Des problèmes du même ordre peuvent se poser à l'occasion d'activités économiques portuaires qui impliquent la construction d'ouvrages littoraux.

La frontière à la rive a comme conséquence que deux types différents de droit privé s'appliquent selon que l'on se trouve sur la terre ferme ou sur une île. Dans un tel contexte, on peut facilement concevoir qu'une question se rapportant à la responsabilité civile peut avoir pris naissance à la fois d'un côté comme de l'autre de la ligne de rivage, étant donné la symbiose humaine qui existe quant à l'utilisation du territoire. On peut alors se demander comment et selon quelles modalités on doit alors appliquer deux régimes juridiques différents, le droit civil québécois et la common law du Nunavut. En réalité, ce genre de problème peut évidemment être résolu sans rectification de frontière, par une entente d'ordre administratif.

Les Inuits du Nunavik et le gouvernement fédéral, après de longues négociations auxquelles le Québec n'a pas participé, en sont venus à une entente qui confirme, sur des centaines d'îles qui sertissent le territoire du Québec, des droits qu'à son niveau le Québec réclamait en 1912 et qu'il a omis de réclamer quatre-vingt-dix ans plus tard. En géopolitique, comme ailleurs et sans doute plus qu'ailleurs, les absents ont toujours tort. Avec un peu de cynisme, on pourrait conclure que cette entente a eu l'avantage de remplacer l'incertitude qui planait sur ces îles par la certitude qu'elles ne relèvent pas du Québec. Plus d'une fois, le Québec a regardé le train passer.

Cette remarque s'applique aussi aux incertitudes verticales. Nous avons fait état, dans le bilan de celles-ci au chapitre 3.8, de l'érosion progressive de l'intégrité territoriale des provinces sur le plan vertical ayant mené à une extension des parcelles de territoire sur lesquelles le gouvernement fédéral exerce un éventail de compétences plus large que sur l'ensemble du territoire.

Il est un cas récent qui a trouvé son dénouement au moment où nous concluons notre étude, celui du projet de loi fédéral de 2010[8] destiné à modifier la Loi sur la capitale nationale[9]. Il constitue un cas type où les dimensions horizontales et verticales de l'intégrité territoriale se conjuguent pour illustrer les incertitudes qui grèvent constamment le territoire québécois.

Ce projet de loi est presque identique au projet de loi C-37 de 2009[10], son prédécesseur, qui était mort au feuilleton de la Chambre des communes par suite de la prorogation du Parlement de décembre de la même année. Le texte propose, entre autres choses, de modifier la structure et les pouvoirs de la Commission de la capitale nationale dans la région de la capitale canadienne et de fixer les limites du parc de la Gatineau. Il y a lieu de noter ici que ce parc n'est pas un « parc national » au sens de Loi fédérale sur les parcs nationaux[11] parce que le gouvernement fédéral n'est pas propriétaire de tout l'espace qui s'y trouve : on y retrouve en effet quelque 300 terrains appartenant à des particuliers et le gouvernement du Québec lui-même est propriétaire d'environ 15 % de sa superficie.

Rappelons, pour mémoire, que la 1re tranche du rapport de la Commission d'étude sur l'intégrité du territoire du Québec, consacrée aux problèmes de la région de la capitale canadienne, avait constaté, dès 1968, que le gouvernement fédéral y avait augmenté la superficie de ses propriétés dans le parc de la Gatineau au point où la Commission fédérale de la capitale nationale en était devenue le plus grand propriétaire foncier[12]. Naturellement, il s'ensuivait une érosion importance des compétences provinciales en matière d'aménagement du territoire. La Commission d'étude avait alors recommandé que les parcelles de territoire appartenant ainsi à la Commission de la capitale nationale soient rétrocédées au Québec sauf celles qui pouvaient comporter un intérêt historique particulier pour le gouvernement fédéral[13]. C'était beaucoup demander à celui-ci.

Plus récemment, soit en 2006, le gouvernement fédéral avait, de son côté, donné mandat à un comité indépendant d'évaluer les activités de la Commission de la capitale nationale. Celui-ci n'avait pas, c'est le moins que l'on puisse dire, la même approche que la CEITQ en matière d'intégrité territoriale des provinces. Dans son rapport de décembre 2006, le comité avait formulé un certain nombre de recommandations dont celle voulant que soit inséré dans la loi le concept de « masse de terrains d'intérêt national », laquelle comprendrait le parc de la Gatineau et diverses autres parcelles de territoire situées dans la région[14].

Le ministre québécois des Affaires intergouvernementales canadiennes du temps, Benoît Pelletier, avait alors réagi au rapport en formulant les observations suivantes[15] au ministre fédéral responsable de la Commission de la capitale nationale, Lawrence Cannon, en octobre 2007 :

> [...] en dépit du constat que le rapport établit lui-même, selon lequel l'aménagement du territoire est une compétence attribuée aux provinces par la Constitution canadienne, le Panel met de l'avant un concept nouveau, celui de « masse de terrains d'intérêt national » (MTIN) qui fait référence aux terrains que la CCN peut détenir et qui sont jugés essentiels à la viabilité à long terme de la Région de la capitale du Canada. Or, ce concept est encore fort nébuleux. À la limite, il risque de constituer une atteinte à la compétence territoriale du Québec dans l'Outaouais...

Le ministre Pelletier a alors ajouté que le Québec s'opposait fermement

> [...] à tout projet fédéral qui, sur la base d'un renforcement de la présence et de l'action de la CCN dans l'Outaouais québécois, constituerait une atteinte ou, à tout le moins, une menace à l'intégrité territoriale du Québec.

Le projet de loi C-37, déposé en juin 2009, faisait fi de la position alors exprimée par le Québec et prévoyait que la Commission de la capitale nationale pouvait désigner tout immeuble comme faisant partie de ladite « masse de terrains d'intérêt national ». De plus, le projet de loi prévoyait que le gouvernement fédéral pouvait, de par sa seule volonté, modifier les limites du parc de la Gatineau. Le nouveau ministre québécois des Affaires intergouvernementales canadiennes, le regretté Claude Béchard, a alors, dans une lettre adressée en octobre 2009 à la ministre fédérale des Affaires intergouvernementales, Josée Verner[16], réagi de façon partielle au projet de loi en faisant part de certaines préoccupations du Québec à l'égard de cette « masse de terrains d'intérêt national » tout en joignant copie de la lettre que le ministre Pelletier avait transmise au gouvernement fédéral deux ans auparavant. Dans sa lettre, sans doute trop timide aux yeux des uns et tout à fait raisonnable pour d'autres, le ministre Béchard demande que le gouvernement fédéral prenne, sur les questions qui ont été soulevées, toutes les mesures qui s'imposent pour répondre aux préoccupations du Québec, tout en restant silencieux quant aux nouveaux pouvoirs qui étaient donnés au gouvernement fédéral de modifier unilatéralement les limites du parc de la Gatineau.

Au cours de la même période, plusieurs députés et témoins, en particulier le député de Gatineau, Richard Nadeau, sont intervenus lors de l'étude du projet de loi en comité parlementaire pour faire part de leurs préoccupations quant au respect de l'intégrité du territoire du Québec[17]. Le Québec avait alors été invité à faire part de ses commentaires devant le comité mais il n'a pas donné suite à l'invitation. La prorogation du Parlement, en décembre 2009, a fait en sorte que les projets de loi non adoptés soient morts au feuilleton. Le répit ne devait toutefois durer que quelques mois puisque le projet de loi C-20, déposé en avril 2010, reprenait presque mot à mot le texte du projet de loi C-37. Bien que plusieurs députés de l'opposition aient répété en mai 2010 les objections formulées en 2009[18], il semble que le gouvernement du Québec n'ait pas réagi à la suite du dépôt du projet de loi, du moins pas à notre connaissance.

Ainsi, comme on vient de le voir, le projet de loi C-20, tout comme son prédécesseur le projet de loi C-37, prévoit que le gouvernement fédéral peut, par simple décret, modifier de façon unilatérale les limites du parc de la Gatineau[19]. Or, ni en 2009 ni en 2010, le Québec ne semble pas être intervenu pour protester spécifiquement au sujet d'une mesure portant clairement atteinte à l'intégrité territoriale du Québec. En 2009, des députés avaient bien, en comité parlementaire, évoqué la nécessité de respecter ici l'intégrité du territoire du Québec en cette matière et insisté pour que le gouvernement du Québec donne au moins son consentement à toute modification des limites du parc. Le député Nadeau avait alors proposé que soit insérée une garantie législative voulant qu'il faille l'accord du Québec pour en modifier les limites. Il est revenu sur la question en mai 2010 en soulignant de nouveau que le Québec devrait consentir à toute modification de ces limites. À la fin de novembre 2010, le projet de loi n'avait pas encore été adopté.

Lors de l'étude article par article du projet de loi C-20 en comité parlementaire le 4 novembre 2010, cette question a de nouveau été évoquée. À la même occasion, et en réponse aux questions des députés, il a été fait mention d'une rencontre tenue à Québec entre les représentants des deux gouvernements pour faire préciser la position du gouvernement québécois sur le projet de loi. Il ne semble pas que celui-ci ait donné suite. Finalement, le comité parlementaire a décidé, à la majorité, de baliser quelque peu ce pouvoir du gouvernement fédéral en modifiant l'article en question de façon à ce qu'un tel décret soit d'abord déposé à la Chambre des communes et au Sénat avant de pouvoir être adopté.

Du côté fédéral, la question peut-être considérée comme réglée. Il reste qu'en autant que l'intégrité du territoire québécois est concernée, l'incertitude demeure entière.

4·4·

Les sursauts de la conscience territoriale

L'INCERTITUDE QUI ENVELOPPE le territoire québécois ne date pas d'hier. En réalité, elle existait en germe dès l'adoption des lois et d'autres instruments juridiques qui ont successivement établi les divers segments de frontières qui l'entourent, l'imprécision ayant malheureusement caractérisé la plupart de ces délimitations. On peut faire la même remarque au sujet des dimensions verticales de l'intégrité territoriale, la Loi constitutionnelle de 1867 contenant elle-même en germe d'autres incertitudes, territoriales ou sectorielles. Ces incertitudes ne sont pas toujours passées inaperçues ; de loin en loin, des fonctionnaires, des chercheurs, parfois même, mais plus rarement, des personnages politiques ont attiré l'attention sur les imprécisions territoriales qui embrouillent la réalité géopolitique du Québec.

Durant de nombreuses années, M. Georges Côté, à titre d'arpenteur général du Québec, a présenté aux premiers ministres de l'époque des rapports annuels sur l'état des frontières du Québec. Lorsqu'il fut nommé conseiller technique auprès de la CEITQ, il a versé au fonds documentaire de la commission ces rapports de même que la documentation afférente ; on n'y trouva aucune trace de suites concrètes données, par les autorités gouvernementales québécoises de l'époque, aux interventions de M. Côté qui attirait l'attention des autorités sur certaines des incertitudes territoriales que nous analysons ici.

En fait, ce n'est qu'à l'occasion de la signature de l'entente entre Hydro-Québec et la British Newfoundland Corporation (Brinco) relativement à la production d'électricité sur le fleuve Hamilton (renommé « Churchill » en 1965), entente autorisée par le gouvernement du Québec, que celui-ci se préoccupa de « nettoyer » la question de ses frontières. C'est alors que le premier ministre Daniel Johnson père a décidé de faire examiner la question par une commission d'étude, la Commission d'étude sur l'intégrité du territoire du Québec (CEITQ).

Quand un gouvernement institue une commission d'étude (davantage que dans le cas des commissions d'enquête dont, en général, on connaît bien l'élément déclencheur), on cherche souvent à connaître les véritables raisons de ce geste. Dans le cas qui nous occupe, des représentants de la presse furent nombreux, au moment de la formation de la commission, à «aller aux nouvelles» et chercher à connaître les raisons précises qui avaient poussé le gouvernement du Québec à instituer une commission dont le nom lui-même suscitait des interrogations (la notion d'*intégrité territoriale* n'avait pas encore été largement utilisée au Québec).

Était-ce pour se donner du temps, pour se justifier d'autoriser la signature de l'entente avec la province voisine «le couteau sur la gorge», comme le premier ministre Johnson le déclarait au moment de la signature de l'entente, ou pour avoir en main des arguments pour appuyer *a posteriori* cette décision (n'avait-il pas affirmé en 1964 «qu'une telle transaction comporte l'acceptation implicite d'une frontière»?) ou encore pour profiter de cette occasion pour alimenter sa réflexion sur l'avenir constitutionnel du Québec (nous faisons ici allusion au livre publié par M. Johnson en 1965, *Égalité ou indépendance*[1])?

Personnellement, nous croyons que ces quatre raisons étaient présentes dans l'intention du premier ministre et tout particulièrement la dernière mentionnée. Nous avons en mémoire une phrase que M. Johnson avait prononcée en présence de son chef de cabinet M. Émile Tourigny, lors d'une rencontre préparatoire à l'institution de la CEITQ: «Quand on pense faire un pays, il faut toujours bien savoir où il commence et où il finit.» Ces quelques mots, jamais révélés en public jusqu'à aujourd'hui, éclairent peut-être la pensée qui sous-tendait les propos de M. Johnson, dans son livre comme dans ses positions politiques.

M. Johnson était un homme qui aimait les choses claires, à l'image de son bureau. Il était un *clean desk man*. Il recevait ses hôtes derrière un pupitre qui ne portait qu'une tablette de papier blanc et un stylo. Le reste était dans des dossiers bien classés… et dans sa tête. Lorsque nous lui soumettions des projets d'arrêtés en conseil, il nous félicitait de leur concision. Nous croyons que sa recherche de la clarté s'appliquait aussi bien au territoire qu'aux compétences que les gouvernements peuvent et doivent y exercer. En d'autres mots, il souhaitait sans aucun doute sinon régler, du moins interroger les incertitudes, tant horizontales que verticales, qui grèvent le territoire québécois, et cela bien avant que les auteurs de ce livre décident de le faire.

Toute commission d'étude finit par mettre à jour des éléments cachés, insoupçonnés, égarés ou tout simplement oubliés de la conjoncture soumise à l'étude. Cet exercice risque donc toujours de faire des commissaires des apprentis sorciers qui, au pire, «lâchent dans la nature» une proie facile aux interprétations de toutes sortes et, au mieux, créent des problèmes au gouvernement qui l'a lancé plutôt que de lui faciliter la tâche. Dans le premier cas, notre critique sévère des lois de 1912 concernant les îles littorales du Nouveau-Québec ne permet évidemment pas d'affirmer que ces îles sont québécoises, comme il nous arrive parfois de le lire dans des textes qui, il faut le dire, n'ont aucun caractère officiel. Notre propos vise l'incongruité de cette frontière, non sa validité juridique.

Dans le second cas, une commission d'étude doit, en toute honnêteté, répondre à la question qui lui a été soumise, même si ce n'est pas celle qui a le plus de chances de plaire au gouvernement qui l'a posée. Sans entrer dans le détail de la question à vrai dire très complexe des droits territoriaux des autochtones, mentionnons seulement que la réaction du gouvernement du Québec aux conclusions du rapport de la CEITQ, qui rappelait au gouvernement ses engagements non respectés, avait été, par la voix du ministre responsable de l'époque : « Autrement dit, vous nous remettez le bébé. » Mais n'est-ce pas là le sort de bien des commissions gouvernementales, qu'elles aient été *d'étude* ou *d'enquête,* que de rappeler leurs responsabilités et parfois même leurs engagements aux gouvernements, lorsque cela est nécessaire.

Quel qu'ait été le motif politique qui a amené le gouvernement du Québec à créer la CEITQ, ce fut incontestablement la première tentative gouvernementale de repérer l'ensemble des problèmes de divers ordres susceptibles de grever l'intégrité territoriale du Québec. En s'appuyant sur des études réalisées par des spécialistes de diverses disciplines (juristes, géographes, historiens), les commissaires ont présenté au gouvernement du Québec quelques centaines de recommandations. Certaines ont eu des suites concrètes, certaines autres pas encore, mais elles constituent toutefois une réserve d'éléments de solutions aux problèmes territoriaux qui perdurent, certaines autres enfin ont sans doute perdu de leur actualité du fait que le Québec s'est plus d'une fois contenté, comme nous l'avons dit au chapitre précédent, de « regarder le train passer » et a ainsi raté des occasions qui ont de moins en moins de chances de se présenter de nouveau.

Au Québec, la conscience territoriale n'est pas l'apanage d'un parti politique. La preuve en est que c'est sous le régime libéral non souverainiste de Robert Bourassa que fut instituée la Commission parlementaire d'étude des questions afférentes à l'accession du Québec à la souveraineté. Parmi les différentes questions soumises à l'examen de cet organisme, a surgi de nouveau la question de la définition du territoire. Ce fut l'occasion de recenser les problèmes relatifs à la délimitation du territoire québécois encore en suspens. Nous avions alors présenté un rapport détaillé des nombreuses imprécisions qui grevaient toujours et encore la définition spatiale du territoire québécois[2].

Dix ans plus tard, le gouvernement du Québec a, une fois de plus, voulu faire un constat de la situation territoriale du Québec pour évaluer le chemin parcouru depuis le constat précédent en faisant une mise à jour des études précédemment réalisées, entre autres sur les questions territoriales[3]. Ce nouveau sursaut de la conscience territoriale n'a apporté rien de neuf au sujet de la question de l'intégrité territoriale du Québec. Tout compte fait, on pourrait avoir l'impression que, depuis ce temps, le Québec s'est confortablement installé dans une indifférence territoriale assez surprenante pour une société qui s'interroge encore sur son identité.

Il faut rappeler que la question de l'intégrité territoriale du Québec a fait l'objet de plusieurs discussions dans les milieux politiques, dans les années de la Révolution tranquille. En novembre 1967 lors des États généraux du Canada français, un atelier politique a été consacré à l'*intégrité du territoire québécois*. À partir du constat que de nombreuses incertitudes grevaient le territoire québécois, quant à ses limites géographiques, du côté de Terre-Neuve au Labrador, des Territoires du Nord-Ouest au Nouveau-Québec et de l'Ontario dans le lac Saint-François de même que quant au partage des pouvoirs entre les deux ordres de gouvernement (notamment quant aux pouvoirs d'expropriation du gouvernement fédéral et à l'élargissement des emprises des ports nationaux), une série de questions ont été proposées aux participants à cet atelier[4]. Il vaut la peine de les citer ici, car il ne serait pas déplacé de poser de nouveau ces questions dont plusieurs, au-delà de certaines prises de position de principe demeurées vagues, n'ont pas encore reçu de réponses claires de la part des gouvernements successifs du Québec.

1. En quoi la question de l'intégrité territoriale du Québec est-elle liée aux intérêts et aux aspirations de la nation?
2. Le Québec doit-il étendre sa compétence territoriale jusqu'à la ligne médiane qui traverse les baies James et d'Hudson ainsi que le détroit d'Hudson (incluant de la sorte dans son territoire les îles et les archipels du littoral et du large)?
3. Le Québec doit-il étendre et affirmer sa compétence sur le plateau continental et les gisements sous-marins situés au large de ses côtes?
4. Le Québec doit-il exiger que les ports du Québec deviennent sa propriété et tombent désormais sous sa compétence législative?
5. Le Québec doit-il réclamer la compétence exclusive à l'égard de la navigation d'hiver sur le Saint-Laurent?

6. Le Québec doit-il rechercher une solution d'administration conjointe au Labrador ?

7. Le Québec doit-il avoir pour politique de récupérer ce territoire, moins une lisière de côte qui serait laissée à Terre-Neuve ?

8. Le Québec doit-il revendiquer intégralement le Labrador ?

9. Le Québec doit-il obtenir que des limites strictes et précises soient imposées au pouvoir d'expropriation des organismes fédéraux ?

10. Le Québec doit-il obtenir l'abrogation complète de ce pouvoir d'expropriation ?

11. Le Québec doit-il récupérer les parties de son territoire qui sont passées sous la compétence fédérale dans la région de Hull ?

Comme on pouvait le prévoir, les réponses à ces questions furent toutes affirmatives et même débordèrent les questions. On proposa de revendiquer la totalité du Labrador ; on évoqua même l'annexion éventuelle de l'île de Baffin. On le sait bien : qui trop embrasse mal étreint et ces résolutions restèrent lettre morte. Pour certaines, cela était compréhensible car elles ne pouvaient se justifier ni politiquement ni juridiquement. D'autres ne faisaient que consigner une fois de plus les inconsistances de la problématique territoriale du Québec. Cet épisode a eu le mérite de ramener momentanément à la surface des questions que l'indifférence territoriale avait reléguée dans l'armoire des oublis collectifs.

Pendant que se manifestaient les quelques préoccupations épisodiques, de l'intérieur ou de l'extérieur de l'appareil gouvernemental, sur la situation d'ensemble de l'intégrité territoriale, des interventions isolées se sont présentées au sujet de certains aspects particuliers de la problématique territoriale, tant dans sa dimension horizontale que dans sa dimension verticale.

C'est le plus souvent à l'occasion d'un projet précis d'aménagement ou de développement ou encore à l'occasion d'un projet politique particulier, comme le changement de statut d'une région par exemple, que des prises de positions se sont manifestées concernant les incertitudes reliées à la définition des frontières. À ce sujet, on peut évoquer le fait que, par le passé, certaines voix ont préconisé l'instauration d'un district fédéral de part et d'autre de l'Outaouais dans la région de la capitale canadienne et d'autres, la création d'une 11ᵉ province regroupant l'Abitibi-Témiscamingue et le Nord-Est ontarien. Parmi ces questions, celle de la frontière interprovinciale au Labrador est celle qui s'est posée de façon récurrente, pour ne pas dire permanente. Au cours des années, cette question a alimenté une abondante littérature, plus ou moins bien documentée, souvent superficielle et subjective sinon émotive, mais parfois sérieuse et utile, ne serait-ce que pour vérification conséquente.

C'est ainsi que M. Roger-J. Bédard a développé la thèse du complot entre les juges du Conseil privé de Londres et les intérêts financiers en jeu dans l'«affaire du Labrador» et publié un livre sur cette question aux Éditions du Jour[5]. M. Bédard, sans doute mû par la meilleure volonté du monde, a développé une thèse qui s'appuie sur de nombreux documents qui pourraient effectivement être interprétés de façon à faire naître des soupçons de collusion entre les juges anglais et des intérêts de la haute finance. Une analyse sérieuse, par des experts de l'intérieur comme de l'extérieur de la commission, des points de vue historique et juridique de la thèse de M. Bédard a cependant conclu qu'elle ne prouvait pas cette collusion qui en constitue l'épine dorsale, et qu'en conséquence elle ne pouvait servir à faire déclarer invalide le jugement du jugement du Conseil privé de Londres concernant la frontière au Labrador.

Les opinions émises depuis trois quarts de siècle sur cette frontière sont légion et elles ont émané de divers milieux, plus ou moins spécialisés. Ces opinions étaient basées, en général, sur l'un ou l'autre des divers arguments qui ont été utilisés pour remettre en question la validité du jugement du Conseil privé de 1927 attribuant la côte du Labrador à la province de Terre-Neuve. Or, il a été établi qu'aucun de ces arguments ne constitue une base solide pour remettre en question cette décision. Pour être positif et utile pour la clarification de la définition territoriale du Québec, il faut donc s'intéresser à d'autres points de l'incertitude territoriale du Québec sur lesquels le gouvernement du Québec est intervenu, directement ou indirectement.

Par exemple, le gouvernement de Terre-Neuve s'est plaint en 2008 de ce que les cartes d'Hydro-Québec comportaient des erreurs cartographiques puisque, disait-il, «la limite conforme à la Constitution est représentée par une ligne pâle pointillée avec la mention *non définitive*. Une limite est tracée nettement trop au nord, apparemment à la ligne de partage des eaux, de sorte que le cours supérieur de la rivière, tous les bassins versants de la Romaine… semblent être situés au Québec, ce qui est inexact[6]». Hydro-Québec a répondu, en 2009, que les frontières présentées sur ses cartes «sont conformes aux cartes officielles publiées par le gouvernement du Québec».

Il est vrai que, depuis plusieurs années, les cartes publiées par des organismes du gouvernement québécois représentent la frontière au Labrador, dans sa partie sud, comme suivant la ligne de partage des eaux jusqu'au nord de la baie de Blanc-Sablon et non le 52e parallèle.

On peut cependant noter que cette représentation de la frontière n'a pas été appuyée par d'autres interventions qui auraient pu venir renforcer cette position par exemple, la délimitation de divisions administratives chevauchant le 52e parallèle. Ce qui est paradoxal à cet égard, c'est que, comme nous l'avons vu au chapitre 2.6, des cantons ont déjà été définis de façon à chevaucher la ligne de partage des eaux, les cantons Lislois et Normanville. Bien sûr, cette situation n'ajoute rien de positif au dossier puisqu'elle est aujourd'hui contredite par la position du gouvernement du Québec qui, à toutes fins utiles, reconnaît la validité de la définition de la frontière pour la section de la ligne de partage des eaux. Une intervention de ce type en rapport avec le 52e parallèle aurait, en revanche, appuyé la position du Québec concernant cette portion de la frontière.

Par ailleurs, le Québec a clairement manifesté sa position quant à l'exploitation des richesses gazières dans le golfe du Saint-Laurent. On sait que le gouvernement fédéral canadien et le gouvernement du Québec ont, à ce sujet, des positions diamétralement opposées. Le gouvernement fédéral estime qu'il est le seul à pouvoir émettre des permis pour la recherche et l'exploitation des hydrocarbures. Le Québec prétend la même chose et a publié plusieurs cartes illustrant sa position. Cela dit, l'incertitude persiste puisqu'il n'existe aucune entente entre les deux gouvernements à ce sujet.

Si les nombreuses interventions sur les questions territoriales n'ont pas encore réussi à produire une définition claire du territoire québécois, elles n'ont pas été inutiles, car elles illustrent le fait qu'il existe, diffuse, hésitante et malheureusement marginale, une certaine préoccupation de l'intégrité territoriale du Québec. Elles permettent aussi de constater, quand on considère le peu d'écho qu'elles ont au niveau gouvernemental, que la préoccupation de l'intégrité territoriale du Québec se situe, semble-t-il, assez bas dans la hiérarchie des priorités gouvernementales du Québec alors que, paradoxalement, elle fait pourtant régulièrement l'objet de déclarations officielles qui laissent croire le contraire.

4.5.

Si Québec voulait

L'INTÉGRITÉ TERRITORIALE EST l'un des éléments de la santé et même de la vie des États. Il est donc normal que le gouvernement du Québec y porte une attention particulière ; aussi est-il souhaitable et dans l'ordre des choses que cette préoccupation soit partagée par l'ensemble de la population et par tous les groupes qui la composent. À cet égard, il faut tenir compte du fait que l'affirmation de leurs droits territoriaux par les peuples autochtones a lieu dans un contexte différent du fait que leur conception de la territorialité cadre mal avec le concept d'intégrité territoriale qui suppose une définition précise et stable d'espaces gérés.

Cela dit, il importe qu'une conscience aiguë de la protection de l'intégrité territoriale ne soit pas considérée comme un moyen d'attiser quelque affrontement de pouvoirs et d'espaces. Au contraire, cette attitude peut et doit viser à ce que les frontières du Québec, quel que soit leur statut, soient des frontières de contact* plutôt que des frontières de séparation*. Mais la nécessité de les définir de façon précise et stable demeure.

Les recherches que nous avons menées pour dresser la liste des incertitudes qui affectent le bilan territorial du Québec et le constat qui en est résulté nous amènent à souhaiter que la recherche de solutions à ces nombreuses incertitudes constitue un dossier prioritaire pour le gouvernement du Québec. Nous croyons que c'est à ce prix, qui n'est sûrement pas trop cher payé, que des relations harmonieuses et équilibrées peuvent être établies entre les différents acteurs qui sont, non seulement les deux niveaux principaux de gouvernement toujours évoqués dans le discours politique, mais aussi les autres niveaux de gouvernement et de gouvernance, les minorités ethniques et culturelles et, tout compte fait, l'ensemble de la population qui se partage le territoire.

Dans le contexte d'un État unitaire, la notion d'intégrité territoriale se rapproche de celle de souveraineté et le territoire sert à déterminer la compétence de cet État. Si le territoire de l'État est respecté, on parlera d'intégrité territoriale. Mais, comme on l'a vu dans les premiers chapitres de cet ouvrage, la notion est plus difficile à cerner dans le cas d'un État fédéré comme le Québec car, dans toute fédération, il y a nécessairement, sur le même territoire, un partage de compétences entre niveaux de gouvernement. Il reste qu'il relève de l'essence même du fédéralisme qu'une partie des compétences sur une fraction du territoire ne relève pas de l'État fédéré. Mais l'intégrité du territoire de celui-ci n'est pas menacée pour autant si la situation reflète le partage des compétences prévu dans la Constitution, tout en admettant des variantes rendues nécessaires par l'arrivée en scène de nouvelles réalités non prévues à l'origine, variantes qui respectent l'esprit de la Constitution.

Le lecteur comprendra que notre propos a ceci de subjectif qu'il est développé à l'intérieur d'une définition large de l'intégrité territoriale. Selon cette approche, celle-ci implique, pour certains, le respect de la compétence étatique prévue à l'origine pour chaque État fédéré face à l'État central et mise à jour pour répondre aux besoins créés par l'évolution du contexte fait des nouvelles composantes du monde moderne. Pour d'autres, la problématique ne se pose pas dans les mêmes termes, considérant que la notion d'intégrité territoriale ne s'applique pas entre les deux niveaux de gouvernement des États fédéraux où la juxtaposition des compétences sur des mêmes territoires engendre des superpositions inévitables et acceptables. Pour eux, il s'agit d'un problème interne à régler au moyen d'ententes en accord avec le partage constitutionnel des compétences.

La question de l'intégrité territoriale ne peut qu'avoir une portée différente selon qu'elle est envisagée depuis Québec ou depuis Ottawa. Certains parlent d'optiques provincialiste et centraliste. Conscients de cet aspect subjectif des choses, nous avons pris le parti d'envisager le Québec et son territoire à partir de son statut juridique d'État fédéré dont la compétence territoriale est prévue dans la Loi constitutionnelle de 1867. C'est dans ce contexte que nous avons examiné la situation territoriale actuelle du Québec. Il découle de cette perspective que, si l'intégrité territoriale du Québec doit avoir un sens, le gouvernement du Québec a le mandat d'élaborer et d'appliquer des politiques territoriales cohérentes et constantes en accord avec cette perspective. Le constat qu'on peut faire à l'égard de cette préoccupation, c'est qu'elle a été pour le moins variable.

La question des politiques territoriales du Québec se loge à de multiples enseignes :
a) le cadre législatif et réglementaire des politiques territoriales ;
b) le cadre administratif et politique de l'élaboration des politiques territoriales ;

c) les ententes avec le gouvernement du Canada relatives aux affectations de parcelles territoriales à des fins fédérales et le suivi de leurs clauses (concernant les éventuelles rétrocessions, par exemple);
d) l'accessibilité de la documentation territoriale, y compris la documentation cartographique.

Si l'État dispose d'un cadre législatif cohérent, si l'administration interne est efficace quant à un contrôle continu des différents aspects de la situation territoriale, si des ententes Québec-Canada prévoient clairement les conditions des affectations territoriales fédérales et si la documentation territoriale est centralisée et bien consignée, les politiques territoriales pourront être clairement définies et cohérentes, ce qui favorisera la promotion de la notion d'intégrité territoriale et le respect de celle-ci.

Nous l'avons dit plus d'une fois, notre objectif n'est pas de proposer des solutions ou d'appuyer quelque option politique que ce soit concernant l'intégrité territoriale du Québec, mais bien plutôt de déterminer les éléments qu'il reste à élucider pour pouvoir la garantir adéquatement. Nous avons voulu nous limiter à décrire les incertitudes qui affectent la définition objective (dimension horizontale) et fonctionnelle (dimension verticale) du territoire québécois.

Il est certain que ces incertitudes seraient moindres ou du moins pèseraient moins lourd dans la problématique territoriale si une politique territoriale avait été clairement exprimée par le gouvernement du Québec. On ne peut pas vraiment dire que ce soit le cas. Nous faisons ce constat sans lancer la pierre à quiconque car il faut reconnaître que les circonstances politico-juridiques dans lesquelles a évolué le Québec n'ont pas toujours facilité cette nécessaire clarification. Ainsi, en cherchant à cerner une politique territoriale claire et cohérente du gouvernement du Québec face aux initiatives fédérales sur le territoire, on ne peut ignorer que celles-ci sont d'abord conçues et réalisées en fonction des besoins et des objectifs de l'ensemble du Canada, ce qui est tout à fait normal.

Mais cela ne signifie pas que le Québec doive demeurer complaisant à cet égard lorsque de telles initiatives ne concordent pas avec ses besoins et ses intérêts. Comment alors évaluer le poids relatif de chacun de ces intérêts? Le cas de la décision du gouvernement fédéral de construire un aéroport à Mirabel plutôt qu'ailleurs il y a quelque 40 ans constitue un bon exemple de tels besoins et intérêts divergents ou perçus comme tels. Comme dans de nombreux autres cas, le Québec a fait valoir son point de vue mais, dans ce cas-ci, il aurait fallu que le gouvernement fédéral

revienne de lui-même sur sa décision pour qu'on en arrive éventuellement à la solution que préconisait le Québec.

Dans le contexte canadien/québécois, il faut toujours tenir en compte
la double dimension du territoire. Comme tout fragment du territoire
québécois fait également partie du territoire canadien, il est tout à fait
légitime que le gouvernement canadien puisse y exercer les compétences
qui lui sont dévolues par la Constitution. Mais il y a place, à l'intérieur d'un
fédéralisme canadien respectueux de la Constitution, pour une intégrité
territoriale du Québec qui tient compte du partage des compétences
prévues. C'est dans ce contexte qu'il y a lieu pour le Québec de promouvoir
de telles politiques territoriales destinées à faire respecter son territoire.

Mais il n'y a pas que les affrontements opposant les deux niveaux de
gouvernement relativement au partage et à l'exercice de leurs compétences
respectives qui rendent difficile la formulation d'une politique territoriale
claire, cohérente et réaliste. On peut aussi penser que la situation au sein de
l'appareil gouvernemental québécois, notamment à cause de la multiplicité des lieux de gérance territoriale qui a prévalu jusqu'à récemment, n'ait
pas favorisé la traduction d'une philosophie du territoire en une politique
territoriale ayant ces qualités. Il reste que l'existence d'une politique territoriale est essentielle à tous les niveaux de la gérance territoriale.

Les courants modernes de la pensée et de l'action géopolitiques
admettent de plus en plus que l'élaboration des politiques territoriales
est une activité multiscalaire* (qui s'exerce à diverses échelles) où les
problèmes et, partant, les solutions s'emboîtent les uns dans les autres
tout en s'influençant réciproquement. Au Québec, elles doivent donc
s'élaborer parallèlement et en interdépendance entre les différents niveaux
que sont les quartiers, les municipalités, les MRC, les régions, la province
et l'État fédéral. La juste répartition des compétences et le maintien de
leur équilibre exigent un respect mutuel des objectifs propres à chaque
niveau et interpellent donc la notion d'intégrité territoriale, dans le sens
englobant que nous lui reconnaissons.

L'équilibre du monde minutieusement territorialisé dans lequel nous
vivons aujourd'hui exige un respect mutuel des compétences et de leur
exercice entre les différents niveaux qui le composent et rendent légitime
l'application à chacun de ces niveaux de la notion d'intégrité territoriale
qui n'est plus l'apanage des seuls États de la communauté internationale.
L'histoire est aujourd'hui arrivée à un point où les États du Club international (essentiellement les États membres de l'Organisation des Nations
Unies) ne sont plus les seuls acteurs de l'espace-monde* cher à la nouvelle
géopolitique.

L'histoire a depuis longtemps démontré que les crises que connaît le monde sont dues aux rivalités de pouvoirs et de frontières, ce qui n'a rien de surprenant puisque le territoire, son occupation et sa gérance sont devenus un enjeu stratégique et un défi importants. Ce qui est nouveau, c'est que ce grand jeu se joue à de nombreux niveaux dont la coordination constitue un défi particulier que la formulation d'une politique territoriale doit être en mesure de relever. Pour ce faire, un système d'information réciproque entre les divers niveaux constitue un préalable évident.

Parce qu'à la base de toute intégrité territoriale se retrouve la connaissance du territoire sous toutes ses formes, c'est sur cette base essentielle que doit s'élaborer toute politique visant à préserver et à consolider l'armature territoriale qui, au bout du compte, constitue le fondement même de l'existence d'un État comme entité politique effective et cohérente. La consignation des données territoriales au sein du gouvernement du Québec a fait l'objet d'une modernisation impressionnante au cours des deux dernières décennies. On connaît bien les avancées spectaculaires de la géomatique au Québec. Cela dit, il y a lieu de s'assurer qu'une veille technologique efficace soit au service des politiques territoriales, autrement dit que tous les éléments utiles à la surveillance et au suivi des problèmes territoriaux, au triple point de vue géographique, juridique et politique, soient consignés et accessibles.

Il existe depuis longtemps divers registres où sont inscrits les ventes, locations, servitudes ou autres droits qui affectent les terres faisant à l'origine partie ou qui font encore partie du domaine public. Ces registres existaient dans divers ministères ainsi que dans ce qu'on appelait les «bureaux d'enregistrement» (aujourd'hui: bureaux de publicité des droits), de telle sorte qu'on pouvait se demander si les informations que contenait chacun permettaient un accès rapide et efficace à toutes les données consignées se rapportant à telle ou telle parcelle du territoire. Nous comprenons qu'actuellement la mise en place d'un tel système se développe positivement. Voilà une impression encourageante, car c'est évidemment là une condition essentielle à la connaissance de base que doit avoir le Québec de son territoire et à la cohérence de ses politiques territoriales.

La complexité des structures gouvernementales et la multiplicité des centres de décision ne facilitent pas la totale cohérence des politiques gouvernementales; cette situation est le lot de tous les gouvernements. Cela dit, il convient de rappeler que l'intégrité territoriale et l'intégration territoriale d'un État sont intimement liés. Nous avons précédemment évoqué le fait que le jeu des forces centrifuges agissant sur les régions marginales peut en venir à fragiliser le maintien de l'intégrité territoriale.

La répartition géographique des foyers du partitionnisme est éclairante à cet égard.

Cette situation peut être mise en relation avec les politiques d'occupation du territoire et d'accessibilité à ses diverses composantes. La fermeture de villages en position périphérique et l'absence de communications terrestres compensée par la possibilité (en fait, la nécessité) d'emprunter le réseau de territoires voisins constituent des facteurs «fragilisants», au même titre que les conditions socioéconomiques et la dimension ethnolinguistique des régions concernées. Pensons au Pontiac de même qu'à la région de Blanc-Sablon qu'il sera bientôt possible d'atteindre par la route, en faisant un détour d'un millier de kilomètres en passant par la route dite Trans-Labrador dont la province voisine est présentement en train de compléter la construction. L'occupation du territoire n'est-elle pas un élément qui appuie la légitimité de la possession et, dans un contexte contentieux, de la revendication d'un territoire? Les arguments présentés au Conseil privé concernant la frontière au Labrador l'ont clairement démontré; les relations entre marginalité et intégrité territoriales avaient été rapidement esquissées dans le volume 2.1 du rapport de la Commission d'étude sur l'intégrité du territoire[1].

Pour revenir à la question de la consignation des données territoriales, mentionnons que c'est le Registre foncier du Québec qui est aujourd'hui la référence de base pour les transactions de nature immobilière. Selon le système québécois de publicité foncière, toute transaction immobilière devient publique par son inscription dans ce registre. En 2000, la responsabilité de celui-ci est passée du ministère de la Justice au ministère des Ressources naturelles et de la Faune. Le Registre foncier du Québec est en fait constitué d'une série de grands livres et d'index se retrouvant dans un réseau de 73 bureaux de la publicité des droits au Québec; ce sont ces bureaux qui portaient le nom de «bureaux d'enregistrement» avant 1994. D'autres registres plus spécialisés existent au sein même du Registre foncier du Québec comme le «Registre des droits réels d'exploitation de ressources de l'État» ou le «Registre des réseaux de services publics et des immeubles situés en territoire non cadastrés».

Mais toutes les transactions de nature foncière du gouvernement ne font pas nécessairement l'objet de consignation au Registre foncier du Québec, soit que la loi ne le requiert pas, soit pour d'autres raisons. Par exemple, lorsque le gouvernement fédéral acquiert des terrains d'un particulier, il n'est pas obligé d'inscrire son titre au Registre foncier pour protéger ses droits. Mais il appert que, dans ce cas précis, cela ne pose pas de problème en pratique puisque le gouvernement fédéral a pris l'habitude de le faire même s'il n'y est pas tenu[2]. Il y a aussi d'autres situations où la publication dans le Registre foncier du Québec ne se fait pas et où il y a un intérêt et même une nécessité de tenir des registres de nature territoriale indépendamment du Registre foncier du Québec. C'est le cas du « Registre public des droits miniers » où sont consignés les droits accordés en vertu de la Loi sur les mines[3] de même que leurs renouvellements, transferts, abandons, révocations ou expirations.

Le cas du « Bureau des ententes du Secrétariat aux Affaires intergouvernementales canadiennes », où est consigné l'original de chaque arrêté ministériel de transfert d'administration ou d'autres droits consentis en faveur du gouvernement du Canada, a constitué une innovation intéressante. Une telle consignation est particulièrement importante dans le cas où des droits fonciers ne sont pas transférés puisqu'alors il n'y a pas d'inscription dans le Registre foncier du Québec. De plus, l'existence d'un tel registre permet de centraliser la consignation des données territoriales en matière de cessions de terrains au gouvernement fédéral.

Un nouveau registre public a vu le jour en 2006 au ministère des Ressources naturelles et de la Faune, le « Registre du domaine de l'État ». Il appert que le ministère travaillait à la mise sur pied de ce nouveau registre informatisé depuis 2002. En fait, ce registre succède à l'ancien « Terrier du Québec » où étaient consignés les droits fonciers cédés ou obtenus par le gouvernement. Y sont inscrits, nous dit l'article 26 de la Loi sur les terres du domaine de l'État,

> […] les aliénations et les acquisitions de terres et de droits immobiliers, les noms des parties, les transferts d'autorité, d'administration ou d'autres droits, les droits d'exploitation de ressources naturelles, les statuts juridiques particuliers découlant de l'application d'une loi, les restrictions d'usage, les délégations de gestion, de même que les arpentages des terres[4].

Tous les droits fonciers consentis par le gouvernement ainsi que ses acquisitions sont donc consignés dans ce registre. Celui-ci est destiné à faciliter l'accès à la connaissance du territoire et, selon le site Internet du ministère des Ressources naturelles et de la Faune, il

> […] contribuera à assurer l'intégrité du territoire et permettra à l'État de mieux exercer les pouvoirs inhérents à ses droits de propriété en :
> - représentant les frontières du Québec ;
> - indiquant la limite du territoire public (limite privée-publique) ;
> - établissant et en tenant à jour un registre des droits d'intervention et des droits réels accordés ou acquis sur le domaine de l'État ;
> - identifiant et en localisant chacun de ces droits sur le territoire[5].

Cette déclaration prospective est de bon augure car il importe que le gouvernement du Québec voie à ce que ce support documentaire serve vraiment à assurer l'intégrité territoriale du Québec au sens où nous l'entendons dans le présent ouvrage et pas seulement pour établir les limites entre le domaine de l'État et celui des propriétaires privés.

Comme on l'a vu, il existe divers registres où sont consignés les ventes, locations, servitudes ou autres droits qui affectent les terres faisant à l'origine partie ou qui font encore partie du domaine public, le terrier par exemple. Mais plusieurs autres registres existent et il faut se demander si les informations qu'ils contiennent permettent un accès rapide et efficace à toutes les données consignées se rapportant, à l'instar du nouveau Registre du domaine de l'État, à tel ou tel espace territorial. C'est là une condition essentielle à la connaissance de base que doit avoir le Québec de son territoire et à la cohérence de ses politiques territoriales. Mais les modes d'intervention de ces structures administratives ne concordent pas toujours. Il faut dire, à ce sujet, qu'il y avait jusqu'à récemment un certain morcellement et éparpillement des ministères et des autorités responsables de la gestion du domaine territorial au Québec. À la suite de diverses réorganisations administratives, la plupart des fonctions de gestion en la matière sont aujourd'hui concentrées au sein du ministère des Ressources naturelles et de la Faune.

Cette situation est sans doute satisfaisante à plusieurs égards, mais il reste que, comme il n'y a pas, au Québec, de loi se rapportant à ses frontières, c'est ailleurs qu'il faut chercher pour obtenir une information un tant soit peu précise pour se faire une idée de la position du Québec relativement à ses frontières : arrêtés en conseils impériaux ou de l'ancienne province du Canada, lois impériales, traités internationaux, lois parallèles canadiennes et québécoises de confirmation et d'extension des frontières du Québec, rapports de commissions de démarcation, jugements de tribunaux, rapports administratifs, etc.

Cet éparpillement de l'information territoriale est sans doute inévitable du fait que, quant aux politiques territoriales internes du gouvernement du Québec à l'égard de l'exercice de ses propres compétences législatives, plusieurs structures administratives voient à gérer le domaine territorial et à y émettre des droits en conformité avec les diverses lois afférentes : terres concédées à des fins agricoles ou à d'autres fins, permis et baux dans le domaine minier, droits se rapportant à l'exploitation des forêts, cession du lit de cours d'eau, etc. D'autres structures administratives s'occupent de la gestion des réserves écologiques, des territoires fauniques, des parcs et des voies de communications. Le nouveau Registre du domaine de l'État vise à apporter une solution à ce problème, du moins quant à l'avenir.

Ce constat, qui ne constitue nullement un reproche, avait déjà été fait lors des travaux de la Commission d'étude sur l'intégrité du territoire du Québec. Celle-ci avait recommandé, en 1972, que le Service de l'intégrité du territoire dont elle préconisait la mise sur pied tienne à jour un fichier portant sur les espaces affectés d'un transfert de régie et d'administration au profit du gouvernement fédéral. Un décret gouvernemental de 1995[6] répond à ce vœu en prévoyant que l'original de chaque arrêté ministériel doit être transmis au ministre des Affaires intergouvernementales (aujourd'hui: le Secrétariat aux Affaires intergouvernementales canadiennes du ministère du Conseil exécutif), ce qui permet, du moins pour l'avenir, une centralisation de la consignation des données territoriales en la matière et une meilleure connaissance du territoire dans les portions où c'est surtout le gouvernement fédéral qui agit. De tels transferts d'autorité doivent également être inscrits au Registre du domaine de l'État.

À la suite des recommandations de la Commission d'étude sur l'intégrité du territoire, le Québec a mis sur pied un service de l'intégrité du territoire, alors rattaché au ministère des Terres et Forêts. Ce service a plus tard relevé de la direction de la gestion du domaine public du ministère de l'Énergie et des Ressources. Celui-ci avait le mandat de tenir un fichier détaillé sur les parcelles fédérales en territoire québécois. C'est ainsi que plusieurs inventaires des terres publiques fédérales, classées selon les divisions d'enregistrement du temps, ont été publiés dans les années 1990.

Il faut ajouter, cependant, que les lois relatives à l'enregistrement (depuis 1994, on parle plutôt de «publicité des droits») sont insuffisantes pour que l'on puisse suivre facilement la chaîne des titres des affectations de parcelles de territoire, surtout lorsque l'un ou l'autre des gouvernements sont impliqués dans la transaction: d'ailleurs, dans la pratique, ni le gouvernement du Québec ni encore moins le gouvernement du Canada ne se sentent liés par leurs dispositions. Une telle situation n'est pas de nature à faciliter l'application d'une politique territoriale cohérente et ordonnée.

Il est utile de rappeler ici qu'à la superposition de territoires en milieu fédéral correspond une superposition de frontières internationales. En vertu de sa compétence législative en matière de mise en œuvre des traités, le Parlement fédéral a adopté la Loi du traité des eaux limitrophes internationales[7] touchant les problèmes se rapportant aux eaux situées en position frontalière. Le Parlement fédéral a aussi adopté la Loi sur la Commission frontalière[8], laquelle vise des questions comme le maintien de l'abornement de la frontière canado-américaine, son inspection, la révision de sa démarcation et d'autres questions semblables. Le Québec n'est pas représenté au sein de ces deux organismes alors qu'il a un intérêt évident dans leurs champs d'activité.

Dans le cas des frontières interprovinciales ou autres frontières intérieures canadiennes, la situation se présente de façon différente parce que le Québec doit nécessairement être impliqué à tous les niveaux, de la délimitation et de la démarcation à la révision de celles-ci en passant par les affectations territoriales aux abords des frontières.

Ces considérations nous amènent à rappeler, en le déplorant, que le Québec n'a toujours pas une loi fondamentale sur la définition de son territoire. Force nous est de constater que, malgré le fait que la Loi sur la division territoriale ait pu, dans une certaine mesure, combler la lacune que représente l'absence de loi sur le territoire et malgré des gestes récents allant dans la bonne direction en la matière, le cadre législatif et réglementaire à l'égard de l'intégrité territoriale demeure encore mince. Il faut dire que des avancées importantes sont en cours au Bureau de l'arpenteur général du Québec (BAGQ), notamment avec la mise en place du Registre du domaine de l'État. Les réformes en cours permettraient aussi de combler un vide dans la gestion territoriale du Nunavik où la protection des droits fonciers doit être assurée, notamment par l'implantation du cadastre ; cet aspect est important car ce territoire fait l'objet, on le sait, de conjectures diverses concernant son statut advenant des changements constitutionnels importants.

Une loi sur le territoire comblerait le flou actuel en incorporant les mesures de nature législative et administrative prises récemment. Idéalement, une telle loi pourrait prévoir :

1. la description de toutes les frontières déjà délimitées en reprenant les termes de délimitation existants ;
2. l'officialisation des opérations de démarcation déjà réalisées ;
3. le mode d'entretien des frontières et, dans le cas de la frontière internationale, l'arrimage avec les travaux de la Commission frontalière ;
4. le mode de règlement des problèmes qui affectent les frontières du Québec, décrivant les mécanismes de négociation avec les gouvernements des territoires limitrophes, notamment au moyen de la mise en place de commissions de frontières interprovinciales comme il en existe ailleurs au Canada ;
5. les servitudes visant à empêcher la construction de bâtiments ou d'ouvrages le long des frontières, particulièrement la frontière internationale, en accord avec la Commission frontalière ;

6. la consignation de l'information relative aux affectations des parcelles de territoire jouxtant les frontières;
7. la consignation obligatoire des données territoriales résultant des affectations de parcelles de territoire au bénéfice du gouvernement fédéral dans un fichier des espaces affectés d'un transfert;
8. la prise d'avis obligatoire auprès d'un organisme centralisé quant à la mise à la disposition de parcelles de territoire pour les besoins du gouvernement fédéral;
9. les modalités selon lesquelles des parcelles de territoire peuvent être mises à la disposition du gouvernement fédéral pour l'exercice de ses compétences;
10. un système intégré d'information mettant en relation toute documentation et toute action gouvernementale relatives à l'intégrité territoriale du Québec (au sens large où nous l'entendons, c'est-à-dire dans ses dimensions horizontales et verticales) et pas seulement pour établir les limites entre le domaine de l'État et celui d'un propriétaire privé.

Ce dernier élément appelle le commentaire suivant. C'est le niveau provincial qui, en vertu de la Constitution, a la propriété de principe des terres publiques sous réserve des intérêts autres prévus dans la Constitution. C'est aussi le niveau provincial qui s'est vu attribuer la compétence législative de principe sur les terres publiques bien qu'encore ici des exceptions importantes existent. C'est donc à ce niveau qu'il incombe au Québec de s'occuper de son territoire et de prévoir une politique cohérente et organisée à cet égard. En effet, le concept d'intégrité territoriale risque d'être vide de sens s'il n'est pas animé par une volonté aiguë de protéger le statut de toutes les parcelles de territoire et le contrôle que l'État provincial peut et doit y exercer, entre autres aux fins d'un aménagement équilibré. La mission du ministère des Ressources naturelles et de la Faune lui reconnaît le rôle de « gestionnaire du territoire public; il lui incombe d'assurer l'harmonisation des différents usages et le développement optimal de ce territoire ». Depuis peu, par ailleurs, avec la mise en place du Registre du domaine de l'État, le Québec a pris les moyens de consigner dans un registre officiel et public les informations nécessaires à ces fins. Il faut féliciter les fonctionnaires qui ont été les artisans de cette réforme.

« Si Québec voulait » revenir à une conception du fédéralisme où le pouvoir constituant n'est pas concentré au niveau d'un seul ordre de gouvernement et réclamer l'instauration d'un équilibre de forces davantage favorable au Québec, il faut être conscient que cela pourrait impliquer des modifications de nature constitutionnelle et que ce serait sans doute

beaucoup demander compte tenu des pratiques constitutionnelles actuelles. Dans cette hypothèse, il faudrait évidemment prévoir la mise à la
disposition du gouvernement fédéral des terrains requis pour l'exercice de
ses compétences législatives, sans cependant que, pour cela, il en acquière
nécessairement la propriété.

Il serait normal et tout à fait dans l'esprit d'un fédéralisme équilibré et
coopératif que la participation du Québec soit assurée dans toute transaction impliquant l'acquisition de propriétés, publiques ou privées, par le
gouvernement fédéral auprès de particuliers. Cette garantie pourrait être
régie par un accord-cadre fédéral-provincial fixant les modalités selon
lesquelles des parcelles de terrain peuvent être mises à la disposition du
gouvernement fédéral pour l'exercice de ses compétences législatives.

Ainsi, une souveraineté domaniale pour le Québec sur le territoire
compris à l'intérieur de ses frontières pourrait être protégée par diverses
mesures, par exemple le retour au Québec de terrains transférés au gouvernement fédéral avant l'adoption du décret de novembre 1995 et qui ne
remplissent plus la fonction qui avait motivé le transfert.

Est-il naïf de croire qu'il est possible de développer des relations entre
les deux ordres de gouvernement au-delà des aménagements administratifs et techniques de coopération possibles relativement à la compétence
territoriale? Peut-être les décideurs jugent-ils sage de faire confiance au
« flou artistique autour de la répartition des compétences », comme ce fut
le cas pour l'Entente Canada-Québec en matière de main-d'œuvre, un
flou qui, grâce à la « double lecture » à laquelle il donne ouverture, a sans
doute permis la signature de cette entente[9].

On peut encore répondre à cela que « la politique est l'art du possible ».
Il serait cependant dangereux d'y voir un principe directeur de la pratique
du fédéralisme relativement au partage et à l'exercice des compétences,
car il est loin d'être sûr que le rapport de forces dans lequel s'inscrirait
cette pratique serait favorable au Québec. La Fontaine ne dit-il pas: la
raison du plus fort est toujours la meilleure?

5.

CONCLUSION

POUR AVOIR UNE IDÉE D'ENSEMBLE un tant soit peu précise de l'ampleur de l'incertitude qui plane sur l'intégrité territoriale du Québec, il importe de s'interroger sur l'évolution éventuelle des conditions qui peuvent affecter les deux dimensions qui la composent. Celles-ci se présentent selon deux problématiques essentiellement différentes.

La dimension horizontale de l'intégrité territoriale implique des espaces spécifiques pour lesquels l'incertitude réside dans la question de savoir s'ils sont inclus dans la compétence territoriale du Québec ou s'ils en sont exclus. Il s'agit d'une série d'incertitudes dont le dénominateur commun est d'être binaire, c'est-à-dire des incertitudes qui mettent en balance une situation et son opposé. La question est la suivante : les territoires dont il s'agit font-ils ou non partie du Québec ? Dans l'affirmative, le Québec peut, en principe (c'est-à-dire dans la mesure où certaines compétences ne lui sont pas soustraites par le jeu des mécanismes dont il a été question aux sous-chapitres 3.2 et 3.3), exercer la gamme complète des compétences étatiques qui lui sont dévolues. Dans la négative, il ne peut en exercer aucune. Cette incertitude plurielle s'inscrit, en quelque sorte, dans la logique du « tout ou rien ».

Le deuxième chapitre a présenté un relevé des problèmes non résolus quant à la définition spatiale du territoire québécois. Ce fut l'occasion de rappeler que les frontières du Québec sont, pour la majeure partie de leur tracé, encore indéfinies quant à leur démarcation et même quant à leur délimitation, ce qui est plus grave. Ces incertitudes peuvent résulter du silence de la Constitution, donnant ainsi ouverture à des interprétations multiples (quant au statut du golfe du Saint-Laurent, par exemple). Elles peuvent aussi avoir été engendrées par l'imprécision des termes de délimitation (la frontière septentrionale), par le recours à un principe de délimitation problématique (la ligne de partage des eaux limitant la côte du Labrador), ou encore par l'hypothétique invalidité d'une partie de la sentence arbitrale concernant cette dernière frontière (la question de l'*ultra petita** de la sentence arbitrale du Conseil privé concernant la côte du Labrador).

Les questions territoriales interpellent, on le sait, toute une gamme de disciplines. Les incertitudes quant à la dimension horizontale de l'intégrité du territoire relèvent, au premier chef, du droit et de la science politique quant à leur origine, et de la géographie et des autres sciences de la terre (géodésie, arpentage...) quant à leur traduction concrète sur le terrain. Plusieurs auteurs, spécialistes sur les questions de frontières internationales, ont noté depuis longtemps que le problème réside en général dans le fait que les « traceurs de frontières » ont rarement cumulé ces deux domaines de compétence.

Chaque discipline, selon les moments du processus de définition des frontières, doit donc intervenir pour combler les lacunes des autres disciplines. Cette situation constitue un plaidoyer pour le développement de la science carrefour qu'est la limologie*. L'objet et l'intérêt de cette discipline sont de mettre en relation et de concilier les apports des disciplines concernées et d'utiliser une méthodologie qui permet de résoudre, au bénéfice des populations concernées, les contradictions, écarts et autres dilemmes que cette mise en relation engendre.

On a vu que, si la constitution canadienne et l'interprétation qu'en ont donnée les tribunaux assurent, mis à part les incertitudes évoquées, une certaine stabilité au partage territorial proprement dit, il en va autrement du partage des compétences législatives. En effet, en vertu de plusieurs mécanismes et techniques explicitement ou implicitement évoqués dans la Constitution, l'État fédéral peut élargir considérablement ses pouvoirs. Il l'a fait effectivement, notamment par des appropriations de territoire subséquentes à 1867. Il s'agit ici de la dimension verticale de l'intégrité territoriale.

Il faut reconnaître que l'extension progressive des pouvoirs fédéraux sur le territoire s'est en général faite dans le respect de la lettre de la Constitution ou en conformité avec l'interprétation qu'ont pu en faire la doctrine et la jurisprudence, même s'il arrive que les appropriations territoriales aillent au-delà des besoins du gouvernement fédéral. Un certain subjectivisme est toujours susceptible d'intervenir dans le jugement que l'on peut porter sur la question des appropriations fédérales. C'est ainsi, par exemple, qu'une opinion assez répandue au Québec estime que la création de l'aéroport de Mirabel et l'extension du réseau fédéral de parcs nationaux témoignent de la politique expansionniste du gouvernement fédéral à même les territoires des provinces.

À vrai dire, la Constitution contenait elle-même, dans sa lettre, le germe de toutes les extensions territoriales qui ont profité au gouvernement fédéral depuis plus d'un siècle et que nous avons décrites dans les pages qui précèdent. Il faut dire aussi que les divers mécanismes et principes qui ont appuyé et justifié cette évolution se sont développés et affinés avec le temps. Ce constat engendre moins un jugement d'irrégularité juridique qu'une réflexion sur l'opportunité de cette pratique, résultant d'une conception particulière du fédéralisme.

Pour cette raison, il n'est pas facile de traiter cette question de façon tout à fait objective. La recherche d'une définition et d'une pratique idéales du fédéralisme relève sans doute de l'utopie et il n'existe à cet égard ni formule magique ni système parangon. Il demeure qu'à l'analyse on ne peut pas ne pas constater que la constitution canadienne s'avère l'expression d'une évidente primauté des pouvoirs fédéraux à l'encontre des États provinciaux et que l'interprétation judiciaire qui en a été faite va dans le même sens. Ce constat ne constitue pas une critique négative du fédéralisme; il le caractérise d'une manière qui est satisfaisante pour certains, mais ne l'est guère pour d'autres.

Il importe de pousser un peu plus loin l'analyse et de poser la question suivante: l'évolution de la situation territoriale du Québec est-elle en accord avec les principes fondamentaux du fédéralisme? Poser la question, c'est s'interroger tout autant sur l'intégrité du fédéralisme que sur l'intégrité du territoire et les réponses qu'on peut y apporter sont aussi diverses que les opinions politiques qui se logent à toutes les enseignes, depuis le fédéralisme centralisateur jusqu'à l'indépendance politique du Québec, et, bien sûr, à toutes les positions intermédiaires. Il y a cependant un dilemme: les solutions extrêmes comportent l'avantage problématique d'être claires sans être unanimement acceptables, tant s'en faut, alors que les solutions intermédiaires se nourrissent d'incertitudes autant qu'elles sont susceptibles de les perpétuer.

Doit-on en conclure que le Québec se trouve dans une impasse constitutionnelle ou dans un cul-de-sac géopolitique? Peut-être pas, dans la mesure où nos décideurs de toutes tendances acceptent l'évidence que des réformes s'imposent dans ce vaste domaine des compétences et des affectations territoriales, s'ils ne veulent pas donner raison à ceux qui, au Québec, n'entretiennent que peu d'espoir et d'intérêt pour la formule fédérative comme condition de survie et de développement d'une patrie québécoise.

Le Québec, un pays incertain? Nous avons la prétention d'avoir démontré que tel est le cas, tant quant à la dimension verticale que quant à la dimension horizontale de son intégrité territoriale. Les zones grises, les chevauchements et, forcément, les affrontements qui en résultent concernant l'exercice des compétences réparties entre les deux ordres de gouvernement sont devenus le pain quotidien de la gérance fédérale-provinciale du pays. Par ailleurs, on a vu que plusieurs frontières du Québec ne sont pas démarquées ni même délimitées avec un minimum de précision. Que le territoire d'un État, tout fédéré soit-il, demeure ainsi dans l'indéfinition a de quoi soulever des inquiétudes. Le Québec doit donc porter un intérêt accru à ses frontières et à la nécessité d'en confirmer la délimitation et la démarcation. Pour celles qui n'en sont pas encore rendues à cette étape, le Québec doit s'atteler à la tâche d'entreprendre des négociations avec les gouvernements des autorités étatiques limitrophes. Par ailleurs, le flou qui persiste dans l'exercice de certaines des compétences des deux ordres de gouvernement, si «artistique» soit-il, embrume la nécessaire coopération entre ceux-ci et se mue parfois en antagonisme.

Il faut ajouter qu'à l'intérieur même des frontières, telles qu'elles sont reconnues par les provinces voisines et par le gouvernement fédéral, des incertitudes planent également sur le territoire québécois, car les prises de position d'ordre territorial des autochtones s'appuient, entre autres, sur le fait que le partage du territoire de la Loi constitutionnelle de 1867 n'a reconnu celui-ci au Québec que sous réserve des intérêts autochtones, tel le titre aborigène. En cette matière, le risque existe pour le Québec que d'éventuelles décisions judiciaires soient non favorables à ses positions actuelles en cette matière.

Ce constat appelle une question. Comment faire d'un territoire incertain un pays certain? Entendons par «un pays certain» un territoire dont le gouvernement qui en a la gestion connaît et contrôle ses limites géographiques ainsi qu'il est en mesure d'y contrôler l'exercice de ses compétences et de s'assurer qu'il pourra continuer à le faire dans sa pleine mesure. La première étape pour en arriver là consiste naturellement à analyser chacune des incertitudes dont cet ouvrage a fait un relevé, sans doute incomplet, mais déjà suffisamment fourni pour constituer un programme qui exigera du temps et surtout une méthode dénuée d'*a priori*. L'histoire des dernières années a clairement démontré que les tentatives de donner à la société québécoise le contrôle de son destin à partir d'a priori du type «hors du Canada point de salut» ou «seule l'indépendance du Québec le libérera de ses problèmes» n'ont donné, jusqu'à maintenant, aucun résultat tangible.

Deux courants de pensée polarisent les positions politiques concernant, en termes généraux, l'intégrité territoriale du Québec, pour peu que l'on admette la pertinence de cette notion, et, en termes plus précis, les relations entre les deux ordres de gouvernement concernant l'exercice de leurs compétences respectives et les outils juridiques qui devraient assurer à cet égard un équilibre stable et satisfaisant pour les parties. D'un côté, on pense qu'une consolidation progressive des droits du Québec dans le contexte de la fédération canadienne dégagera une solution acceptable par les deux niveaux de gouvernement. D'un autre côté, on estime que la situation, quant à la position du Québec dans l'ensemble canadien, évolue dans le sens de la consolidation d'un État unitaire à peine décentralisé et que le Québec devrait urgemment adopter une politique ferme pour freiner ce mouvement.

Nous l'avons déjà dit, aucune de ses hypothèses n'a constitué la base et l'objectif de notre étude ; nous nous sommes seulement appliqués à relever les incertitudes qui grèvent le territoire québécois, dans l'espoir que leur élucidation éventuelle permette de voir plus clair dans les avantages comparatifs des solutions constitutionnelles qui s'offrent au Québec.

Nous avons humblement voulu contribuer à entreprendre cet examen qui semble de plus en plus nécessaire pour sortir le Québec de la mare d'incertitudes dans laquelle il se débat mollement et qui, au lieu de se résorber avec le temps, s'étend à des domaines de plus en plus larges et nombreux. Débarrassé du boulet de tous les *a priori*, ne cédant ni à un optimisme béat ni à un pessimisme paralysant, nous croyons que la meilleure approche pour résoudre le faisceau de problèmes qui grèvent la situation dans laquelle le Québec se trouve est de s'attaquer à la résolution des incertitudes qui ralentissent ou bloquent carrément sa démarche. Cet objectif est à la base de cet ouvrage, né autour d'une réflexion sur l'avenir du Québec et de la société québécoise.

Tenons pour acquis que le Québec veut maintenir le plus complètement possible son intégrité, veiller à la fois à une meilleure connaissance de ce qui se passe sur son territoire, à une expression claire et cohérente de ses positions territoriales et à une prise en compte non complaisante des dispositions constitutionnelles donnant ouverture à un accroissement des compétences fédérales sur son territoire. Dans ce contexte, il s'agit pour le gouvernement du Québec de prendre les mesures nécessaires pour s'assurer que la gestion de son territoire, ce que visent certaines réformes en cours, se fasse sur la base d'une définition claire et solide de son espace géographique et de ses compétences et avec une garantie du maintien de leur intégrité.

Dans la mesure d'ailleurs où l'intégrité du territoire est reconnue comme une donnée essentielle au développement du Québec en tant qu'État fédéré, le Québec sera forcé de constater l'échec de l'expérience fédérale à cet égard s'il n'est pas possible d'en arriver à un rajustement de la politique territoriale qu'a suivie le gouvernement fédéral jusqu'à maintenant et que, dans une certaine mesure, le Québec a subie en exprimant souvent, mais pas toujours, des oppositions fermes. On peut en effet arguer qu'à défaut de tels changements entre les deux ordres de gouvernement, il ne reste, pour éviter les pertes considérables de temps, d'énergie et d'argent qu'impliquent les chevauchements et affrontements entre les deux ordres de gouvernement en situation de concurrence, qu'à envisager des solutions visant à éliminer un des deux ordres de gouvernement dans leur forme actuelle, par l'institution soit d'un État unitaire canadien, soit d'un État unitaire québécois.

Avant d'en arriver là, sans doute existe-t-il des solutions intermédiaires. Mais encore faut-il faire le nécessaire pour les définir. À cet égard, il est permis de rêver…

NOTES

Avant-propos
1. Ferron, 2007.
2. Létourneau, 2006.
3. Fukuyama, 1992.

Chapitre 1.1.
1. Québec, Commission d'étude sur l'intégrité du territoire du Québec, 1968-1972. Ci-après cité sous : Québec, 1968-1972.
2. Ratzel, 1988.
3. Ancel, 1938, 98.
4. Dorion, 1963.
5. Québec, 1968-1972, vol. 5.3.
6. Canada, 2006.
7. Brun, Tremblay et Brouillet, 2008, 121-122.
8. Breton, 1998, 7.

Chapitre 1.2.
1. Fukuyama, 1992.

Chapitre 1.3.
1. *Affaire du temple de Préah Vihéar*, 1962.
2. Québec, 1968-1972, vol. 6.2, 151-158.
3. Québec, 1976, 26.
4. Lois, Canada, 1977.
5. Lois, Québec, 1978, a. 94h.
6. Ratzel, 1988.
7. Lapradelle, 1928.
8. Ancel, 1938.
9. Prescott, 1965, 23.

Chapitre 1.4.
1. Ratzel, 1988.

Chapitre 1.5.
1. Québec, 1968-1972, vol. 3.3.1.
2. Krulic, 2002.

Chapitre 1.7.
1. Cartier, 1990.'

Chapitre 1.8.
1. Rousseau, 1963-1964, 18.
2. Chrestia, 2002.
3. Conseil de l'Europe, 2005.
4. Conseil de sécurité de l'Organisation des Nations Unies, 2007.
5. Comité des frontières du Cambodge, 1999.
6. La Libre Belgique, 2007.
7. Anonyme, 2009.
8. Grammond, 2006, 306.
9. L.R.Q., c. E-20.2, a. 9.

Chapire 1.9.
1. Dorion, 1972, 517.
2. Lacasse, 1972, 521-523.
3. Gauchon et Huissoud, 2008, 30.
4. Chauprade, 2001.

Chapitre 2.1.
1. Lois, Canada, 1898 ; Lois, Québec, 1898.
2. Lois, Canada, 1912 ; Lois, Québec, 1912.
3. Lacasse, 1996, 218.
4. Canada, 1912.
5. Québec, 1912.
6. Lois, Canada, 1912 ; Lois, Québec, 1912.
7. Beaulieu, Allard et Rux, 1996.
8. Pondaven, 1972, 75.
9. Forest, 2009, 19.
10. Dorion, 1963, 293.

Chapitre 2.2.

1. Québec, 1968-1972, vol. 3.7.4, 29.
2. Québec, 1968-1972, vol. 3.1, 273-281.
3. Québec, 1968-1972, vol. 3.7.4, 82-83.
4. Chamber's Encyclopaedia, 1825, VI, 487.
5. Cukwurah, 1967, 217.
6. Jones, 1945, 62-63, 101-104, 128-131.
7. Holdich, 1899, 470.
8. Lasserre, 2009, 179-196.
9. Lacoursière, Provencher et Vaugeois, 2000, 413.
10. Québec, 1968-1972, vol. 3.1, 802.

Chapitre 2.3.

1. Québec, 1968-1972, vol. 2.1, 81 et seq.
2. Décret n° 3781-80, 19 décembre 1980.
3. Wikipédia, 2009.
4. Jones, 1945, 129.
5. Dorion, 1963, 206.

Chapitre 2.4.

1. Québec, 1968-1972, vol. 7.1, 203-208.
2. Rigaldies, Francis, 1986, 80.
3. Québec, 1968-1972, vol. 7.1, 283 et suiv.
4. Canada, 1973.
5. Québec, 1968-1972, vol. 7.3.3, 60-61.
6. *Reference: Offshore Mineral Rights of British Columbia*, 1967.
7. Québec, 1968-1972, vol. 7.1, 238-239.
8. Lois, Canada, 1999.
9. Lois, Canada, 2001.
10. Québec, 1968-1972, vol. 255-257.
11. Voir, sur la question, Lacasse, 1983, 301.
12. Roy, 2009, 363.
13. Lois, Canada, 1984 et 1988 et Lois, Canada, 1987. Des lois parallèles ont aussi été adoptées par les provinces de Nouvelle-Écosse et Terre-Neuve-et-Labrador.
14. *Arbitrage entre la province de Terre-Neuve et du Labrador et la province de la Nouvelle-Écosse concernant certaines parties des limites de leurs zones extracôtières au sens de la Loi de mise en œuvre de l'Accord Canada–Nouvelle-Écosse sur les hydrocarbures extracôtiers et de la Loi de mise en œuvre de l'Accord atlantique Canada–Terre-Neuve*, 2002, 31.

15. *Ibid.*, 106-109.
16. *Ibid.*, 103.
17. *Ibid.*, 72.
18. *Ibid.*, 103.
19. Voir la note 14.
20. *Gazette officielle du Québec*, partie II, 13 janvier 2010, 195-196.
21. *Supra*, note 16.
22. Roy, 2009, 363 et suiv.
23. Québec, 1968-1972, vol. 7.3.2.

Chapitre 2.5.
1. Lois, Royaume-Uni, 14-15, 1851, c. 63.
2. Lois, Canada, 1985, c. I-16.
3. Soucy, 1970.
4. Jones, 1945, 120.
5. Québec, 1968-1972, vol. 2.1, 195-196.

Chapitre 2.6.
1. Décret n° 3781-80, 19 décembre 1980.
2. Lois, Québec, 1960, a. 5.
3. Lois, Québec, 1946.
4. Canada, 2006.
5. Québec, 1968-1972, vol. 7.1, 208.
6. Québec, 1968-1972, vol. 7.1, 148.
7. Québec, 1968-1972, vol. 7.1, 203.
8. Québec, Commission de toponymie, 2009.
9. Dorion, 1998, 5-19.

Chapitre 2.7.
1. Brassard, 1997, 8385.
2. Chrétien, 2007, 153.
3. Independant international Fact-Finding Mission on the Conflict in Georgia, 2009.
4. Charron, 1996, 52.
5. Reid, 1992.
6. Lacasse, 1996, 215.
7. Woerhling, 1995, 327.
8. Pinho Campinos, 1980.
9. Lois, Canada, 2000.
10. *Renvoi relatif à la sécession du Québec*, 1998.

11. Chrestia, 2002, 326.
12. Corten et autres, 1999.
13. Cot, 1999, 28.
14. Hilling, 1999, 256.
15. *Ibid.*, 257.
16. Lalonde, 2002, 240.
17. Québec, 1997.
18. Brossard, 1976, 495.
19. Loriot, 1972.
20. Labrecque, 1993.

Chapitre 3.

1. Québec, 1968-1972, vol. 8.3.2, 3-4.
2. Delbez, 1932, 724-725.
3. Brun, Tremblay et Brouillet, 2008, 121-122.
4. Garant, 1970, 3-4.

Chapitre 3.1.

1. *In re Silver Brothers*, 1932.

Chapitre 3.2.

1. *Russell c. R., 1881-1882.*
2. *Munro c. National Capital Commission*, 1966.
3. *R. c. Crown Zellerbach*, 1988.
4. Brun, Tremblay et Brouillet, 2008, 556 et suiv.; Duplé, 2009, 385;
   Morin et Woehrling, 1994, 321; Tremblay, 2000, 293.
5. Beetz, 1965, 120.
6. Monahan, 1997, 225-247.
7. Emond, 1972.
8. Lajoie, 1969, 21.
9. Lois, Canada, 1997, c. 32, a. 71.
10. Lajoie, 1969, 123-151.
11. Lois, Canada, 1898, c. 107.
12. Lois, Canada, 1870.
13. Lois, Canada, 1895.
14. Lois, Canada, 1887.
15. Lois, Canada, 1947.
16. Lois, Canada, 1960.
17. Lois, Canada, 1908.
18. Lajoie, 1969, 118.

19. Tremblay, 1967, 95.
20. Alhéritière, 1971, 566.
21. Lois, Québec, 1977.
22. *Procureur général du Québec c. Lechasseur*, 1981.
23. *Munro c. National Capital Commission*, 1966.
24. Lois, Canada, 1958.
25. Brun, Tremblay et Brouillet, 2008, 456.
26. Alhéritière, 1971, 602.
27. *Banque de Montréal c. Hall*, 1990.
28. Lois, Canada, 1985, 2ᵉ suppl., c. 25.
29. *M and D Farm Ltd c. Société de crédit agricole du Manitoba*, 1999.
30. Alhéritière, 1974, 31-32.
31. *Banque canadienne de l'Ouest c. Alberta*, 2007.
32. Duplé, 2009, 366.
33. Brun, Tremblay et Brouillet, 2008, 463.
34. *CTCUQ c. Commission des champs de bataille nationaux*, 1990.
35. Lois, Québec, 2009, c. T-12.
36. *Derrickson c. Derrickson*, 1986, 296.
37. *Paul c. Paul*, 1986.
38. *Delgamuukw c. Colombie-Britannique*, 1997, par. 181.
39. Brun, Tremblay et Brouillet, 2008, 531.
40. *Delgamuukw c. Colombie-Britannique*, 1997, par. 160 et 164 à 166.
41. *Banque canadienne de l'Ouest c. Alberta*, 2007 et *Colombie-Britannique c. Lafarge Canada*, 2007.
42. *Banque canadienne de l'Ouest c. Alberta 2007*, par. 43 et 44.
43. *Ibid.*, par. 33.
44. *Colombie-Britannique c. Lafarge Canada*, 2007.
45. Lois, Canada, 1998.
46. Brun, Tremblay et Brouillet, 2008, 460.
47. Lajoie, 1972, 61.
48. Beaudoin, 1982, 347.
49. *Ontario Mining c. Seybold*, 1903, 82.
50. Lajoie, 1972, 74.
51. Lois, Canada, 1970, c. N-13.
52. Lois, Canada, 1970, c. H-6.
53. Lois, Canada, 1908, c. 57.
54. Beaudoin, 2004, 397.
55. Tremblay, 1967, 99.
56. Lois, Canada, 1988 et 1914, respectivement.
57. Tremblay, 1967, 103.

58. *Ibid.*
59. *A.G. Ontario c. A.G. Canada,* 1894.
60. Beaudoin, 2004, 359.
61. *Friends of the Oldman River c. Canada,* 1992.
62. Canada, 1969, 5.
63. Lajoie, 2002, 17.
64. Lajoie, 2005, 5.

Chapitre 3.3.

1. Brossard, 1972 ; La Forest, 1970.
2. Bergeron, 1970 ; Brière, 1971 ; Garant, 1970 ; Dupont, 1970a et 1970b.
3. Lois, Canada, 1985, c. I-5.
4. Grammond, 2003, 148.
5. Québec, 1968-1972, vol. 4.5.
6. Lois, Canada, 1988.
7. Lois, Canada, 1970, c. V-4.
8. Lois, Canada, L.R.C., 1970, c. N-13.
9. Brossard, 1970, 232.
10. Garand, 1970, 116.
11. Lois, Canada, 1985, c. N-34.
12. *Ibid.*
13. Garant, 1970, 41.
14. Lois, Canada, 1985, c. E-16.
15. Lois, Canada, 1985, c. F-30.
16. Lois, Canada, 1985, c. P-29.
17. Dupont, 1970a, 88.
18. Lajoie, 1969, 123 et suiv.
19. Lois, Canada, 1985, c. N-7.
20. Dupont, 1970a, 168.
21. *Reference: Offshore Mineral Rights of British Columbia,* 1967.
22. *Renvoi relatif au plateau continental de Terre-Neuve (Hibernia),* 1984.

Chapitre 3.4.

1. Brossard, 1972, 9-14.

Chapitre 3.5.

1. Lacasse, 1976, 19.
2. Alhéritière, 1976, 28.
3. *Burrard Power c. R.,* 1911.
4. Hamelin, 1969 ; Lasserre, 1980 ; Cazelais, 1987.

5. Giroux, 1991, 1029.
6. Brossard, 1970, 226.
7. *Booth c. Lowery*, 1917.
8. *R. c. Rice*, 1963.
9. *Fleming c. Spracklin,* 1922.
10. Lois, Canada, 1985, c. F-14.
11. Giroux, 1991, 1037.
12. L.R.Q., c. Q-2.
13. Canada, 2007, 8.
14. Lois, Canada, 1985, c. H-1.
15. Lois, Canada, 2002.
16. L.R.Q., c. C-61.1.
17. Lasserre, 1980.
18. Brossard, 1972, 242-243.

Chapitre 3.6.

1. *St. Catherine's Milling and Lumber c. R.,* 1889.
2. *Delgamuukw c. Colombie-Britannique,* 1997, par. 175.
3. Lacasse, 2007, 186-187.
4. Lois, Royaume-Uni, 1982.
5. *R. c. Sparrow,* 1990.
6. *Delgamuukw c. Colombie-Britannique,* 1997, par. 114.
7. Lacasse, 2003, 320.
8. *Delgamuukw, c. Colombie-Britannique,* 1997, par. 174.
9. *Ibid.*
10. Lacasse, 2004, 169.
11. *Delgamuukw c. Colombie-Britannique,* 1997, par. 138.
12. *Ibid.,* par. 160 à 166.
13. *Ibid.,* par. 168.
14. *Nation Haida c. Colombie-Britannique,* 2004 et *Taku River c. Colombie-Britannique,* 2004.
15. Lacasse, 2004, 175.
16. *Delgamuukw c. Colombie-Britannique,* 1997, par. 160.
17. *Ibid.,* par. 179.
18. *Entente de principe d'ordre général entre les Premières Nations de Mamuitun et de Nutashkuan et le gouvernement du Québec et le gouvernement du Canada,* 2002.
19. Lois, Royaume-Uni, 1982.
20. Lois, Canada, 1977.
21. Mailhot, 1985, 5.

Chapitre 3.7.
1. Brossard, 1976.
2. Canada, 1979, *Définir pour choisir,* 89-94.

Chapitre 3.8.
1. Duplé, 2009, 335.

Chapitre 4.
1. *Extrait d'une lettre de Ferdinand Lassalle à Karl Marx,* 1977.

Chapitre 4.1.
1. Brunet, 1993, 480.
2. www.mrn.gouv.qc.ca.
3. L.R.Q., c. M-25.2, a. 12.2.
4. http://rde.mrnf.gouv.qc.ca.
5. Roberge, 2009, 41.
6. L.R.Q., c. T-8.1.
7. L.R.Q., c. T-7.1.
8. L.R.Q., c. A-18.1.
9. L.R.Q., c. F-4.1.
10. L.R.Q., c. R-13.
11. L.R.Q., c. R-13, r.1.1.
12. L.R.Q., c. M-13-1.
13. Québec, 1997.
14. Townsend, 1992, 310-311.
15. Lefebvre, 2000, 258.
16. L.R.Q., c. T-8.1.
17. *Ibid.*
18. Québec, 1995, 5083.

Chapitre 4.2.
1. Breton, 1998, 7.
2. Gottmann, 1973, 4.
3. L.R.Q., c. M-13.1.
4. Lacasse, 1976.
5. Site Internet de la Fédération québécoise des municipalités, www.fqm.ca, communiqué du 26 septembre 2009.
6. Société pour la nature et les parcs du Canada, mémoire présenté à l'Assemblée nationale sur le projet de loi 79 modifiant la Loi sur les mines, mai 2010, 6.

7. *Nation Haida c. Colombie-Britannique*, 2004, *Taku River c. Colombie-Britannique*, 2004 et *Mikisew c. Canada*, 2005.
8. Projet de loi n° 79, Loi modifiant la Loi sur les mines, 2009.
9. Lois, Québec, 2010, c. 3, article 7.
10. Loi modifiant la Loi sur les mines, Lois, Ontario, 2009, c. 21.
11. L.R.Q., c. Q-2.
12. Thériault, Sophie, 2010, 12.
13. *Op. cit.*, note 4, 3.
14. Chevrier, 1995, 157.
15. Gwyn-Paquette, 2009, 16.
16. Lacasse, 1972, 522.

Chapitre 4.3.

1. Québec, 1968-1972, vol. 3.1, 149.
2. Lois, Québec, 1946.
3. Lois, Royaume-Uni, 1949.
4. http://www.mrnf.gouv.qc.ca/territoire/portrait/portrait-frontieres.jsp (10.09.10).
5. Lois, Québec, 1912.
6. Lois, Canada, 1912.
7. Québec, 1968-1972, vol. 5.3.
8. Projet de loi C-20 : Loi modifiant la Loi sur la capitale nationale et d'autres lois, déposé le 30 avril 2010.
9. Lois, Canada, 1985, c. N-4.
10. Projet de loi C-37, Loi modifiant la Loi sur la capitale nationale et d'autres lois, déposé le 9 juin 2009 et mort au feuilleton par suite de la prorogation du Parlement en décembre 2009.
11. Lois, Canada, 2000, c. 22.
12. Québec, 1968-1972, vol. 1.1, 214-215.
13. *Ibid.*, 547.
14. Panel de la revue du mandat de la Commission de la capitale nationale, *Ouvrir de nouveaux horizons*, Rapport, Ottawa, 2006, p. 39.
15. Lettre de Benoît Pelletier à Lawrence Cannon, 10 octobre 2007.
16. Lettre de Claude Béchard à Josée Verner, 30 octobre 2009.
17. Voir, notamment, la transcription des travaux du Comité parlementaire (Comité permanent des transports, de l'infrastructure et des collectivités) qui a étudié le projet de loi C-37 les 19, 21 et 26 octobre 2009.
18. Canada, *Débats de la Chambre des communes*, 25 mai 2010, vol. 145, n° 048.

19. Projet de loi C-20, article 19 insérant l'article 22.1 au texte de la Loi sur la capitale nationale.

Chapitre 4.4.

1. Johnson, 1965.
2. Dorion, 1991.
3. *Ibid.,* mise à jour du 9 décembre 2001.
4. États généraux du Canada français, 1968.
5. Bédard, 1968.
6. Commission d'examen conjoint, 2008 (mémoire présenté par le gouvernement de Terre-Neuve-et-Labrador).

Chapitre 4.5.

1. Québec, 1968-1972, vol. 2.1, 208-210.
2. Quévillon, 2000, 318.
3. L.R.Q., c. M-13.1.
4. L.R.Q., chap. T-8.1.
5. L'adresse du site du MRNF du Québec est la suivante: www.mrn. gouv.qc.ca.
6. Québec, 1995, 5083.
7. Lois, Canada, 1985, c. I-17.
8. Lois, Canada, 1985, c. I-16.
9. Poirier, 2005, 45.

GLOSSAIRE

Abornement

Opération qui consiste à placer, sur une ligne frontière, des repères matériels stables (poteaux, roches fichées, bornes et autres repères) reconnus par les gouvernements des territoires concernés.

Assiette

L'assiette d'une frontière est l'ensemble des éléments géographiques sur lesquels s'appuie la démarcation de la frontière de même que les bornes, bouées et vistas qui en ponctuent le tracé.

Biréique

Caractère d'un plan d'eau dont les exutoires se déversent dans deux bassins hydrographiques différents. La langue innue a un terme désignant spécifiquement un lac biréique : aitukupitan.

Borne

À l'article 2 de la Loi sur la Commission de la frontière internationale, l'expression « borne frontière » désigne « une bouée, poteau, tablette, cairn ou autres objets ou structures que la Commission a placés, érigés ou maintenus pour marquer la frontière, y compris toute borne-repère, station de triangulation ou autre marque ou structure placée, érigée ou maintenue par la Commission pour aider à déterminer la frontière ». Les segments terrestres des frontières sont en général balisés par des bornes intervisibles*. Les segments en milieu liquide le sont par des bornes de référence, aussi dites bornes de réflexion*, situées sur les rives de l'étendue ou du cours d'eau.

Borne de réflexion

Borne de référence située sur les rives d'un plan ou d'un cours d'eau indiquant où se situe, dans celui-ci, le vertex de frontière lui correspondant.

Capture

Détournement naturel d'un cours d'eau et de la partie supérieure du bassin hydrographique qu'il draine vers un autre cours d'eau, augmentant ainsi la superficie du bassin hydrographique de ce dernier.

CEITQ

Commission d'étude sur l'intégrité du territoire du Québec, instituée par le gouvernement du Québec en 1966 pour étudier les problèmes liés aux incertitudes concernant les frontières du Québec et le statut de certaines parties de son territoire. Cette commission a remis au gouvernement du Québec, de 1966 à 1972, un rapport structuré en neuf tranches totalisant 64 volumes.

Claim

Parcelle de territoire dont on prend possession à des fins d'exploration minière, selon les modalités prévues par la Loi sur les mines. Le claim s'obtenait jusqu'à récemment au moyen du jalonnement sur le terrain. Aujourd'hui, le mode d'obtention de principe est la désignation sur carte bien que le jalonnement subsiste en certaines circonstances.

Comité judiciaire du Conseil privé

Institution britannique qui a constitué le tribunal de dernière instance au Canada jusqu'en 1931 pour les affaires criminelles et jusqu'en 1949 pour les affaires civiles.

Commission frontalière

Organisme chargé de maintenir et de surveiller la frontière canado-américaine. Son mandat est d'inspecter la frontière, d'entretenir les bornes de délimitation et la vista, de même que de contribuer à résoudre les différends relatifs à la frontière internationale. Cet organisme est composé d'une section américaine et d'une section canadienne ; celle-ci est habilitée par la Loi sur la Commission frontalière constituée conformément à un traité conclu en 1908 entre le Royaume-Uni et les États-Unis.

Compromis d'arbitrage

Entente convenue entre des parties (qui peuvent être des États ou des parties d'États) et qui les lie en vue de faire juger par un ou des arbitres un différend qui les oppose. Dans le cas de la frontière entre le Canada et Terre-Neuve, l'arbitre était le Comité judiciaire du Conseil privé de Londres.

Condominium

Régime d'un territoire sur lequel deux ou plusieurs États exercent en commun les compétences étatiques normalement exercées ailleurs par un seul État. On appelle aussi condominium le territoire lui-même soumis à des compétences condominiales.

Conscience territoriale

La conscience territoriale exprime la mesure dans laquelle est assumée, chez les membres d'un groupe, chez l'ensemble de ce groupe ou au niveau de l'autorité qui l'encadre, l'identification consciente de ces acteurs au territoire donné.

Contigu, fleuve

Voir : fleuve international.

Délimitation

Dans un document juridiquement et politiquement valide, description des éléments permettant par des repères appropriés et clairement définis d'établir sur le terrain le tracé d'une frontière.

Démarcation

Opération qui consiste à inscrire sur le terrain par des signes visibles et permanents la position exacte d'une ligne frontière. C'est l'étape ultime de la définition des frontières.

Éclaircie-frontière

Voir : vista.

Enclave

Territoire d'un État entièrement contenu à l'intérieur du territoire d'un autre État. Au Canada, il n'existe aucune enclave au niveau interprovincial. Par ailleurs, au Québec, plusieurs municipalités ou parties de municipalités sont enclavées.

Enclavé

Adjectif correspondant au substantif « enclave », mais utilisé dans un sens plus englobant. On considère comme « enclavé » tout territoire qui n'a aucun contact géographique avec des espaces internationaux. Dans ce sens, « territoire enclavé » équivaut, selon les termes des organismes internationaux, à « territoire privé de littoral ». Sans être privé de littoral, la configuration de ses frontières fait cependant du Québec un État enclavé.

Espace-monde

Espace de transaction qui s'est étendu à l'ensemble de la planète, basé sur l'articulation de plusieurs données : développement des moyens de transports, nouvelles technologies de la communication, nouvelles règles juridiques, diffusion de nouvelles idéologies, défis du développement durable, progrès dans les connaissances.

Estran

Espace littoral compris entre la ligne des hautes marées et celle des basses marées. L'estran est d'autant plus large que le rivage est à faible pente.

Exclave

Portion de territoire séparée géographiquement du bloc principal du territoire d'un État. Cette définition ne s'applique cependant pas aux États archipels. Une exclave peut être enclavée dans le territoire voisin.

Fleuve international

Fleuve qui, dans son cours naturellement navigable, sépare (fleuve contigu) ou traverse (successif) des territoires dépendant de deux ou plusieurs États.

Frontière antécédente

Frontière établie avant que l'organisation territoriale spontanée ne se mette en place. De ce fait, la frontière est un élément structurant de l'aménagement régional spontané.

Frontière artificielle

Expression utilisée pour désigner une frontière dont le tracé ne s'appuie pas sur un accident naturel, s'opposant ainsi à une frontière naturelle, comme celles dont le tracé est une ligne géométrique ou une ligne brisée définie par référence à différents repères arbitrairement désignés. En réalité, toute frontière est artificielle, car elle est dessinée par l'homme à des fins de délimitation administrative.

Frontière conséquente

Frontière dont le tracé a été établi pour se conformer aux éléments de la structure spatiale, à la configuration humaine des lieux.

Frontière de contact

Frontière permettant aux régions frontalières de bénéficier des complémentarités qui caractérisent leur voisinage en n'ayant pas d'impact négatif sur les mouvements transfrontaliers de personnes et de biens.

Frontière de séparation

Frontière dont la caractéristique dominante est d'empêcher ou de limiter le passage des personnes et l'échange de biens entre deux territoires voisins.

Frontière naturelle

Expression utilisée pour désigner une frontière dont le tracé s'appuie sur un accident naturel. On l'a souvent utilisée pour signifier «bonne frontière» en croyant, à tort, qu'une telle situation constitue une garantie de netteté et de stabilité.

Frontière subséquente

Frontière établie postérieurement à la mise en place de l'organisation territoriale. Si elle s'y conforme, on parlera de frontière conséquente; dans le cas contraire, on parlera de frontière surimposée.

Frontière surimposée

Frontière établie postérieurement à la mise en place de l'organisation territoriale sans avoir été délimitée en fonction de celle-ci, sans tenir compte de cette réalité géographique. C'est le contraire d'une frontière conséquente.

Hinterland, théorie de l'

Théorie selon laquelle tout État qui possède un territoire côtier dont l'arrière-pays n'appartient à aucun autre État en acquiert automatiquement la souveraineté, jusqu'à la ligne de partage des eaux.

Île d'estran

Parcelle de territoire formant une île à marée haute, mais rattachée au littoral à marée basse.

Île littorale

Île voisine d'un littoral qui ne lui est pas rattachée à marée basse.

Intervisibles

Appliqué aux bornes frontières, ce terme signifie qu'à partir d'une borne on peut voir les bornes voisines.

Ligne de base droite

Aux fins de la délimitation de la mer territoriale, ligne reliant des points du littoral choisis pour définir une ligne brisée constituée de segments de droite le long d'une côte en reproduisant sa direction générale.

Ligne de crête

Voir : ligne de la hauteur des terres.

Ligne de la hauteur des terres

Expression utilisée pour désigner une ligne brisée reliant les plus hauts sommets d'une chaîne de montagnes, parfois erronément utilisée comme synonyme de ligne de partage des eaux*. On utilise aussi, dans le même sens, l'expression « ligne de crête ».

Ligne de partage des eaux

Ligne divisant deux bassins hydrographiques. Dans la réalité, il s'agit plutôt d'une zone de largeur réduite, sauf dans les régions marécageuses qui se trouvent à alimenter deux bassins voisins. C'est le cas au Labrador central.

Ligne d'équidistance

Ligne constituée d'une série de points situés à égale distance des côtes de deux États séparés par un espace maritime. On utilise aussi le terme « ligne médiane ».

Ligne de rivage

Dans le domaine des frontières étatiques, cette expression désigne la ligne de contact entre les parties continentale et maritime (ou fluviale) d'une région. Ce contact étant essentiellement mouvant, on comprend les difficultés liées au recours à cet élément naturel pour délimiter une frontière.

Ligne des basses eaux

Ligne correspondant à la limite inférieure de l'estran découvert aux basses marées.

Ligne des hautes eaux

Ligne correspondant à la limite supérieure de l'estran que recouvrent les hautes marées.

Ligne médiane

Voir : ligne d'équidistance.

Limologie

Science des frontières politiques. Termes dérivés : limologique, limologue.

Line House

Expression utilisée pour désigner un bâtiment traversé par une frontière interétatique.

Mer territoriale

Partie d'une mer bordière sur laquelle un État côtier exerce sa souveraineté. La Convention des Nations Unies sur les droits de la mer a fixé la largeur de cette zone à 12 milles marins.

Multiscalaire

À diverses échelles. En géographie, la démarche multiscalaire étudie l'organisation et l'aménagement d'un territoire à différentes échelles : nationale, régionale, locale.

Odonyme

Nom de voie de communication (rue, route, boulevard, place…).

Partitionnisme

Attitude politique qui consiste à vouloir maintenir certaines parties du territoire québécois au Canada, advenant la sécession du Québec. Certains hommes politiques ont appuyé cette attitude par une théorie selon laquelle, si un territoire situé à l'intérieur d'un État fait sécession, une portion de ce territoire peut aussi faire sécession.

Percée

Voir : vista.

Périclave

Portion du territoire d'un État qu'on ne peut atteindre par voie de terre ou par voie d'eau qu'en passant par le territoire d'un État voisin.

Polyréique

Caractère d'un plan d'eau dont les exutoires se déversent dans plusieurs bassins hydrographiques différents.

Relèvement isostatique

Relèvement de la croûte terrestre causé par la diminution de la charge qu'elle supporte en sédiments ou en glace. La plus grande partie du territoire du Québec est soumise à ce mouvement de surrection depuis la disparition du glacier continental, il y a quelque 12 000 ans.

Segment

Partie d'une frontière délimitée par référence à un critère spécifique différent de celui des parties voisines. Le point de jonction de deux segments est un vertex.

Servitude de non aedificandi

Servitude établie en vertu de la loi de la Commission frontalière, interdisant toute construction à moins de dix pieds de la ligne frontière, de même que toute modification aux constructions qui se trouvaient en deçà de cette limite avant le 6 juillet 1960.

Source (d'une rivière)

Du point de vue hydrologique, une source est le point où la nappe phréatique croise une pente et fait jaillir l'eau à la surface. Du point de vue hydrographique, c'est le point considéré comme l'origine d'un cours d'eau. Comme les bassins hydrographiques sont constitués de plusieurs cours d'eau ayant chacun sa source, on considère en général que la source d'un fleuve ou d'une rivière est située au point le plus éloigné de son embouchure. Mais il ne s'agit pas d'une règle absolue et l'identification de la source d'une rivière ou d'un fleuve est une question de convention, que consacre en principe l'appellation toponymique.

Subsidence isostatique

Mouvement de la croûte terrestre à l'inverse du relèvement isostatique. À cette époque du réchauffement de la planète, seule l'accumulation de sédiments peut causer un mouvement de subsidence isostatique.

Successif, fleuve

Voir : fleuve international.

Terres de catégories I, II, III

Terres mises de côté pour les Cris en vertu de la Convention de la Baie-James et du Nord québécois (CBJNQ) et ayant fait l'objet d'un transfert d'autorité au Canada pour l'usage des Cris.

Catégorie I :   terres destinées à l'usage exclusif des Cris et des Inuits.

Catégorie II :   terres où les Cris et les Inuits détiennent des droits exclusifs de chasse, de pêche et de piégeage.

Catégorie III : le reste du territoire de la CBJNQ où les Cris et les Inuits détiennent les droits spécifiquement prévus.

Tête de pont

En limologie, une tête de pont est une portion d'un territoire étatique située de l'autre côté d'un cours d'eau où elle est entourée du territoire d'un État voisin.

Thalweg

Ligne constituée par les points les plus bas d'une vallée ou les plus profonds d'un cours d'eau. Le thalweg peut se confondre avec le «chenal principal», expression souvent utilisée dans les textes de délimitation de frontières ; mais ce n'est pas toujours nécessairement le cas, d'où l'importance de distinguer ces termes.

Ultra petita

On dit qu'un tribunal statue *ultra petita* lorsqu'il émet un jugement sur une prétention ou une demande qui ne lui a pas été soumise par une partie ou qui excède sa demande.

Uti possidetis

Principe selon lequel les frontières des nouveaux États devenus indépendants à la suite du démembrement d'États fédéraux demeurent les mêmes que celles des anciens territoires fédéraux.

Vertex

Sur une ligne frontière, point où la référence à un accident géographique ou la direction d'une ligne géodésique change. Un vertex se trouve donc au point de jonction de deux segments.

Vista

Bande de terrain dégagée de végétation arbustive et de tout autre élément susceptible de nuire à la surveillance, à l'entretien de l'assiette* de la frontière. On utilise aussi l'expression éclaircie-frontière. La largeur de la vista qui souligne la frontière internationale du Canada est de 20 pieds (environ 6 mètres). Les constructions d'avant le 7 juillet 1960 forment exception mais ne peuvent être modifiées sans l'intervention de la Commission frontalière. On utilise aussi le terme « percée ».

Zone économique exclusive

Zone constituée par une bande maximale de 200 milles marins à partir de la ligne du rivage et où l'État côtier possède des droits souverains quant à son exploitation.

BIBLIOGRAPHIE

ALHÉRITIÈRE, Dominique, « De la prépondérance fédérale en droit constitutionnel canadien », dans *Les Cahiers de droit*, 1971, 12, 4.

ALHÉRITIÈRE, Dominique, « La compétence fédérale sur les pêcheries et la lutte contre la pollution des eaux : réflexions sur le nouveau règlement de la loi sur les pêcheries », dans *Les Cahiers de droit*, 1972, 13, 53.

ALHÉRITIÈRE, Dominique, *La gestion des eaux en droit constitutionnel canadien*, Québec, Éditeur officiel du Québec, 1976.

ANCEL, Jacques, *Géographie des frontières*, Paris, Gallimard, 1938.

ANONYME, « Sahara marocain », dans *Courriel international*, 24 novembre 2009.

ASSEMBLÉE PARLEMENTAIRE DU CONSEIL DE L'EUROPE, *Résolution du 24 janvier 2005*.

AUBERT, Jean-François, *Traité de droit constitutionnel suisse*, Paris, Dalloz, 1967.

BARBE, Raoul-P., « Le domaine public au Canada », *Revue juridique et politique indépendance et coopération*, 1970, 24, 879.

BASDEVANT, J., *Dictionnaire de la terminologie du droit international*, Paris, Sirey, 1960.

BEAUDOIN, Gérald A., *Essais sur la Constitution*, Ottawa, Éditions de l'Université d'Ottawa, 1979.

BEAUDOIN, Gérald A., *Le partage des pouvoirs*, Ottawa, Éditions de l'Université d'Ottawa, 1982.

BEAUDOIN, Gérald A., *La Constitution du Canada*, avec la collaboration de Pierre THIBAULT, Montréal, Wilson & Lafleur, 2004.

BEAULIEU, Nancy, Michel ALLARD et Marie-Hélène RUX, « Évolution d'un rivage subarctique soumis au relèvement glacio-isostatique, détroit de Minoutounouk, Hudsonie », dans *Bulletin d'information de l'Association québécoise pour l'étude du quaternaire*, 1996, 22, 1.

BÉDARD, Charles, *Le régime juridique des Grands Lacs de l'Amérique du Nord et du Saint-Laurent*, Québec, Presses de l'Université Laval, 1966.

BÉDARD, Roger-J., *L'Affaire du Labrador : anatomie d'une fraude*, Montréal, Éd. du Jour, 1968.

BÉDARD, Roger-J., *Les aspects politico-financiers de l'affaire du Labrador*, étude effectuée pour le compte de la Commission d'étude sur l'intégrité du territoire du Québec (volume 3.3.2 du rapport de la Commission), Québec, 1970.

BEETZ, Jean, «Les attitudes changeantes du Québec à l'endroit de la Constitution de 1867», dans P.A. CRÉPEAU et C.B. MACPHERSON (dir.), *L'avenir du fédéralisme canadien*, Montréal, PUM, 1965, 113.

BERGERON, Viateur, *Les juridictions fédérale et provinciale sur certaines parcelles du territoire*, étude effectuée pour le compte de la Commission d'étude sur l'intégrité du territoire du Québec (volume 8.3.1 du rapport de la Commission), Québec, 1970.

BOUCHARD, Roméo, *Y a-t-il un avenir pour les régions? Un projet d'occupation du territoire*, Montréal, Écosociété, 2006.

BOUCHARD, Roméo (dir.), *L'éolien: Pour qui souffle le vent?*, Montréal, Écosociété, 2007.

BOUFFARD, Jean, *Traité du domaine*, Québec, Presses de l'Université Laval, 1977 (reproduction de l'édition originale de 1921).

BRAËN, André, «Les ententes administratives en matière de pêcheries», dans *Revue générale de droit*, 1983, 14, 309.

BRASSARD, Jacques, *Position du gouvernement du Québec sur l'intégrité du territoire québécois*, Déclaration ministérielle, 12 novembre 1997, dans QUÉBEC, *Journal des débats*, 132, 8381.

BRETON, Roland, *Peuples et États, l'impossible équation*, Paris, Flammarion, 1998.

BRIÈRE, Jules, «La Cour suprême du Canada et les droits sous-marins», *Les Cahiers de droit*, 1967-1968, 9, 735.

BRIÈRE, Jules, *Les voies de communications maritimes et les chemins de fer*, étude effectuée pour le compte de la Commission d'étude sur l'intégrité du territoire du Québec (volume 8.3.5 du rapport de la Commission), Québec, 1971.

BRIÈRE, Jules, *Les droits de l'État, des riverains et du public dans les eaux publiques de l'État du Québec*, étude effectuée pour le compte de la Commission d'étude des problèmes juridiques de l'eau, Québec, 1971.

BROSSARD, Jacques, Henriette IMMARIGEON, Gérard V. LA FOREST et Luce PATENAUDE, *Le territoire québécois*, Montréal, Presses de l'Université de Montréal, 1970.

BROSSARD, Jacques, «L'intégrité territoriale: les droits et pouvoirs du gouvernement central et du Québec à l'égard du territoire québécois», dans Jacques BROSSARD et autres, *Le territoire québécois*, 1970.

BROSSARD, Jacques, *Le fédéralisme et les accroissements territoriaux*, étude effectuée pour le compte de la Commission d'étude sur l'intégrité du territoire du Québec (volume 7.3.1 du rapport de la Commission), Québec, 1971.

BROSSARD, Jacques, «Le Québec possède-t-il son territoire», *Maintenant*, mars 1972, 9.

BROSSARD, Jacques, *L'accession à la souveraineté et le cas du Québec*, Montréal, Presses de l'Université de Montréal, 1976.

BRUN, Henri, *L'opinion du Conseil privé (1927) et les voies de recours*, étude effectuée pour le compte de la Commission d'étude sur l'intégrité du territoire du Québec (volume 3.3.5 du rapport de la Commission), Québec, 1969.

BRUN, Henri, *Le territoire du Québec et le golfe*, étude effectuée pour le compte de la Commission d'étude sur l'intégrité du territoire du Québec (volume 7.3.3 du rapport de la Commission), Québec, 1970.

BRUN, Henri, *Le territoire du Québec; six études juridiques*, Québec, Presses de l'Université Laval, 1974.

BRUN, Henri, «Le territoire du Québec: à la jonction de l'histoire et du droit constitutionnel», *Les Cahiers de droit*, 1992, 33, 3, 927.

BRUN, Henri, Guy TREMBLAY et Eugénie BROUILLET, *Droit constitutionnel*, Cowansville, Éd. Yvon Blais, 5e éd., 2008.

BRUNET, Roger, *Les mots de la géographie*, Paris, Reclus, La Documentation française, 1993.

CANADA, *Accord sur les revendications territoriales des Inuit du Nunavik*, Ottawa, ministère des Travaux publics et des Services gouvernementaux, 2006.

CANADA, *Documents de la session*, 1912, vol. CV, p. 5380.

CANADA, *Les subventions fédérales-provinciales et le pouvoir de dépenser du Parlement canadien*, Ottawa, Imprimeur de la reine, 1969.

CANADA, COMMISSION DE L'UNITÉ CANADIENNE, Rapport en trois volumes: *Définir pour choisir*; *Un temps pour parler*; *Se retrouver*, Ottawa, 1979.

CANADA, ENVIRONNEMENT CANADA, *Golfe Saint-Laurent, utilisation des eaux et activités connexes*, Atlas, Ottawa, 1973.

CANADA, MINISTÈRE DES TRANSPORTS, *Évaluation du Programme de cession des ports*, Ottawa, 2007.

CARROLL, Frank M., *A Good and Wise Measure: The Search for the Canadian-American Boundary, 1783-1842*, Toronto, University of Toronto Press, 2001.

CARTIER, Yves (dir.), *Les régions administratives du Québec*, Québec, Les Publications du Québec, 1990.

CAZELAIS, Normand, «Le Saint-Laurent, magnétique et méconnu», dans *Téoros*, 1987, 6, 2.

CHARRON, Claude G., *La partition du Québec: de lord Durham à Stéphane Dion*, Montréal, VLB, 1996.

CHAUPRADE, A., *Géopolitique. Constantes et changements dans l'histoire*, Paris, Ellipses, 2001.

CHEVRIER, Marc, «Le référendum, ce mal aimé. Petite apologie de la démocratie directe», dans *L'Agora*, 1995, 3, 3.

CHRESTIA, Philippe, *Le principe d'intégrité territoriale: d'un pouvoir discrétionnaire à une compétence liée*, Paris, L'Harmattan, 2002.

CHRÉTIEN, Jean, *Passion politique*, Montréal, Boréal, 2007.

COMMISSION D'EXAMEN CONJOINT (évaluation du projet d'aménagement d'un complexe hydroélectrique sur la rivière Romaine par Hydro-Québec), mémoire présenté par le gouvernement de Terre-Neuve-et-Labrador, 2008.

COMMISSION D'EXAMEN CONJOINT (évaluation du projet d'aménagement d'un complexe hydroélectrique sur la rivière Romaine par Hydro-Québec), réponses d'Hydro-Québec aux questions du gouvernement de Terre-Neuve-et-Labrador, 2008.

COMITÉ DES FRONTIÈRES DU CAMBODGE, *Résolution de la Convention pour la défense de l'intégrité territoriale du Cambodge*, Paris, CFC-1199/06F., 1999.

CONSEIL DE L'EUROPE, Assemblée parlementaire, 2005, doc. 10685.

CONSEIL DE SÉCURITÉ DE L'ORGANISATION DES NATIONS UNIES, *Résolution s/2007/271*, 2007.

CORTEN, Olivier, Barbara DELCOURT, Pierre KLEIN et Nicholas LEVRAT (dir.), *Démembrements d'États et délimitations territoriales: l'uti possidetis en question(s)*, Bruxelles, Bruylant et Éditions de l'Université de Bruxelles, 1999.

COT, Jean-Pierre, «Des limites administratives aux frontières internationales», dans CORTEN et autres, 1999, 17.

CUKWURAH, A. O., *The Settlement of Boundary Disputes in International Law*, Londres, Manchester University Press, 1967.

DELBEZ, Louis, «Du territoire dans ses rapports avec l'État», *Revue générale de droit international public*, 1932, 39, 105.

DESHAIES, Yvon (avec la collaboration d'Édith Lacroix), *Le fleuve Saint-Laurent*, Québec, Bureau d'audiences publiques sur l'environnement, 1999.

DION, Léon, « Une identité incertaine », dans Simon LANGLOIS et Yves MARTIN (dir.), *L'horizon de la culture: hommage à Fernand Dumont*, Québec, Presses de l'Université Laval, 1995, 451.

DION, Stéphane, « La gouvernance démocratique et le principe d'intégrité territoriale », dans Pierre FAVRE, Jack HAYWARD et Yves SCHEMEIL (dir.), *Être gouverné: études en l'honneur de Jean Leca*, Paris, Presses de science po, 2003, 91.

DION, Stéphane, Brian SLACK et Claude COMTOIS, « Port and Airport Divestiture in Canada: A Comparative Analysis », dans *Journal of Transport Geography*, 2002, 10, 3, 187.

DORION, Henri, *La frontière Québec-Terreneuve: contribution à l'étude systématique des frontières*, Québec, Presses de l'Université Laval, 1963.

DORION, Henri, « L'affaire du Labrador entre le droit constitutionnel et le droit international », *Revue juridique Thémis*, 1967, 93.

DORION, Henri, « Définition de la conscience territoriale en géographie politique », dans *La géographie internationale*, Toronto, University of Toronto Press, 1972, 517.

DORION, Henri, et Jean-Paul LACASSE, « La notion d'intégrité territoriale et les problèmes des régions frontière du Québec », dans *Cahiers de géographie du Québec*, 1974, 18, 43.

DORION, Henri, « La Constitution canadienne et les partages géographiques », dans *Cahiers de géographie du Québec*, 1980, 24, 61.

DORION, Henri, *Les frontières du Québec: l'état de la question*, étude effectuée pour le compte de la Commission d'étude des questions afférentes à l'accession du Québec à la souveraineté, Québec, 1991, vol. 1, p. 353-374, mise à jour le 9 décembre 2001 pour le compte du gouvernement du Québec.

DORION, Henri, « Les frontières du Québec: du pain sur la planche », dans Alain-G. GAGNON et Alain NOËL, *L'espace québécois*, Montréal, Québec Amérique, 1995, 247.

DORION, Henri, « La toponymie, complice involontaire de la politique ? », dans *Proceedings of the XIXth International Congress of Onomastical Sciences*, vol. 1, Aberdeen, University of Aberdeen, Department of Political Sciences, 1998.

DORION, Henri, *Analyse des questions touchant l'intégrité territoriale et les frontières septentrionales du Québec*, étude non publiée effectuée pour le compte du ministère des Affaires indiennes et du Nord canadien, 2005.

DORION, Henri, *Éloge de la frontière*, Montréal, Fides, 2006.

DORION, Henri, «Un territoire ou des territoires?», dans Marie-Charlotte DE KONINCK, *Territoires; le Québec: habitat, ressources et imaginaire*, Québec, Éditions Multimondes, 2007, p. 9-17.

DUPLÉ, Nicole, *Droit constitutionnel: principes fondamentaux*, 4e éd., Montréal, Wilson & Lafleur, 2009.

DUPONT, Jacques, *Les voies de communication terrestres*, étude effectuée pour le compte de la Commission d'étude sur l'intégrité du territoire du Québec (volume 8.3.3 du rapport de la Commission), Québec, 1970 (Dupont, 1970a).

DUPONT, Jacques, *Les voies de communication aériennes*, étude effectuée pour le compte de la Commission d'étude sur l'intégrité du territoire du Québec (volume 8.3.4 du rapport de la Commission), Québec, 1970 (Dupont, 1970b).

DUSSAULT, René, et Louis BORGEAT, *Traité de droit administratif*, Québec, Presses de l'Université Laval, 1986.

EMOND, Paul, «The case for a Greater Federal Role in the Environmental Protection Field», *Osgoode Hall Law Journal*, 1972, 10, 3, 647.

Entente de principe d'ordre général entre les premières nations de Mamuitun et de Nutashkuan et le gouvernement du Québec et le gouvernement du Canada, 2004, http://www.versuntraite.com/documentation/telecharger.htm.

ÉTATS GÉNÉRAUX DU CANADA FRANÇAIS, *Assises nationales*, Montréal, Éditions de l'Action nationale, 1968.

«Extrait d'une lettre de Ferdinand Lassalle à Karl Marx, 24 juin 1852», dans *Correspondance K. Marx-F. Lassalle, 1848-1864*, Paris, Presses universitaires de France, 1977.

FERRON, Jacques, *Contes du pays incertain, contes anglais, contes inédits*, Montréal, Bibliothèque québécoise, 2007.

FOREST, Patrick (dir.), *Géographie du droit*, Québec, Presses de l'Université Laval, 2009.

FOUCHER, Michel, *Fronts et frontières*, Paris, Fayard, 1991.

FUKUYAMA, Francis, *La fin de l'histoire et le dernier homme*, Paris, Flammarion, 1992.

GARANT, Patrice, *De certaines emprises fédérales particulières*, étude effectuée pour le compte de la Commission d'étude sur l'intégrité du territoire du Québec (volume 8.3.2 du rapport de la Commission), Québec, 1970.

GAUCHON, Pascal, et Jean-Marc HUISSOUD, *Les 100 mots de la géopolitique*, Paris, Presses universitaires de France, 2008.

GIROUX, Lorne, « La protection publique du fleuve Saint-Laurent », *Les Cahiers de droit*, 1991, 32, 1027.

GOTTMANN, Jean, *The Significance of Territory*, Charlottesville, University Press of Virginia, 1973.

GRAMMOND, Sébastien, *Aménager la coexistence: les peuples autochtones et le droit canadien*, Bruxelles et Montréal, Bruylant et Yvon Blais, 2003.

GRAMMOND, Sébastien, « Pour l'inclusion des droits des autochtones dans la Charte des droits et libertés de la personne », dans *Revue du Barreau*, 2006.

GRAMMOND, Sébastien, « La gouvernance territoriale et l'obligation constitutionnelle de consulter et d'accommoder les peuples autochtones », dans *Revue canadienne de science politique*, 2009, 42, 939.

GWYN-PAQUETTE, Caroline, « Une attitude ambiguë envers la géographie scolaire menace les connaissances géographiques des élèves québécois », dans *Enjeux de l'univers social*, 2009, 5, 4, 16.

HAMELIN, Louis-Edmond, *Le Canada*, Paris, Presses universitaires de France, 1969.

HAMELIN, Louis-Edmond, *Passer près d'une perdrix sans la voir ou attitudes à l'égard des autochtones*, Montréal, Université McGill, 1999.

HAMELIN, Louis-Edmond, « La dimension nordique de la géopolitique du Québec », *Globe. Revue internationale d'études québécoises*, 2005, 8, 1, 17.

HILLING, Carol, « Les frontières du Québec dans l'hypothèse de son accession à l'indépendance: pour une interprétation contemporaine de l'*uti possidetis juris* », dans CORTEN et autres, 1999, 223.

HOGG, Peter W., *Constitutional Law of Canada*, Toronto, Carswell, 2004.

HOLDICH, Thomas, « The Use of Practical Geography Illustrated by Recent Frontier Operations », *Geographical Journal*, vol. 13, 1899, p. 465-480.

IMMARIGEON, Henriette, « Les frontières du Québec », dans Jacques BROSSARD et autres, *Le territoire québécois*, 1970.

In the Matter of the Boundary between the Dominion of Canada and the Colony of Newfoundland in the Labrador Peninsula. Dossier conjoint publié par le Conseil privé, Londres, 1927, XII volumes.

INDEPENDENT INTERNATIONAL FACT-FINDING MISSION ON THE CONFLICT IN GEORGIA, *Report*, 2009, http://ddata. over-blog.com/xxxyyy/0/50/29/09/Docs-Textes/RapConflitGeorgie1-UE090930, pdf, consulté en novembre 2009.

JOHNSON, Daniel, *Égalité ou indépendance*, Montréal, Éditions de l'Homme, 1965.

JONES, Stephen B., *Boundary-Making*, Washington, Carnegie Endowment for International Peace, 1945.

KENNIFF, Patrick, « Le contrôle public de l'utilisation du sol et des ressources en droit québécois », *Les Cahiers de droit*, 1975, 16, 753 et 1976, 17, 85, 437 et 667.

KLEIN, Juan-Luis, et Suzanne LAURIN, *L'éducation géographique : formation du citoyen et conscience territoriale*, Sainte-Foy, Presses de l'Université du Québec, 1998.

KRULIC, Joseph, « Le problème de la délimitation des frontières slovéno-croates dans le golfe de Piran », dans *Balkanologie. Revue d'études pluridisciplinaires*, 2002, VI, 1-2.

LA LIBRE BELGIQUE, « Le roi du Maroc critique l'Algérie », http ://www.algerie-dz.com/article17908.html, 8 novembre 2009.

LABRECQUE, Georges, « La frontière maritime du Québec dans le golfe du Saint-Laurent », dans *Cahiers de géographie du Québec*, 1993, 37, 101, 183.

LABRECQUE, Pierre, *Le domaine public foncier au Québec*, Cowansville, Éd. Yvon Blais, 1997.

LACASSE, Jean-Paul, « La notion de conscience territoriale en milieu fédéral : le cas du Québec », dans *La géographie internationale*, Toronto, University of Toronto Press, 1972, 521.

LACASSE, Jean-Paul, « Les nouvelles perspectives de l'étude des frontières politiques : revue de quelques contributions récentes », dans *Cahiers de géographie du Québec*, 1974, 18, 43.

LACASSE, Jean-Paul, « Fédéralisme et ressources sous-marines », dans *Revue générale de droit*, 1975, 6, 475.

LACASSE, Jean-Paul, *Le claim en droit québécois*, Ottawa, Éditions de l'Université d'Ottawa, 1976.

LACASSE, Jean-Paul, « État des frontières du Québec », dans *Annuaire du Québec 1975-1976*, Québec, Bureau de la statistique du Québec, 1976.

LACASSE, Jean-Paul, « La détérioration territoriale des États fédérés sous le régime constitutionnel actuel », dans *Revue générale de droit*, 1978, 9, 215.

LACASSE, Jean-Paul, « Quelques aspects constitutionnels des politiques de ressources naturelles, dans *Revue générale de droit*, 1979, 10, 317.

LACASSE, Jean-Paul, « Legal Issues Relating to the Canadian National Energy Program », dans *Vanderbilt Journal of Transnational Law*, 1983, 16, 2, 301.

LACASSE, Jean-Paul, « Le cas de la capitale nationale », dans *Les frontières du Québec... d'hier à demain*, Québec, Université Laval, 1992, 51.

LACASSE, Jean-Paul, « Le territoire dans l'univers innu d'aujourd'hui, dans *Cahiers de géographie du Québec* », dans *Cahiers de géographie du Québec*, 1996, 40, 110.

LACASSE, Jean-Paul, « Les confins nordiques de la *Province de Québec* selon l'Acte constitutionnel de 1791 », dans *Cahiers de géographie du Québec*, 1996, 40, 110.

LACASSE, Jean-Paul, « De l'extinction à la reconnaissance du titre aborigène », dans *Revue générale de droit*, 2003, 33, 2, 319.

LACASSE, Jean-Paul, *Les Innus et le territoire : Innu tipenitamun*, Sillery, Septentrion, 2004.

LACASSE, Jean-Paul, « L'affirmation territoriale des droits des Innus », dans *Revue générale de droit*, 2007, 37, 1, 183.

LACOURSIÈRE, Jacques, Jean PROVENCHER et Denis VAUGEOIS, *Canada-Québec : synthèse historique, 1534-2000*, Sillery, Septentrion, 2000.

LAFONTAINE, Serge, *Rappel de quelques théories fondamentales concernant la notion de territoire*, étude effectuée pour le compte de la Commission d'étude sur l'intégrité du territoire du Québec (volume 8.3.6 du rapport de la Commission), Québec, 1972.

LA FOREST, Gérard V., *Natural Resources and Public Property under the Canadian Constitution*, Toronto, University of Toronto Press, 1969.

LA FOREST, Gérard V., « Les droits de propriété du Québec sur ses eaux », dans Jacques BROSSARD et autres, *Le territoire québécois*, 1970.

LAJOIE, Andrée, *Le pouvoir déclaratoire du Parlement : augmentation discrétionnaire de la compétence fédérale au Canada*, Montréal, Presses de l'Université de Montréal, 1969.

LAJOIE, Andrée, *Expropriation et fédéralisme au Canada*, Montréal, Presses de l'Université de Montréal, 1972.

LAJOIE, Andrée, « Le pouvoir de dépenser », dans QUÉBEC, COMMISSION SUR LE DÉSÉQUILIBRE FISCAL, *Pour un nouveau partage des moyens financiers au Canada*, 2002, annexe 2.

LAJOIE, Andrée, « Le fédéralisme canadien : science politique fiction pour l'Europe ? », *Lex electronica*, 2005, 10, 1.

LALONDE, Suzanne, *Determining Boundaries in a Conflicted World : The Role of Uti possidetis*, Montréal et Kingston, McGill-Queen's University Press, 2002.

LAPRADELLE, Paul de Geouffre de, *La frontière ; étude de droit international*, Paris, Les Éditions internationales, 1928.

LASSERRE, Frédéric, et Aline LECHAUME (dir.), *Le territoire pensé : géographie des représentations territoriales*, Sainte-Foy, Presses de l'Université du Québec, 2003.

LASSERRE, Frédéric, « L'eau, les forêts, les barrages du Nord du Québec : un territoire instrumentalisé ? », dans Frédéric LASSERRE et Aline LECHAUME (dir.), *Le territoire pensé : géographie des représentations territoriales*, Sainte-Foy, Presses de l'Université du Québec, 2003.

LASSERRE, Frédéric, « Droit de l'eau et regard du géographe ; une nécessaire complémentarité », dans Patrick FOREST (dir.), *Géographie du droit*, Québec, Presses de l'Université Laval, 2009, 179-196.

LASSERRE, Jean-Claude, *Le Saint-Laurent : grande porte de l'Amérique*, Montréal, Hurtubise HMH, 1980.

LASSERRE, Jean-Claude, « Les rôles géopolitiques du Saint-Laurent », *Cahiers de géographie du Québec*, 1980, 24, 135.

LAURIN, Suzanne, Juan-Luis KLEIN et Carole TARDIF (dir.), *Géographie et société*, Sainte-Foy, Presses de l'Université du Québec, 2001.

LEBLOND, Robert, « Le Saint-Laurent : orientation bibliographique », *Cahiers de géographie du Québec*, 1967, 17, 419.

L'ÉCUYER, Gilbert, « Les "dimensions nationales" et la gestion de l'eau », *Les Cahiers de droit*, 1972, 13, 231.

LEFEBVRE, Louise, « Transactions sur les terres publiques entre gouvernements », dans *Actes de la XIVe Conférence des juristes de l'État*, Cowansville, Éd. Yvon Blais, 2000, 247.

LEROUX, Tara, « Les frontières terrestres d'un Québec souverain à la lumière du droit international contemporain », dans *Revue de droit de l'Université de Sherbrooke*, 1994-1995, 25, 239.

LÉTOURNEAU, Jocelyn, *Que veulent vraiment les Québécois ?*, Montréal, Boréal, 2006.

LORD, Guy, *Le droit québécois de l'eau*, Québec, Éditeur officiel du Québec, 1977.

LORIOT, François, *La théorie des eaux historiques et le régime juridique du golfe Saint-Laurent en droit interne et international*, étude effectuée pour le compte de la Commission d'étude sur l'intégrité du territoire du Québec (volume 7.3.4 du rapport de la Commission), Québec, 1972.

MAILHOT, José, « La mobilité territoriale chez les Montagnais-Naskapis du Labrador », dans *Recherches amérindiennes au Québec*, 1985, 15, 3, 3.

MAKOVKA, Aaron, « Les limites territoriales et maritimes d'un Québec souverain », dans *Revue québécoise de droit international*, 1993-1994, 8, 309.

McEWEN, Alec, « The Collins-Valentine Boundary », dans *Geomatica*, 1997, 41, 2, 174.

MONAHAN, Patrick, *Constitutional Law*, Concord, Irwin, 1997.

MORIN, Jacques-Yvan, *Le statut des eaux du golfe*, étude effectuée pour le compte de la Commission d'étude sur l'intégrité du territoire du Québec (volume 7.3.2 du rapport de la Commission), Québec, 1970.

MORIN, Jacques-Yvan, et José WOEHRLING, *Les Constitutions du Canada et du Québec du régime français à nos jours*, Montréal, Thémis, 1994.

MORRISSETTE, France, « Le statut du golfe Saint-Laurent en droit international et en droit interne », *Revue générale de droit*, 1985, 16, 273.

NICHOLSON, Norman L., *The Boundaries of the Canadian Confederation*, Toronto, Macmillan, 1979.

OTIS, Ghislain, « Le titre aborigène : émergence d'une figure nouvelle et durable du foncier autochtone ? », *Les Cahiers de droit*, 2005, 46, 4.

OTIS, Ghislain, « Territorialité, personnalité et gouvernance autochtone », *Les Cahiers de droit*, 2006, 47, 781.

PATENAUDE, Luce, *Le Conseil privé et la cause du Labrador*, étude effectuée pour le compte de la Commission d'étude sur l'intégrité du territoire du Québec (volume 3.3.3 du rapport de la Commission), Québec 1970.

PATENAUDE, Luce, *De la reconnaissance des frontières en droit québécois*, étude effectuée pour le compte de la Commission d'étude sur l'intégrité du territoire du Québec (volume 3.3.4 du rapport de la Commission), Québec, 1970.

PATENAUDE, Luce, *Le Labrador à l'heure de la contestation*, Montréal, Presses de l'Université de Montréal, 1972.

PATRY, André, *L'accession à la souveraineté et la règle de l'uti possidetis*, Montréal, 2003.

PELLETIER, Benoît, *Une certaine idée du Québec : parcours d'un fédéraliste. De la réflexion à l'action*, Québec, Presses de l'Université Laval, 2010.

PERRET-GAYET, M.C., *Le statut juridique du domaine et la gestion des terres dans la province de Québec*, Québec, ministère des Terres et Forêts, 1970.

PINHO CAMPINOS, J. de, « L'actualité de l'*uti possidetis* », dans *La frontière*, Paris, Pedone, 1980.

POIRIER, Johanne, « Les ententes intergouvernementales et la gouvernance fédérale : aux confins du droit et du non-droit », dans Jean-François GAUDREAULT-DESBIENS et Fabien GÉLINAS (dir.), *Le fédéralisme dans tous ses états : gouvernance, identité et méthodologie*, Cowansville, Éd. Yvon Blais, 2005, 441.

POIRIER, Michel (dir.), *Droit québécois de l'aménagement du territoire*, Sherbrooke, Les Éditions Revue de droit, 1983.

PONDAVEN, Philippe, *Les lacs-frontière*, Paris, Pedone, 1972.

POOLE, A.F.N., « The Boundaries of Canada », *Revue du Barreau canadien*, 1942, 42, 100.

POUMARÈDE, Jacques, « Approche historique du droit des minorités et des peuples autochtones », dans Norbert ROULAND (dir.), Stéphane PIERRÉ-CAPS et Jacques POUMARÈDE, *Droit des minorités et des peuples autochtones*, Paris, Presses universitaires de France, 1996, 35.

PRESCOTT, J. R., *The Geography of Frontiers and Boundaries*, Chicago, Aldine Publishing Company, 1965.

QUÉBEC, *Documents de la session*, 1912, n° 116.

QUÉBEC, COMMISSION D'ÉTUDE SUR L'INTÉGRITÉ DU TERRITOIRE DU QUÉBEC, *Rapport*, Québec, Gouvernement du Québec, 1968-1972 (l'ensemble des neuf tranches comporte 64 volumes) :

1. Les problèmes de la capitale canadienne ;
2. La frontière Québec-Ontario ;
3. La frontière du Labrador ;
4. Le domaine indien ;
5. Les frontières septentrionales ;
6. Les frontières méridionales ;
7. La frontière dans le golfe du Saint-Laurent ;
8. Les droits territoriaux fédéraux ;
9. Considérations sur les politiques d'intégrité territoriale au Québec.

QUÉBEC, *Convention de la Baie-James et du Nord québécois*, Québec, Éditeur officiel du Québec, 1975.

QUÉBEC, *Décret 1480-95 concernant certaines ententes en matière immobilière à exclure de l'application de l'article 3.8 de la Loi sur le ministère du conseil exécutif*, 15 novembre 1995, dans *Gazette officielle du Québec*, 1995, 127, 49, 5083.

QUÉBEC, *Le Québec et son territoire*, Québec, Gouvernement du Québec, 1997 (aussi : http://www.saic.gouv.qc.ca/publications/territoire-f.pdf).

QUÉBEC, COMMISSION DE TOPONYMIE, *Répertoire toponymique du Québec, Supplément cumulatif 2009*, Québec, 2009.

QUÉBEC, MINISTÈRE DES AFFAIRES MUNICIPALES ET DES RÉGIONS, *Guide d'intégration des éoliennes au territoire*, Québec, 2007.

QUEVILLON, Julie, « La couronne fédérale et les transactions immobilières », dans *Actes de la XVIᵉ conférence des juristes de l'État*, Cowansville, Éd. Yvon Blais, 200.

RATZEL, Friedrich, *Politische Geographie*, 3ᵉ éd., Munich, Oldenbourg, 1923 (ouvrage publié à l'origine en 1897).

RATZEL, Friedrich, *Géographie politique*, Paris, Economica, 1988 (traduction de l'ouvrage publié à l'origine en allemand en 1897).

REID, Scott, *Canada Remapped: How the partition of Quebec will Reshape the Nations*, Vancouver, Pulp Press, 1992.

RIGALDIES, Francis, « Le statut juridique du golfe du Saint-Laurent en droit international public », *Annuaire canadien de droit international, 1985*, Vancouver, University of British Columbia Press, 1986, 23, 80.

ROBERGE, Daniel, « Le Registre du domaine de l'État : une infrastructure essentielle dans la gestion du territoire public », dans *Réforme agraire*, 2009, 1, 38.

ROBITAILLE, Benoît, *Les îles côtières du Nouveau-Québec et la terre ferme*, étude effectuée pour le compte de la Commission d'étude sur l'intégrité du territoire du Québec (volume 5.3 du rapport de la Commission), 1971.

ROUSSEAU, Charles, *Cours de droit international public*, Paris, Les Cours de droit, 1963-1964.

ROUSSEAU, Jacques, *Les raisons du rattachement du Labrador à Terre-Neuve en 1763*, étude effectuée pour le compte de la Commission d'étude sur l'intégrité du territoire du Québec (volume 3.3.1 du rapport de la Commission), Québec, 1969.

ROY, Denis, « Plateau continental juridique : La surprenante politique canadienne concernant l'exploitation des hydrocarbures sur le plateau continental de la côte atlantique », dans la *Revue générale de droit*, 2009, 32, 2, 329.

SCHOENBORN, Walther, « La nature juridique du territoire », dans ACADÉMIE DE DROIT INTERNATIONAL, *Recueil de cours, 1929*, V, 30, 81 (Paris, Hachette, 1931).

SÉNAT FRANÇAIS, *Une situation politique très tendue*, http://cubitus. senat.fr/ga/ga46//ga462.html, consulté en avril 2007.

SOCIÉTÉ POUR LA NATURE ET LES PARCS DU CANADA, SECTION QUÉBEC, *Mémoire présenté à la Commission de l'agriculture, des pêcheries et des ressources naturelles au sujet du projet de loi 79 modifiant la Loi sur les mines*, Québec, 5 mai 2010.

SOUCY, Claude, *Le segment du 45ᵉ parallèle de la frontière Québec–États-Unis*, Bordeaux, Université de Bordeaux, 1970.

THÉRIAULT, Sophie, « Respecter les fondements du régime minier québécois au regard de l'obligation de la Couronne de consulter et d'accommoder les peuples autochtones », dans la *Revue internationale de droit et politique du développement durable*, 2010, 6, 2, 1.

THUAL, François, *Le désir de territoire*, Paris, Ellipses, 1999.

TOWNSEND, Lynda J., « Les contrats administratifs », dans Paul LORDON (dir.), *La Couronne en droit canadien*, Cowansville, Éd. Yvon Blais, 1992.

TREMBLAY, André, *Les compétences législatives au Canada et les pouvoirs provinciaux en matière de propriété et de droits civils*, Ottawa, Éditions de l'Université d'Ottawa, 1967.

TREMBLAY, André, « L'incertitude du droit constitutionnel canadien relatif au partage des compétences législatives », *Revue du Barreau*, 1969, 198.

TREMBLAY, André, *Droit constitutionnel : principes*, Montréal, Thémis, 2000.

TURGEON, Laurier (dir.), *Territoires*, Québec, Presses de l'Université Laval, 2009.

WIKIPÉDIA, *Republic of Indian Stream*, http://en.wikipedia.org/wiki/Republic_of_Indian_Stream, consulté le 10 décembre 2009.

WOEHRLING, José, « Les aspects juridiques d'une éventuelle sécession du Québec », *Revue du Barreau canadien*, 1995, 74, 293.

Textes constitutionnels
et autres documents de nature législative

Abréviations et sigles

app.   Appendice d'un volume du recueil des lois révisées du Canada.
c.   chapitre
Geo.   George ; les chiffres réfèrent à l'année du règne du souverain.
L.C.   Recueil annuel des lois du Canada.
L.Q.   Recueil annuel des lois du Québec.
L.R.C. Lois révisées du Canada ; la dernière refonte est de 1985.
L.R.Q. Lois refondues du Québec (à jour au 31 décembre 2010).
Vict.   Victoria ; les chiffres se réfèrent à l'année du règne.
R.-U.   Royaume-Uni.

Royaume-Uni

1763   *Proclamation royale de 1763*, dans L.R.C., 1985, app. II, n° 1.

1774   *Acte de Québec (1774)*, 14 Geo. III, c. 83, dans L.R.C., 1985, app. II, n° 2.

1791   *Acte constitutionnel (1791)*, 31 Geo. III, c. 31, dans L.R.C. 1985, app. II, n° 3.

1809   *The Newfoundland Act*, 1809, 49 Geo. III, c. 27.

1825   *Acte de l'Amérique du Nord britannique (1825)*, 6 Geo. IV, c. 59.

1840   *Acte d'Union, 1840*, 3-4 Vict., dans L.R.C., 1985, app. II, n° 4.

1851   *An Act for the Settlement of the Boundaries between the Provinces of Canada and New Brunswick*, 1851, 14-15 Vict., c. 63.

1867   *Loi constitutionnelle de 1867*, 30-31 Vict., c. 3 (R.-U.), dans L.R.C., 1985, app. II, n° 5.

1868   *Acte de la terre de Rupert*, 1868, 31-32 Vict., c. 105, dans L.R.C., 1985, app. II, n° 6.

1871   *Loi constitutionnelle de 1871*, 34-35 Vict., c. 28 (R.U.), dans L.R.C., 1985, app. II, n° 11.

1949   *Loi sur Terre-Neuve (1949)*, 12-13 Geo. VI, c. 22, dans L.R.C., 1985, app. II, n° 32.

1982   *Loi constitutionnelle de 1982*, annexe B de la *Loi de 1982 sur le Canada*, 1982, II, 2001, 135, 2899.

2001   *Modification constitutionnelle de 2001 (Terre-Neuve-et-Labrador)*, Gazette du Canada, II, 2001, 135, 2899.

Canada

Les lois fédérales se retrouvent dans les recueils annuels des lois du Canada (L.C.). Périodiquement, l'ensemble des lois est refondu dans des recueils de lois révisées (L.R.C.). La dernière refonte remonte à 1985, ce qui explique le nombre plus élevé de lois répertoriées selon cette date. Une version à jour de ces lois, c'est-à-dire avec les modifications qui y ont été apportées subséquemment, est disponible sur Internet.

1870   *Acte concernant certains travaux sur la rivière Ottawa*, L.C. 1870, c. 24.

1887   *Acte à l'effet de constituer en corporation la Compagnie du pont de Québec*, L.C. 1887, c. 98.

1895   *Acte constituant en corporation la Compagnie du pont des Chênes*, L.C. 1895, c. 73.

1898   *Acte concernant la délimitation de frontières nord-ouest, nord et nord-est de la province de Québec*, L.C. 1898, 61 Vict., c. 3.

1898   *Acte constituant en corporation la Compagnie du canal à navires du lac Champlain au Saint-Laurent*, L.C. 1898, c. 107.

1908   *Loi concernant les champs de bataille nationaux de Québec*, L.C. 1908, c. 57.

1912   *Loi de l'extension des frontières de Québec*, L.C. 1912, c. 45.

1914   *Loi sur les mesures de guerre*, L.C. 1914, c. 2.

1947   *Loi constituant en corporation la compagnie de chemin de fer du Littoral nord de Québec et du Labrador*, L.C. 1947, c. 80.

1958   *Loi sur la capitale nationale*, L.C. 1958, c. 37.

1960   *Loi concernant la Wabush Lake Railway Company Limited et la compagnie de chemin de fer Arnaud*, L.C. 1960, c. 63.

1970   *Loi sur les lieux et monuments historiques*, L.R.C., 1970, c. H-6.

1970   *Loi sur les parcs nationaux*, L.R.C., 1970, c. N-13.

1970   *Loi sur les terres destinées aux anciens combattants*, L.R.C., 1970, c. V-4.

1977 *Loi sur le règlement des revendications des autochtones de la Baie-James et du Nord québécois*, L.C., 1977, c. 32.

1984 *Loi sur l'Accord entre le Canada et la Nouvelle-Écosse sur la gestion des ressources pétrolières et gazières*, L.C., 1984, c. 29.

1985 *Loi sur les banques*, L.R.C., 1985, c. B-1.

1985 *Loi sur les stations agronomiques*, L.R.C., 1985, c. E-16.

1985 *Loi sur les pêches*, L.R.C., 1985, c. F-14.

1985 *Loi sur le développement des forêts et la recherche sylvicole*, L.R.C., 1985, c. F-30.

1985 *Loi sur les commissions portuaires*, L.R.C., c. H-1.

1985 *Loi sur les lieux et monuments historiques*, L.R.C., 1985, c. H-4.

1985 *Loi sur les Indiens*, L.R.C., 1985, c. I-5.

1985 *Loi sur la Commission frontalière*, L.R.C., 1985, c. I-16.

1985 *Loi du traité des eaux limitrophes internationales*, L.R.C., 1985, c. I-17.

1985 *Loi sur la Commission de la capitale nationale*, L.R.C., 1985, c. N-4.

1985 *Loi sur l'Office national de l'énergie*, L.R.C., 1985, c. N-7.

1985 *Loi sur les parcs nationaux*, L.R.C., 1985, c. N-14.

1985 *Loi sur les ports et installations portuaires publics*, L.R.C., 1985, c. P-29.

1985 *Loi sur l'examen de l'endettement agricole*, L.R.C., 1985, 2ᵉ suppl., c. 25.

1987 *Loi de mise en œuvre de l'Accord atlantique Canada–Terre-Neuve*, L.C., 1987, c. 3.

1988 *Loi sur les mesures d'urgence*, L.C., 1988, c. 29.

1988 *Loi de mise en œuvre de l'Accord Canada–Nouvelle-Écosse sur les hydrocarbures extracôtiers*, L.C., 1988, c. 28.

1991 *Loi sur les immeubles fédéraux et les biens réels fédéraux*, L.C., 1991, c. 50.

1997 *Loi sur la sûreté et la réglementation nucléaires*, L.C., 1997, c. 9.

1997 *Loi sur le parc marin du Saguenay–Saint-Laurent*, L.C., 1997, c. 37.

1998 *Loi maritime du Canada*, L.C., 1998, c. 10.

1999 *Loi canadienne sur la protection de l'environnement*, L.C., 1999, c. 33.

2000 *Loi de clarification*, L.C., 2000, c. 26.

2000 *Loi sur les parcs nationaux du Canada*, L.C., 2000, c. 32.

2001 *Loi de 2001 sur la marine marchande du Canada*, L.C., 2001, c. 26.

2002   *Loi sur les aires marines nationales de conservation du Canada,* L.C., 2002, c. 18.

2009   *Loi modifiant la loi sur la capitale nationale et d'autres lois,* projet de loi C-37 (Chambre des communes), non adopté.

2010   *Loi modifiant la loi sur la capitale nationale et d'autres lois,* projet de loi C-20.

Québec

Les lois du Québec se retrouvent aussi dans des recueils annuels de lois (L.Q.). Ces lois ont également fait l'objet de refontes périodiques sous la forme de recueils de lois refondues (L.R.Q.). Aujourd'hui, la refonte fait l'objet d'actualisation continue et les recueils de lois refondues ne comportent pas de date. Ceux-ci sont publiés sous forme de textes à feuillets mobiles lesquels sont également accessibles par Internet. Dans le présent ouvrage, nous nous référons aux lois refondues du Québec à jour au 31 décembre 2010.

1898   *Loi concernant la délimitation des frontières nord-ouest, nord et nord-est de la province de Québec,* L.Q., 1898, c. 6.

1912   *Loi concernant l'agrandissement du territoire de la province de Québec par l'annexion de l'Ungava,* L.Q., 1912, c. 7.

1912   *Loi concernant l'Ungava et érigeant ce territoire sous le nom de « Nouveau-Québec »,* L.Q., 1912, c. 13.

1946   *Loi pour faciliter le développement minier et industriel du Nouveau-Québec,* L.Q., 1946, c. 42.

1960   *Loi concernant la division territoriale de la province,* L.Q., 1960, c. 28.

1976   *Loi approuvant la Convention de la Baie-James et du Nord québécois,* L.Q., 1976, c. 46.

1977   *Loi sur la protection de la jeunesse,* L.Q., 1977, c. 20.

1978   *Loi concernant le régime des terres sur les territoires de la Baie-James et du Nouveau-Québec,* L.Q., 1978, c. 93.

L.R.Q.   *Loi sur l'aménagement durable du régime forestier,* L.R.Q., c. A-18.1.

L.R.Q.   *Loi sur la conservation de la faune,* L.R.Q., c. C-61.1.

L.R.Q.   *Loi sur la division territoriale,* L.R.Q., c. D-11.

L.R.Q.   *Loi sur l'exercice des droits fondamentaux et des prérogatives du peuple québécois et de l'État du Québec,* L.R.Q., c. E-20.2.

L.R.Q.   *Loi sur les forêts,* c. F-4.1.

L.R.Q. *Loi sur les mines*, L.R.Q., c. M-13.1.

L.R.Q. *Loi sur le ministère du Conseil exécutif*, L.R.Q., c. M-30.

L.R.Q. *Loi sur la qualité de l'environnement*, L.R.Q., c. Q-2.

L.R.Q. *Loi sur le régime des eaux*, L.R.Q., c. R-13 ; *Règlement sur le domaine hydrique de l'État*, L.R.Q., c. R-13, r. 1.1.

L.R.Q. *Loi sur les terres agricoles du domaine de l'État*, L.R.Q., c. T-7.1.

L.R.Q. *Loi sur les terres du domaine de l'État*, L.R.Q., c. T-8.1.

L.R.Q. *Loi sur les transports*, L.R.Q., c. T-12.

Jurisprudence

Sigles

A.C.   Appeal Cases.

A.G.   Attorney General.

C.C.C. Canadian Criminal Cases.

D.L.R. Dominion Law Reports.

R.C.S. Recueil des arrêts de la Cour suprême du Canada.

Affaire du différend frontalier (Burkina Faso/République du Mali), arrêt du 22 décembre 1986, C.I.J 584 (Cour internationale de justice).

Affaire du temple de Préah Vihéar (Cambodge c. Thaïlande), arrêt du 15 juin 1962, C.I.J. 6 (Cour internationale de justice).

A.G. Ontario c. A.G. Canada (1894) A.C. 189 (Conseil privé).

Arbitrage entre la province de Terre-Neuve et du Labrador et la province de la Nouvelle-Écosse concernant certaines parties des limites de leurs zones extracôtières au sens de la Loi de mise en œuvre de l'Accord Canada–Nouvelle-Écosse sur les hydrocarbures extracôtiers et de la loi de mise en œuvre de l'Accord atlantique Canada–Terre-Neuve, Ottawa, 2002 (Tribunal d'arbitrage mis sur pied par le gouvernement du Canada).

Avis sur la frontière du Labrador, intitulé *Re Labrador Boundary* (1927) 2 D.L.R. 401 (Conseil privé) ; aussi intitulé *In the Matter of the Boundary Between the Dominion of Canada and the Colony of Newfoundland in the Labrador Peninsula*, dossier conjoint publié par le Conseil privé, Londres, 1927, vol XII, 1005 ; aussi reproduit dans Québec, 1968-1972, vol. 3.7.4, à la p. 33 avec adaptation française à la p. 85.

Banque canadienne de l'Ouest c. Alberta (2007) 2. R.C.S. 3 (Cour suprême du Canada).

Banque de Montréal c. Hall (1990) 1 R.C.S. 121 (Cour suprême du Canada).

Booth c. Lowery (1917) 54 R.C.S. 421. (Cour suprême du Canada).

Burrard Power c. R. (1911) A.C. 87 (Conseil privé).

Colombie-Britannique c. Lafarge Canada (2007) 2 R.C.S. 86 (Cour suprême du Canada).

CTCUQ c. Commission des champs de bataille nationaux (1990) 2 R.C.S. 838 (Cour suprême du Canada).

Delgamuukw c. Colombie-Britannique (1997) 3 R.C.S. 1010 (Cour suprême du Canada).

Derrickson c. Derrickson (1986) 1 R.C.S. 265 (Cour suprême du Canada).

Fleming c. Spracklin (1922) 64 D.L.R. 382 (Cour suprême de l'Ontario).

Friends of the Oldman River Society c. Canada (1992) 1 R.C.S. 3 (Cour suprême du Canada).

In re Silver Brothers (1932) A.C. 514 (Conseil privé).

M and D Farm Ltd. c. Société de crédit agricole du Manitoba (1999) 2 R.C.S. 961 (Cour suprême du Canada).

Mikisew c. Canada (2005) 3 R.C.S. 388 (Cour suprême du Canada).

Munro c. National Capital Commission (1966) R.C.S. 663 (Cour suprême du Canada).

Nation Haida c. Colombie-Britannique (2004) 3 R.C.S. 511 (Cour suprême du Canada).

Ontario Mining c. Seybold (1903) A.C. 73 (Conseil privé).

Procureur général du Québec c. Lechasseur (1981) 2 R.C.S. 253 (Cour suprême du Canada).

Paul c. Paul (1986) 1 R.C.S. 306 (Cour suprême du Canada).

R. c. Crown Zellerbach (1988) 1 R.C.S. 663 (Cour suprême du Canada).

R. c. Rice (1963) 1 C.C.C. 108 (Cour de comté de l'Ontario).

R. c. Sparrow (1990) 1 R.C.S. 1075 (Cour suprême du Canada).

Re Labrador Boundary: voir *Avis sur la frontière du Labrador*.

Reference: Offshore Mineral Rights of British Columbia (1967) R.C.S. 792 (Cour suprême du Canada).

Renvoi relatif à la sécession du Québec (1998) 2 R.C.S. 271 (Cour suprême du Canada).

Renvoi relatif au plateau continental de Terre-Neuve (Hibernia) (1984) 1 R.C.S. 86 (Cour suprême du Canada).

Russell c. R. (1881-1882) 7 A.C. 829 (Conseil privé).

St. Catherine's Milling and Lumber c. R. (1889) 14 A.C. 46 (Conseil privé).

Taku River c. Colombie-Britannique (2004) 3. R.

LISTE DES SIGLES

BAGQ : Bureau de l'Arpenteur général du Québec.
CBJNQ : Convention de la Baie-James et du Nord québécois.
CEITQ : Commission d'étude sur l'intégrité du territoire du Québec.
MRNF : Ministère des Ressources naturelles et de la Faune.
MRC : Municipalité régionale de comté.
ONU : Organisation des Nations Unies.
ROC : Le Canada sans le Québec (Rest of Canada).
UNESCO : Organisation des Nations Unies pour l'éducation, la science et la culture.

LISTE DES FIGURES

TABLE DES MATIÈRES

CET OUVRAGE EST COMPOSÉ EN MINION CORPS 10.8
SELON UNE MAQUETTE RÉALISÉE PAR PIERRE-LOUIS CAUCHON
ET ACHEVÉ D'IMPRIMER EN MARS 2011
SUR LES PRESSES DE L'IMPRIMERIE MARQUIS
À CAP-SAINT-IGNACE, QUÉBEC
POUR LE COMPTE DE GILLES HERMAN
ÉDITEUR À L'ENSEIGNE DU SEPTENTRION